160 AÑOS DE FOTOGRAFÍA EN MÉXICO

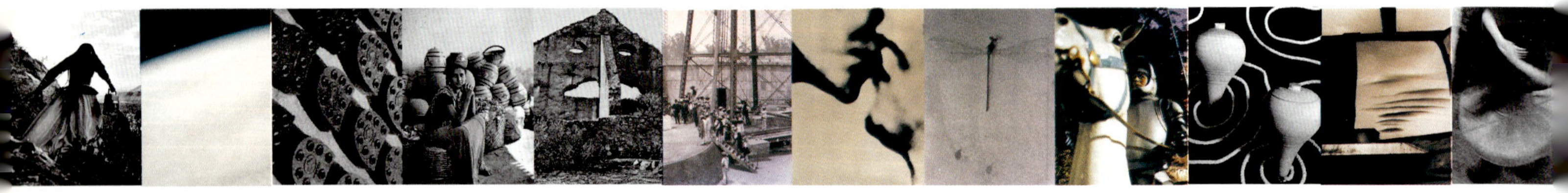

160 AÑOS DE FOTOGRAFÍA EN MÉXICO

CENART-CENTRO DE LA IMAGEN 10° ANIVERSARIO

Investigación, compilación y edición: Estela Treviño. **Asistentes**: Martha J. Jarquín Sánchez, Claudia Pretelin Rios. **Diseño**: Daniela Rocha. **Asistente**: Ana L. de la Serna. **Redacción de fichas biográficas**: Gabriel Kuri / Fernando del Moral González (Investigación y redacción de 27 fichas biográficas). **Cuidado de Edición**: Pablo Zepeda Martínez. **Corrección de estilo**: Amira Candelaria / Rafael Muñoz Saldaña. © Estela Treviño / Centro de la Imagen. **D.R.**© Fotografías: CENART. **D.R.**© los autores por sus textos y sus fotografías. **Coedición**: Consejo Nacional para la Cultura y las Artes / CENART / Centro de la Imagen / Editorial Océano de México **D.R.**© 2004 Consejo Nacional para la Cultura y las Artes. **D.R.**© por la presente edición: Editorial Océano de México, S.A. de C.V. Eugenio Sue 59, Colonia Chapultepec Polanco, Delegación Miguel Hidalgo, C.P. 11560, México, D.F. Tel.: [55] 5279-9000 Fax: [55] 5279-9006 E-mail: info@oceano.com.mx **ISBN CONACULTA**: 970-18-6876-5 **ISBN OCÉANO**: 970-651-741-3. **DL**: B-38.661-XLVII

CONTENIDO

PRESENTACIÓN 7
Sari Bermúdez

NUESTRA ENTRAÑABLE IMAGEN 8
Lucina Jiménez

AUTOR ¿CREADOR? 9
Alejandro Castellanos

160 AÑOS DE FOTOGRAFÍA EN MÉXICO 11
Estela Treviño

EN LOS ALBORES DEL SIGLO XXI 13
Patricia Mendoza

LA PRESERVACIÓN DE LA MEMORIA 14
Josep Lluis Monreal

REALIDAD, FICCIÓN, CONSTRUCCIÓN:
LAS FORMAS DE LA INTENCIÓN 15
José Antonio Rodríguez

BREVE CRONOLOGÍA DE LA FOTOGRAFÍA 21
Estela Treviño
Martha Jarquín

FOTOGRAFÍAS 29

MATERIALES Y TÉCNICAS DE LA FOTOGRAFÍA 641
María Fernanda Valverde Valdés

BIOGRAFÍAS Y BIBLIOGRAFÍA 655

CRÉDITOS Y AGRADECIMIENTOS 699

PRESENTACIÓN

Realizar un amplio recorrido por México a través de la imagen desde mediados del siglo XIX hasta el año 2001 es la idea que anima a estas páginas. Un recorrido, sin embargo, que contra lo que podría imaginarse no pretende ser progresivo ni lineal, sino, adoptando el binomio pasado-presente, proponer la yuxtaposición de tiempos para apreciar un tiempo que, sin temor a equivocarnos, podemos designar como el primer siglo de la imagen fotográfica.

Nuestro pasado inmediato y nuestra actualidad resultan así entrelazados por las miradas que muestran a la fotografía como uno de nuestros medios más eficaces de comunicación y expresión sensible, y sin lugar a dudas como uno de los más valiosos testimonios de la realidad.

Así se le revela al lector-espectador de este libro, como un gran mosaico que, visto en su conjunto, proyecta las más diversas y elocuentes realidades: épocas, rostros, paisajes, instantes, hechos y situaciones de una nación llamada México, en cuya identidad confluye una pluralidad inaudita de facetas, elementos y valores.

Con el impulso a la labor del Centro de la Imagen, el Consejo Nacional para la Cultura y las Artes ha buscado brindar el foro indispensable a la difusión de la fotografía en México. La publicación de este libro nos permite descubrir las razones por las que este quehacer merece aliento como uno de los lenguajes fundamentales de los mexicanos en lo albores del siglo XXI.

Sari Bermúdez
Presidenta del Consejo Nacional para la Cultura y las Artes

NUESTRA ENTRAÑABLE IMAGEN

Casi dos siglos de hacer imagen de lo propio y de lo ajeno. Este libro hace un repaso de ciento sesenta años de construcción colectiva de nuestro imaginario social, visto desde la perspectiva individual de hombres y mujeres que, a través de la lente, captaron nuestras luces y nuestras sombras.

Es el fruto de la ambiciosa y a la vez imprescindible tarea asumida con pasión y dedicación por Estela Treviño y por quienes en el Centro de la Imagen llevan ya casi diez años de documentar y promover la reflexión en torno a la fotografía mexicana.

El Centro de la Imagen, integrado ahora al Centro Nacional de las Artes, aporta con esta publicación un importante acervo, siempre susceptible de crecer, acerca de las trayectorias y hermandades de la fotografía y la historia mexicanas.

Rostros, paisaje, testimonio, figura y contorno, pero también experimento y creación, encierran las páginas de este libro al desnudar las rutas que han explorado algunos de los y las autores-creadores de la fotografía en México.

El terreno aún fértil de la investigación, la difusión y el análisis de la fotografía y la imagen en nuestro país encontrará en este libro un abono que permita fortalecer las raíces y ramificar los frutos.

Lucina Jiménez
Directora General del Centro Nacional de las Artes

AUTOR ¿CREADOR?

Ha pasado un cuarto de siglo desde que René Verdugo publicó un listado de fotógrafos representativos de una tradición local en el libro *Imagen histórica de la fotografía en México* (Eugenia Meyer, coord., México, SEP-INAH-FONAPAS, 1978), señalando la necesidad de construir un espacio autónomo para el autor dentro de los estudios sobre el medio. Al mismo tiempo que esto sucedía, algunos fotógrafos, mediante diversas estrategias, demandaban el reconocimiento pleno a su labor. Una de ellas puede situarse como el ejemplo más característico de sus propósitos: la petición de un área institucional de legitimación artística dentro de los salones bienales organizados por el Instituto Nacional de Bellas Artes, aspecto resuelto a partir de la I Bienal de Fotografía, realizada en 1980.

Es conveniente recordar el papel del discurso crítico proveniente de la izquierda en los debates sobre fotografía que tenían lugar en aquel tiempo, inducidos por un contexto latinoamericano agitado por las luchas de resistencia frente a las dictaduras del cono sur y de Centroamérica. Debido a tal situación, el perfil del fotógrafo mexicano y latinoamericano como un individuo sujeto a un compromiso histórico y social delimitó hasta cierto punto la noción de autoría en esos momentos. Poco hemos revisado la manera en que se fue desplegando un sentido más amplio y complejo para identificar al fotógrafo como creador a partir de entonces.

La distensión provocada por los cambios sucedidos luego del fin de aquellos conflictos tuvo lugar al mismo tiempo en que avanzaron nuevos enfoques en el análisis iconográfico. La infraestructura institucional desarrollada en este lapso, así como el interés hacia el medio, generado en algunos espacios académicos, han propiciado el surgimiento de los interlocutores e intérpretes que requería el trabajo de los fotógrafos, tal y como lo demuestran los ensayos realizados por Claudia Canales sobre Romualdo García; Mariana Figarella, Margaret Hooks y José Antonio Rodríguez sobre Edward Weston y Tina Modotti; Patricia Massé sobre Antíoco Cruces y Luis Campa; Rebeca Monroy sobre Enrique Díaz; Francisco de Montellano sobre C. B. Waite; Alfonso Morales sobre José Antonio Bustamante; John Mraz sobre Nacho López; y Samuel Villela sobre la familia Salmerón, entre los más significativos. A partir de dichos análisis, se ha establecido una nueva plataforma para ubicar las múltiples identidades del fotógrafo como autor.

Estas investigaciones nos indican la conveniencia de estudiar la aportación realizada por los fotógrafos más allá del arquetipo del autor-artista, productor de su obra al margen de los múltiples procesos en donde se conforma el sentido de la misma. No podemos olvidar que justamente a partir de la fotografía, las nociones sobre la autoría, la originalidad y el aura cedieron el paso a problemáticas tales como la multirreproducción y la simulación, así como a la crítica del *efecto de realidad* inherente a la imagen con independencia de su autor.

No obstante, en paralelo y a veces a contracorriente de los aspectos señalados, se desarrolla un modelo mercantil que trata de asignar valores de culto a la obra de los fotógrafos: situación paradójica si se piensa que el uso del medio lo coloca al margen de los circuitos de las artes tradicionales, ya que su vinculación con lo cotidiano y los procesos de producción de la sociedad de consumo han hecho de la copia una alternativa al original, un espacio iconográfico de conocimiento reacio a la sacralización, cuya fragilidad y ambigüedad establece una relación directa con nuestra percepción fragmentaria de la vida contemporánea.

Una buena parte de la operación difusora de la fotografía en las últimas tres décadas se ha empeñado en identificarla con aquellos individuos que han hecho de la misma un campo excepcional. Siguiendo los esfuerzos pioneros de Beaumont Newhall y Helmut Gernsheim nos hemos preguntado por el valor de las imágenes creadas por aquellos personajes que han participado de manera consistente en la creación de nuestro imaginario social. Pese a ello, la naturaleza contradictoria del medio frente a la individualidad de la mirada nos pone a prueba una y otra vez cuando observamos imágenes cuyo autor no ha pretendido crear una "obra" en términos estéticos, sino, simple y llanamente, establecer un registro de cualquier objeto o sujeto.

Por ello, toda lista de fotógrafos que distinga a unos cuantos de ellos será siempre incompleta. Agazapadas en las fototecas y los archivos privados nos esperan múltiples sorpresas, tan diversas como el número de individuos que hayan tomado una imagen o se planteen su interpretación. Como ha demostrado Phillipe Dubois, no es posible separar la semántica de la fotografía de su pragmática, es decir, el significado que llega a alcanzar se encuentra en relación directa con el proceso de codificación y lectura de la misma, realizado, en primera instancia, por el fotógrafo, pero confirmado, refutado o ampliado por quienes hacen uso de la imagen al editarla, exhibirla, publicarla o simplemente observarla.

Desde este punto de vista, una de las perspectivas para revisar el directorio de fotógrafos editado por el Centro de la Imagen es visualizar sus contenidos tomando en cuenta las múltiples maneras en que podemos abordar la relación entre el autor, la fotografía y su análisis. Más que una simple lista de individuos destacados, este volumen presenta un panorama que nos permite identificar la imaginación y la exploración de diversos sujetos sobre su tiempo y su espacio, ampliando nuestra comprensión del medio a través de perfiles cuya diversidad indica, precisamente, la imposibilidad de fijar bajo un solo concepto la noción del fotógrafo como autor.

La dimensión de un proyecto como éste trasciende las distintas etapas de una institución, cuya firmeza se asienta en las aportaciones que realiza en su campo de actividad, independientemente de quien las concluya. Por ello es justo reconocer que la investigación y la edición del presente libro fueron desarrolladas en su generalidad durante la gestión de Patricia Mendoza al frente del Centro de la Imagen. Asimismo, es pertinente recordar y agradecer la confianza depositada por muchas personas en la presente obra, sobre todo de los fotógrafos y artistas a cuya labor se debe la consolidación del Centro de la Imagen a nueve años de haber sido fundado.

Alejandro Castellanos
Director del Centro de la Imagen

160 AÑOS DE FOTOGRAFÍA EN MÉXICO

La historia de la fotografía en México comenzó casi al mismo tiempo que en el resto del mundo; aquí, cuando una cámara fotográfica arribó por el Puerto de Veracruz, aunque se cree que pudo llegar paralelamente por la frontera norte, desde los Estados Unidos.

En sus primeros años, la fotografía se introdujo en el ámbito social y familiar con el retrato, que en primera instancia se apegó a las iconografías pictóricas aristócratas. Otra vertiente fue la fotografía de paisajes que ayudó a numerosos pintores a abstraer ciertas vistas en sus estudios. Los fotógrafos extranjeros que llegaron a finales del siglo XIX y principios del XX, guiados sobre todo por el exotismo y romanticismo, registraron con esta visión los tipos mexicanos y vistas arqueológicas. La fotografía política empezó básicamente con el registro de la Revolución Mexicana; ejemplos de ello son las imágenes de Agustín Víctor Casasola y de los fotógrafos de su agencia —que constituyeron más tarde lo que hoy se conoce como el Archivo Casasola—, así como de fotógrafos independientes como Manuel Ramos, entre otros.

En la década de los veinte, tras los cambios socioeconómicos de la Revolución, la consiguiente modernización capitalista y el vuelco hacia el nacionalismo, se produce un cambio y expansión en el uso de la fotografía. En este contexto llegan a México Edward Weston y Tina Modotti, quienes conciben a la fotografía como un arte. Manuel y Dolores Álvarez Bravo, Luis Márquez y Agustín Jiménez, así como su alumna Aurora Eugenia Latapí, fueron algunos de los fotógrafos que marcaron una diferencia importante en la iconografía fotográfica mexicana. El constructivismo ruso, la Bauhaus alemana, así como vanguardias tales como el futurismo italiano y la nueva objetividad alemana de 1923, en el contexto mexicano, dieron como resultado una etapa diferente en el devenir fotográfico del país.

En 1949 nace el Club Fotográfico de México (CFM) y es en los años cincuenta y sesenta que se le reconoce su función histórica, por ser la plataforma que permitió la organización de grupos independientes que más tarde integraron una nueva agrupación: el Consejo Mexicano de Fotografía (CMF), con el respaldo del Instituto Nacional de Bellas Artes (INBA). La creación del CMF desencadenó múltiples actividades, como coloquios y las bienales. Asimismo, propició la crítica y la reflexión sobre el fenómeno fotográfico. Parte importante del CMF fue la creación del Taller de los Lunes, coordinado por Pedro Meyer, donde jóvenes fotógrafos se forjaban una enseñanza única en nuestro país, con invitados nacionales e internacionales.

En 1994 nace el Centro de la Imagen con el apoyo del Consejo Nacional para la Cultura y las Artes, como un espacio idóneo para la exhibición y el análisis de la fotografía, en el que se incluyen lenguajes alternativos como el video y las imágenes por computadora. Sin embargo, a pesar de los espacios ganados, existen pocos libros e investigaciones que compilan la historia de la fotografía, así como un número reducido de notas sobre el tema en los medios de comunicación.

La presente investigación surge como una necesidad de dar a conocer al público en general una muestra de lo que se ha producido en nuestro país y como un recuento de quienes lo han hecho.

Hoy, a más de 160 años del nacimiento de la fotografía, este libro evoca esa historia con las imágenes de más de 610 autores, desde los pioneros hasta los contemporáneos. Este trabajo tiene su origen en el archivo del Centro de la Imagen, el cual alberga cerca de ochocientos proyectos que nos llegan día con día.

A este archivo acude la revista *Luna Córnea* con el fin de seleccionar proyectos para su publicación, así como curadores en busca de trabajos contemporáneos para revistas o exhibiciones. Por otro lado, la constante afluencia de personas de diversa índole relacionadas con las exposiciones de Fotoseptiembre, las bienales y los coloquios, nos llevaron a formularnos la pregunta de quiénes son los fotógrafos que se han forjado una trayectoria, y quiénes aquellos que construyeron la historia gráfica de nuestro país.

Es nuestro deseo que este compendio de fotógrafos, que va desde la llegada de la fotografía a nuestro país hasta nuestros días, sirva de guía práctica para los interesados en la fotografía. Creímos, además, que era de suma importancia agregar una breve cronología de la fotografía en México, que podrán encontrar en las páginas siguientes.

Por último, queremos agradecer a Patricia Mendoza, quien creyó en el trabajo de su equipo, y a las personas que colaboraron en este proyecto: Claudia Pretelin, Guiomar Jiménez y Martha Jarquín, quien ha hecho una grata labor de investigación conjunta. Asimismo, a todas aquellas personas que en menor o mayor grado hicieron posible este esfuerzo, sin olvidar a los fotógrafos, coleccionistas y custodios, pues sin ellos este libro no hubiera sido posible.

Estela Treviño
Coordinadora del Departamento de Investigación

EN LOS ALBORES DEL SIGLO XXI

Es muy curioso pensar que para muchos de quienes pasamos nuestras vidas en el siglo XX, hoy el eco de las fechas: dos mil o dos mil uno, suena a un tiempo que en gran medida siempre evocó el futuro.

Considero que el presente es el futuro, de la misma forma que, viéndolo desde otra perspectiva, nuestro presente es a la vez el pasado lejano: el tiempo de origen. No olvidemos que en 1900 creían también vivir el futuro. Por ello preferiría declararme crono-agnóstica, y que este, nuestro presente, aparezca no como tiempo, sino como una oportunidad de coyunturas; momentos que dan la pauta al plano que articula, que sirve de comunicación entre lo que éramos, lo que somos, lo que sabíamos. Todo ello desplegándose en un puente hacia lo que no conocemos.

Este libro es un proyecto que reúne a un gran número de autores mexicanos y extranjeros que trabajaron en diferentes etapas de la historia de la fotografía en México. Durante tres años de investigación, el Departamento de Curaduría y Enlace ubicó la obra de más de ochocientos fotógrafos, de los cuales se logró concretar la participación de 610, así como los permisos correspondientes para la publicación de sus obras. Cabe mencionar que desde un principio se intentó la inclusión de la mayoría de ellos.

Por ello, la oportunidad de traer al plano físico este recuento, este significativo compendio de un arte llamado fotografía, es algo que me emociona profundamente. El libro está conformado de manera alfabética y logra una síntesis de fotógrafos desde el siglo XIX hasta el XX.

Este esfuerzo se consolida como una forma de hacer historia viva: de objetos, situaciones, íconos y miradas que aún palpitan y mueven al imaginario colectivo de nuestro país, que hacen fluir el continuo de nuestra identidad.

Proyecto que da constancia de un esfuerzo conjunto y, a la par, del espíritu permanente que ha animado al Centro de la Imagen, el cual ha logrado generar espacios en donde los propios actores se articulan de manera libre y aleatoria, dando lugar a resultados sorprendentes, siempre inesperados.

Hemos convocado voluntades a partir de un espíritu siempre inclusivo, hacia todas las latitudes del país y hacia todos los territorios que la actividad fotográfica comprende.

Por este motivo, la presente investigación se convierte no sólo en un abreviado repaso del vestigio de generaciones de ojos detrás de lentes, sino en una convocatoria permanente en el tiempo. Un recuento para las generaciones futuras: "esto es lo que les precede... les toca unirse a este dulce río de pertenencia..."

Y en función de este espíritu, espero que de manera periódica, continua y persistente, este recuento se vaya enriqueciendo en sucesivas ediciones, con nuevas historias escritas por miradas que en este momento aún son espectadoras.

Doy las gracias a todos los archivos, fototecas y coleccionistas particulares, así como a los autores, por su ayuda y participación, con las cuales pudimos concretar este proyecto. No olvidemos tener en cuenta la labor de vidas enteras dedicadas al quehacer fotográfico, de todos y cada uno de los personajes que en este libro dejan huella de su paso por el mundo, así como recordar a quienes en esta ocasión sustentan con sus miradas críticas y apoyan con sus líneas la armonía de las notas fotográficas, y por supuesto al Departamento de Curaduría y Enlace, a cargo de Estela Treviño, por este gran esfuerzo.

GRACIAS.

Patricia Mendoza
Directora del Centro de la Imagen, 1994-2001

LA PRESERVACIÓN DE LA MEMORIA

El compromiso ineludible de los pueblos es garantizar la preservación de la memoria. La negación de la existencia es la amnesia, el olvido, sucedáneo más genérico, la práctica más imperdonable.

Quien sabe de su pasado, acaba por conocer su presente, luego es capaz de inventarse un futuro. Y en esto radica la clave de la razón de ser de esta obra: recorrer el siglo y medio contraponiendo el pasado al presente (o viceversa: como se quiera "ver"); es decir no se parte de un origen para culminar en el hoy en este trayecto de imágenes fotográficas: las instantáneas del presente se yuxtaponen simultáneamente a las de un pasado que se expresa y que testimonia una realidad.

160 años de fotografía en México es, por tanto, herramienta ejemplar que se sirve del trabajo de más de seiscientos fotógrafos que tuvieron muy claro que en la dicotomía memoria-olvido reside el dilema de permanecer o desaparecer, como persona, entidad, pueblo, cultura o nación.

Y en este sentido, el trabajo realizado por el Centro de la Imagen es justo y oportuno para aliviar incertidumbres acerca de quiénes y cómo somos; qué rostros y paisajes para los hechos y situaciones que han de procurarnos identidad.

Josep Lluis Monreal
Presidente Grupo Océano

REALIDAD, FICCIÓN, CONSTRUCCIÓN: LAS FORMAS DE LA INTENCIÓN

Ahora se sabe: toda imagen fotográfica es un acto de intención. Toda imagen forma parte de un saber particular, por lo tanto, de un saber histórico de su hacedor. En ese sentido, toda imagen está regida por su tiempo, por una circunstancia que la determinó, por un impulso que la concretó. Entonces, todas las imágenes fotográficas son acciones elaboradas, en donde una intención de hechura termina por asomarse (el acto intelectual, cualquiera que éste sea y provenga de quien provenga), aunque también su tiempo; o en palabras de Jean Paul Sartre: "La imagen es un acto y no una cosa; la imagen es conciencia de algo". No por nada se suele decir que la fotografía es memoria. Por lo tanto, testimonio de una cierta realidad, una realidad que detrás de sí guarda las intenciones.

Entonces, la intencionalidad —ese poner en dirección una voluntad hacia un determinado fin— se presta naturalmente a preguntas: ¿quién estuvo detrás de esa imagen?, ¿bajo qué condiciones fue producida?, ¿cómo se construyó?, ¿qué corriente la determinó?, ¿quién o quiénes la han hecho existir?, ¿qué factores la hacen circular?, ¿quiénes y cómo han cambiado las viejas voluntades para crear nuevas intencionalidades? Lo que sigue es apenas un atisbo sobre ciertas intenciones fotográficas que han formado parte de una cultura de la fotografía mexicana.

Las intencionalidades esquemáticas. El viejo jerarca todoabarcador, Agustín Víctor Casasola, lo dijo en algún momento con la anuencia de sus colegas y frente al poder presidencial: "nuestro deber [es] de [ser] impresionadores del instante, de esclavos del momento".[1] Lo que en otras palabras quería decir, ilusoriamente, que ellos (los fotoperiodistas porfirianos) simplemente se plegaban ante los sucesos sociales y los registraban, sin pensar ni remotamente que eran parte activa de un acontecer histórico y por tanto parte actuante de un hecho social inmediato. Que eran divulgadores de circunstancias, por su participación testimonial dentro de un acontecer, y que esa participación los hacía asumir una dirección, que quería decir una posición. Ese antiguo concepto, el de la fotografía como un simple registro del instante, había dominado a un sector del pensamiento decimonónico, porque parecía que una intencionalidad de hechura, de construcción de la imagen sólo estaba circunscrita hasta ese momento a los ámbitos del estudio fotográfico, nunca a otros escenarios. Acaso por ahí se gestó más sólidamente, en el siglo XX mexicano, ese viejo mito de la objetividad fotoperiodística. Objetividad que, en esencia, nunca ha existido por más que hasta hoy se pregone lo contrario. Ser "esclavos del momento [histórico y fotográfico]" no quería decir tanto que los fotoperiodistas no pensaran su circunstancia, sino que querían aparentar que no la intervenían. Se asumían como el papel calca, simples "impresionadores", sin saber que detrás de sus imágenes había toda una carga de obsesiones, de fobias, de intereses, esto es, de ideas y realidades (muy personales, claro) que determinaban la actuación frente a su mundo (por entonces en transición).

Parecía que la intervención física del acto fotográfico, por más que esto suene contradictorio, estaba prohibida. Y por increíble que parezca, estas ideas perduraron muchos años, por erróneas lecturas o por una falta de reflexión ante las evidencias. Y en esto mucho tuvo que ver esa teoría-corsé del "Instante decisivo" pregonada a principios de los cincuenta por Henri Cartier-Bresson. Un planteamiento absolutista que buscaba fijar "el instante preciso y fugitivo" de todo acontecer bajo la premisa de que:

> nosotros, los fotógrafos, tenemos que enfrentarnos a cosas que están en continuo trance de esfumarse y cuando se han esfumado no hay nada en este mundo que las haga volver... El escritor tiene tiempo para la reflexión, puede aceptar, rechazar y aceptar de nuevo... para los fotógrafos lo que pasó, pasó para siempre... Nuestra tarea es percibir la realidad, casi simultáneamente registrarla en el cuaderno de apuntes que es nuestra cámara. No debemos manipular ni la realidad mientras fotografiemos ni los resultados en el cuarto oscuro.[2]

Ideas que, desde esa década, se enraizaron en el pensamiento creador de una buena parte de los fotógrafos en México. No por nada, unas similares ideas fueron expuestas por Nacho López durante una entrevista que se le realizó en 1956. Ante la pregunta de en qué se diferencian la pintura y la fotografía señaló: "Se diferencian en que... el fotógrafo debe organizar y previsualizar los elementos y

---

[1] "Los fotógrafos de los periódicos ante el sr. Presidente", *El Imparcial*, México, 27 de octubre de 1911, p. 8.

[2] "Henri Cartier-Bresson. El instante decisivo", en Joan Fontcuberta (comp.), *Estética fotográfica*, Barcelona, Editoral Blume, 1984.

el contenido antes de 'disparar la cámara', en tanto que el pintor dispone del tiempo necesario para organizar sus elementos, incluso corrigiéndolos durante el desarrollo de todo su trabajo".[3] Una idea en donde el concepto clave sería la corrección de elementos (ese organizar): el pintor podía realizarlos, el fotógrafo no; del lado de éste sólo había la previsualización, nada más. Pero precisamente se dejaba de lado toda discusión sobre la tal previsualización, que sustancialmente quería decir preconcepción. No es por eso casual que estas mismas ideas, hacia 1960, y después de varios años de estancia en México, las maneje también Bernice Kolko:

> El obstáculo fundamental de la fotografía es que, cuando no se capta la imagen en el momento preciso, la oportunidad se pierde. El momento no regresa. El pintor, el escritor, el escultor, miran, observan y después interpretan y plasman la obra de arte; el fotógrafo en cambio tiene un solo instante. Debe prever. Saber que el momento exacto se acerca y prepararse para recibirlo con el obturador listo, un retraso de segundos hace fracasar el intento.[4]

Algo que seguramente hacía ver al fotógrafo como una especie de cazador furtivo, eternamente expectante (y aburrido) ante una posible presa, siempre a la espera de a ver qué caía. Pero también como un personaje siempre esperando el suceso, incapaz de poder *provocarlo*. Una anquilosada actitud que, abiertamente, se fue al traste al finalizar el siglo XX precisamente entre el mismo gremio que la había gestado.

> No se está manipulando el acto fotográfico —advierte, ahora, Francisco Mata—, se está haciendo creación a partir del acto fotográfico. Llamar "manipulación" a la dirección es asumir que no hay ninguna intervención en el acto fotográfico. Dirigir choca de frente con las concepciones tradicionales de información... y por lo tanto no sirve. En mi generación eso era incuestionable: cero intervención; yo creo que el sueño de todos era ser invisibles. Eso ha cambiado. Es una posibilidad que debe tener el fotógrafo, una herramienta más en su mochila...

A lo que el fotodocumentalista Guillermo Castrejón, tajante, agregaría: "si no puedes captar la imagen espontánea, hazla tú".[5] Lo cual implica, sin duda, una mayor libertad, no sólo en los actos sino también en los conceptos.

Las intencionalidades evidentes. Para finales del siglo XX ese falso dilema se aclaró y de tan obvia que es la necesidad de intervenir en la hechura y resultado de las imágenes —algo que se había hecho en toda la historia de la fotografía— que este acto dejó de ser cuestionable como lo había sido en años anteriores. Aparentemente a esto contribuyó una corriente que desde los ochenta comenzó a llamarse fotografía construida o la aparición en los noventa de libros como *Verdades y ficciones* (1995), de Pedro Meyer, en donde quedaba saldada la discusión ante las posibilidades que, ahora, la digitalización podía ofrecer. Pero más bien, durante estas últimas dos décadas, lo que se dio fue un espacio más propicio para una abierta discusión y aceptación de esa intencionalidad que conllevaba —que siempre había tenido— el acto fotográfico. Porque, en estricto sentido, en nuestra fotohistoria mexicana muy diversos planteamientos al respecto siempre habían permanecido. Desde hace más de cien años un libro como *El fotógrafo retratista*, de C. Klary, que fue traducido y publicado en León, Guanajuato, ya evidenciaba el hecho: "Muchos fotógrafos afirman frecuentemente, a su clientela, que la semejanza de sus retratos es correcta porque la cámara no puede *mentir*; y no hay que afirmarlo con tanta seguridad, es cierto que la cámara no puede *mentir*; pero también lo es que la fotografía, con mucha frecuencia es toda ella una mentira", para agregar más adelante: "El fotógrafo no ha de vacilar en servirse de todos los artificios que puedan ayudarle a representar la [su] verdad de la naturaleza".[6] El único ejemplar que se conoce de este libro perteneció a Romualdo García y a él le fue dedicado por su traductor, y ahora se hace evidente que se trató de una referencia clave para las construcciones retratísticas de García.

Ciertamente estos planteamientos pertenecen a una muy precisa temporalidad (esos años de finales del XIX en los que la foto-

---

[3] Juan Gonzalo Rosé, "La fotografía artística en México: Nacho López", *Diorama de la cultura del Excélsior*, México, 19 de agosto de 1956, p. 4.

[4] Marcela del Río, "Bernice Kolko", *Diorama de la cultura del Excélsior*, México, 29 de mayo de 1960, p. 3.

[5] Ideas vertidas en el libro de Ariel Arnal y John Mraz, *La mirada inquieta, nuevo fotoperiodismo mexicano: 1976-1996*, México, Conaculta/Centro de la Imagen/ Universidad Autónoma de Puebla, 1996, pp. 114-115.

[6] C. Klary, *El fotógrafo retratista*, León, Guanajuato, traducción de Mariano Leal y Zavaleta, Imprenta de la Escuela de Instrucción Secundaria, 1892.

grafía buscaba por todos lo medios, o con todos "los artificios", equipararse artísticamente con la pintura), pero lo que debemos evidenciar aquí es que conceptos como verdad, mentira, representación, o esa búsqueda de los artificios, ya eran parte de un sistema fotográfico que buscaba definir sus posibilidades. Conceptos que quizás hoy pueden ser moneda corriente en la comprensión general de la foto, pero para ello se tuvo que pasar, durante largos años, por una serie de contradicciones y vicisitudes. Una cierta negación que lastraba la naturaleza creativa que, naturalmente, permitía la fotografía.

No por nada es sintomática una afirmación que Enrique Galindo, uno de nuestros pioneros en la crítica y la enseñanza de la fotografía, hace en 1936: "los ya muy populares trucos fotográficos, muchas veces son la causa de llegar a dudar de la veracidad de ciertas cosas fotografiadas, pues todos sabemos que el ingenio es capaz de crear verdaderas fantasías fotográficas que como tales distan mucho de la verdad".[7] Después de lo cual se hacía una explicación de cómo y por qué la fotografía debía de ser fiel depositaria de un mundo verdadero y real (aunque nunca se explicara que querían decir tales conceptos) y no contribuir a tales fantasías que a nada llevaban.

Otras actitudes que iban en contra de todas esas esquemáticas reglas aparecían sólo en ocasiones, a veces como tímidos planteamientos, de manera casi subrepticia, como parte de una sección de entretenimientos fotográficos. Era, por ejemplo, el caso de un artículo publicado en *Instantáneas, la revista del aficionado mexicano*, a finales de 1949, en donde se recomendaba experimentar con la hechura de "fotos sobre la mesa". De manera natural ahí se decía que éstas podían lograrse

> en escenarios apropiados, hechos por la persona que toma las fotografías. Usted puede utilizar para eso toda clase de artículos caseros: por ejemplo, un poco de bicarbonato o sal constituye una capa de nieve en apariencia bastante real. Una alfombra de color liso, cuando es fotografiada de cerca, semeja césped, un espejo imita perfectamente un lago. Pueden construirse pequeñas figuras con limpiadores de pipa, pinzas para la ropa o pequeños muñecos, carritos o modelos... Una buena foto

"sobre la mesa" no es únicamente una foto de objetos inanimados, es una foto que narra.[8]

Algo que hoy cualquiera hace y asume para sí como un derecho (sin duda, una acción que englobaría a una buena parte de los autores de la fotografía contemporánea: de David Levinthal a Egmont Contreras) y que hasta puede parecer obvio en sus instrucciones, pero eso sonaba muy distinto dentro de una cultura que —en el medio siglo XX mexicano— estaba en proceso de asimilación de sus propios recursos.

Por eso mismo, por esas contradicciones y procesos, es explicable que muy diversos actos vanguardistas hayan pasado inadvertidos en la foto mexicana. En mucho porque no tuvieron una adecuada repercusión que abriera nuevas posibilidades en las soluciones plásticas, o porque en su práctica se adelantaron a su tiempo, o porque simplemente no fueron entendidos, o bien porque se omitió naturalmente una discusión más fecunda sobre éstos. Fue el caso, por ejemplo, del trabajo de fotomontaje en donde era utilizada la brocha de aire (sin mayor problema la unión entre la pintura y la fotografía) y que tanto puso en práctica José Renau en México junto a su hermano Juan Renau. Este último fue autor del olvidado libro *Técnica aereográfica*, publicado en 1946, en donde para aplicar su método no tenía ningún problema en solicitar, del practicante de esta nueva opción, que se allegara de cuantos recursos se pudiera: lo mismo del tradicional recorte de figuras con tijeras que de una elaborada puesta en escena, "para estudiar y resolver las combinaciones más audaces e ingeniosas... con objeto de dar la sensación dramática que necesitamos".[9] O el singular caso de Arno Brehme, quien en

---

[7] Enrique Galindo, *Curso elemental de fotografía: la fotografía de paisaje*, México, Ediciones Rudolf Rüdiger, 1936, p. 74.

[8] "Fotos sobre la mesa", en *Instantáneas, la revista del aficionado mexicano*, México, Kodak Mexicana, septiembre-octubre de 1940, pp. 8-9, 23.

[9] Escribe Juan Renau: "La libertad del artista es en el fotomontaje... Puede [el artista] según el tema que pretenda desarrollar o la intención publicitaria, estudiar y resolver las combinaciones más audaces e ingeniosas como poner fondos, de celaje y magníficos efectos de nubes, a figuras cuyas fotografías se han sacado en estudios cerrados, imaginar de la flora diminuta de los parques que visitamos diariamente y que pasa desapercibida, la cual colocaremos como fondo imaginario, unas fotos reducidas de unas cuantas figuras humanas, provocando de este modo los más originales efectos. Otras veces podemos fotografiar una verdadera tempestad en nuestra misma casa, empleando modelos miniatura de naves que zozobran en aguas agitadas por un ventilador o con la mano, iluminando la escena con reflectores apropiados con objeto de dar la sensación dramática que necesitamos". Véase Juan Renau, *Técnica aereográfica*, México, Editorial Centauro, 1946, p. 140.

1963, en una exposición en el Palacio de Bellas Artes, mostró unas insólitas imágenes en donde echaba mano de todo: uso de dos y hasta tres negativos para armar una imagen en donde se jugaba con las proporciones (pequeñas figuras humanas al lado de gigantescas agujas), con las sombras y los objetos a partir de, también, cuidadas puestas en escena. Pero la cultura fotográfica de entonces —que ponía más atención en la práctica fotodocumentalista y lo que se hacía en el fotoperiodismo— poco caso le hizo a sus avanzadas propuestas enraizadas en las experimentaciones de la Bauhaus (Arno es acaso el único mexicano que abrevó de esa escuela en Alemania, a donde fue enviado por su padre, Hugo Brehme, entre finales de los veinte y principios de los treinta), hasta terminar relegadas en esporádicas notas de la prensa de esos años y por lo tanto casi inexistente para el presente. O esas experimentaciones, con mucho de *happening*, que llevó a cabo Armando Salas Portugal, en las cuales en un cuarto oscuro agrupaba a una serie de personas que proyectaban sus pensamientos sobre una placa sensible: "una concentración mental efectuada en plena oscuridad y ante, o en, contacto corpóreo con una película sensible y virgen, que a continuación se revela en el cuarto oscuro". Los resultados de tales prácticas, que eran acompañadas de música clásica, se encontraban inmersos en la plena abstracción y fueron publicados en *Fotografía del pensamiento*, un rarísimo libro aparecido a finales de los sesenta que también pasó sin pena ni gloria (acaso por las ideas tan excéntricas, pero profundamente vanguardistas, que ahí se mostraban) entre los fotógrafos de aquel entonces.[10]

Las primeras ideas sobre los procesos de construcción que permitía la fotografía, dentro del pensamiento moderno en México, van a provenir del crítico e historiador del arte Antonio Rodríguez casi en los mismos momentos en que en Francia y los Estados Unidos va a aparecer el célebre libro de Cartier-Bresson. Rodríguez, quien para principios de los cincuenta era un activo impulsor del fotoperiodismo (en 1947 había organizado la exposición *Palpitaciones de la vida nacional*, sobre la práctica fotoperiodística de aquel entonces), en un artículo aparecido en la revista *Mañana* acerca del trabajo de Bernice Kolko (que recién había llegado a México) escribe:

Bernice se sirve de la cámara, para decir por medio de ella lo que quiere decir. Para pronunciar sus propios discursos... Como los pintores cubistas que "descuartizaban" a los seres humanos y "desmontaban" los objetos para reconstruirlos después a su antojo, Bernice Kolko convierte lo que le rodea en *materiales de construcción*... Para lograrlo, la artista recurre a los más variados procedimientos: unas veces, como un director de escena consciente de su poder personal, mueve a los personajes que dependen de su voluntad creadora obligándolos a representar las pantomimas que convienen a sus finalidades y los fotografía así, como ella quiere, obligándoles a decir lo que ella lleva en su pensamiento; en otras ocasiones toma las imágenes como fragmento de un riquísimo caleidoscopio que, al influjo de sus deseos, se transforman mágicamente ...[11]

Ciertamente Rodríguez se refería a una serie de experimentaciones que Kolko había realizado tiempo atrás, en los Estados Unidos (sobreimpresiones y solarizaciones), y que escasamente se ponían en práctica en México, donde ahora eran vistas. No por nada, más adelante, busca establecer la diferencia con lo que otros hacían:

Los fotógrafos de México —hay que decirlo— no se emocionan mucho por esta clase de juegos... Miembros activos de un movimiento artístico que ha colocado al hombre —con sus problemas— en el centro de sus preocupaciones vitales, los grandes fotógrafos de México en vez de cuentos de hadas, con príncipes azules y bellas durmientes del bosque, prefieren narrar dramas, contar epopeyas, proferir gritos de protesta... nuestros fotógrafos buscan en el realismo, la forma de expresión por excelencia de su lenguaje fotográfico.

Nuevamente, entonces, estaba presente el falso dilema. Por un lado, el crítico de arte evidenciaba dos conceptos clave: el uso de *materiales de construcción*, con lo que se asumía que la fotografía podía ser construida a partir de diversos referentes (en donde no se objetaba que se encontraba implícita una ficción) y, por otro, la dirección de puesta en escena que era parte y consecuencia de esa construcción. Conceptos que, aparentemente, eran diametralmente opuestos a la reproducción de-la-realidad-tal-y-como-se-ve. Así, para mediados del siglo XX, como puede verse, y después de una

---

[10] Armando Salas Portugal, *Fotografía del pensamiento*, México, Editorial Orión, 1968.

[11] Antonio Rodríguez, "Una fábrica de ensueños y fantasías", *Mañana*, 20 de octubre de 1951, pp. 22-27.

serie de contradicciones que iban y venían en relación con la fotografía, se pensaba que una cosa era la realidad y otra la ficción. Como si el registro de la realidad (esa personal percepción del mundo que todos tenemos) no conllevara las obsesiones y los deseos de los practicantes de la foto. Esto es, como si frente a la realidad el fotógrafo actuara de manera mecánica, automática, siendo únicamente esclavo del momento, despojándose de una muy precisa posición y pensamiento ante el mundo. Lejos estaba de pensarse que todo acto de registro por muy realista que fuera traía consigo un modo de representación mental que se incrustaba en la superficie fotográfica. Y que la tal realidad, entonces, podía compartir sin mayor problema los procesos de la ficción porque permitía la *construcción* de realidades propias, tantas como practicantes de la foto hubiera.

Las intencionalidades razonadas. A finales de los setenta y principios de los ochenta nuevas direcciones van a adquirir los razonamientos que posibilitaban una comprensión distinta del acto fotográfico. Existía, desde luego, aquella corriente que buscaba que el fotógrafo asumiera una "identidad latinoamericana", a partir "de la ineludible condición de la fotografía, es decir, de una realidad de la cual tomar sus imágenes y a diferencia del pintor que puede inventar sus realidades [¿les suena conocido esto?], el fotógrafo tiene que entrar en contacto con su mundo y seleccionar de allí lo que se desea".[12] Pero los tiempos para estas ideas unilaterales iban a decaer. Aunque no sin darse al principio una tajante separación entre quienes se afiliaban al registro directo de una realidad (el pensamiento aplicado a una exterioridad con el cual se la apropiaban, esto es, la interpretaban) y quienes preferían crearla sin tantas complicaciones. Y no por nada se dieron curiosos títulos de exposiciones fotográficas como *Fotografía vs. Realidad* de Duane Michals (Museo de Monterrey, 1981), o *Manipulación y alteración de la imagen fotográfica*, a principios de 1984 en las instalaciones del Consejo Mexicano de Fotografía. O bien se tomaba partido por una y otra corriente. Por ejemplo, en el Acta de Jurado de la Segunda Bienal de Fotografía (1982) se decía que "el material presentado no mostró... una preocupación generalizada por los grandes problemas actuales..."; por su lado, Gerardo Suter, uno de los ganadores de la misma bienal, argumentaba: "Busco un nuevo planteamiento en la presentación de la imagen a través de técnicas alternativas. Evidentemente mi obra no aborda ninguna problemática social pero ofrece nuevas propuestas a través de la experimentación"; mientras que una exposición como *El taller de la luz* (Museo de Arte Carrillo Gil, 1982), que agrupaba a Lourdes Almeida, Javier Hinojosa y al mismo Suter, generaba una polémica pública porque lo que ahí se exhibía se alejaba de las tradicionales concepciones fotográficas (imágenes en polaroid fragmentadas, o el uso del grafito y la acuarela sobre las emulsiones, además de soluciones abstractas), por lo que no faltó quien se manifestara ante tales acciones:

El fotógrafo —escribiría Lázaro Blanco en una crítica por la que obtuvo un premio— no entiende que este perseguir actitudes de la pintura y la imitación servil de la misma destruye su oficio y elimina la potencia sobre la que se basa su importancia social. Se aleja de la reproducción fiel de la naturaleza y se somete a las leyes estéticas que distorsionan su misma naturaleza.[13]

Todo lo cual no era más que el tradicional modo de ver las posibilidades de la foto, para seguir manteniéndola como fiel sierva de la tan llevada y traída realidad.

En principio, el dilema lo fue resolviendo —ya en los últimos tiempos— la corriente que puso en práctica la fotoconstrucción; en parte porque dentro de ésta todo era posible y todo era aceptado, pero también porque a la par otros artistas provenientes del ensamblaje o la pintura utilizaron la fotografía como uno más de sus recursos sin importar si existía una "ineludible condición de la fotografía". Entre los primeros pasos estaba el aceptar que podía existir una representación simbólica en el proceso de elaboración de las imágenes. Por lo tanto un discurso personal; o lo que es lo mismo, una realidad particular que podía expresarse con las libertades iconográficas que permitía la fotoconstrucción, que también quería decir ficción.

El símbolo es lo que me interesa —expone Salvador Lutteroth en una charla celebrada en 1987—. Supongamos que en las dos series que presento

---

[12] Pedro Meyer en "Introducción", *Memorias del Primer Coloquio Latinoamericano de Fotografía*, México, CMF-INBA-SEP, 1978, pp. 8-9. Sin embargo, Meyer, años después, cambiaría sus concepciones por otras en las cuales nuevas realidades ya eran posibles, lo que sin duda beneficiaría una más abierta discusión.

[13] Lázaro Blanco, "Nota crítica", texto mecanoescrito, 1982, Archivo Lourdes Almeida. También acerca del ambiente que prevalecía a principios de los ochenta puede verse la entrevista que Alejandro Castellanos le hace a Gerardo Suter en "El umbral de la ficción", *La Jornada Semanal*, México, 18 de diciembre de 1994.

—*El mar* y *Exvotos*—, los temas están dados por los títulos mismos, pero ni el mar es el mar real, ni los exvotos están tomados en ese ámbito religioso en el que cumplen su función... Es evidente, además, que todas las fotografías de ambas series han sido preparadas, pensadas, compuestas y "construidas"... Compongo en función de una idea, una idea que es abstracta. Previsualizo los elementos, los coloco en una maqueta, veo cómo se comportan, los miro finalmente a través de la cámara y si veo la foto, la tomo.[14]

Evidentemente el concepto de la previsualización se encuentra más cómodo aquí que en aquellas concepciones que sólo lo veían como un simple —y necesario— acto reflejo o como sagaz impulso. Simultáneamente otro notable fotoconstructor de los ochenta, Jesús Sánchez Uribe, dirá a principios de ese mismo año: "Mi trabajo más reciente tiene que ver con una serie de construcciones plásticas, que luego son fotografiadas"; y más adelante agregaba: "Esta gran corriente que considera a la fotografía como documento social y deriva de ello el 'compromiso social' me parece un absurdo terrible. Considero que el único compromiso real es con uno mismo".[15] Es evidente que una fracción de la cultura fotográfica en México tenía claros los recursos de los que podía allegarse, mientras que los fotoperiodistas y los fotodocumentalistas se tardarían un poco más para llegar a tales conclusiones. Aunque no tanto, porque para 1992 Flor Garduño (quien había trabajado la escenificación a la par del fotodocumentalismo) dará a conocer un exitoso trabajo que venía preparando desde años antes: su fantasía rural *Testigos del tiempo*, en donde se unen sin mayor problema las posibilidades que permitían tanto el fotodocumento como la foto escenificada. La realidad y la ficción, con ella, dejaban de tener fronteras precisas para sorpresa de la ortodoxia. El dilema —si es que éste había existido— estaba liberado una vez más con Flor Garduño. Por eso lo de menos en su trabajo es ese esforzado aliento mítico-mágico que todo lo permea. Porque lo mítico es parte sustancial para lograr lo fantástico documental.

Imagen de registro directo o imagen elaborada se tocaban mutuamente, como la realidad y la ficción lo hacían hasta mezclarse.

Eso ahora estaba claro, pese a las ortodoxias. Al mediar los noventa Gerardo Suter lo redondeaba, partiendo de la memoria que se impregnaba en ambas:

Yo podría defenderme diciendo que tanto una cosa como la otra son lo mismo, porque si usas la fotografía y la entiendes como una memoria visual, no importa lo que hagas: siempre será estrictamente lo mismo... yo creo que la confusión existe más bien en los mismos fotógrafos, que no pueden definir qué quieren hacer con ese lenguaje y cómo quieren que circulen sus imágenes: el resultado de su trabajo. Siento que tienen un poco ese conflicto entre ser artistas o ser "simplemente fotógrafos", porque no entienden que de todas maneras están utilizando el mismo lenguaje, lo que cambia es la forma de hacerlo circular. Los que han alimentado mucho esa confusión son los mismos fotógrafos. Creo que los artistas plásticos tienen más libertad, porque ellos están acostumbrados a manejar distintos soportes y a incluir distintos medios para desarrollar un mismo discurso. El fotógrafo no. El fotógrafo por lo general es muy ortodoxo. Es un gremio muy cerrado. Es más fácil una apertura con gente que está acostumbrada a crear mentalmente sus imágenes de otra manera. Es decir: crear las imágenes de adentro, de la cabeza, hacia fuera, y no de afuera hacia adentro.[16]

No por nada una nueva corriente que surgió a mediados de los noventa —con jóvenes nacidos en los sesenta— comenzó a exhibir sus interioridades, no importando la forma fotográfica y no importando qué tanto era ficción y qué tanto realidad, porque para sus fines ambas cosas eran lo mismo. Una generación de fin de siglo que con el precedente de la fotoconstrucción (una construcción que, ciertamente, siempre había existido pero ahora se había hecho cada vez más evidente) reunió las realidades y las ficciones a partir de poner en juego las intenciones de cada quien (y no por nada una autorreferencialidad se comenzó así a perfilar entre los fotocreadores). Un largo dilema comenzó así a dejarse de lado. Y la pregunta que ahora se ha generado es: ¿cuánta ficción puedes crear con tu realismo?, o viceversa. Una pregunta que la generación actual ya ha comenzado a responder.

José Antonio Rodríguez

---

[14] "Conversación con Salvador Lutteroth", *Fotozoom*, México, núm. 138, marzo de 1987, p. 44.

[15] Guadalupe Sandoval, "Jesús Sánchez Uribe: Mi cámara funciona con los recursos de la demencia, sólo así siento el arte y la vida", *Somart, Sociedad Mexicana de Artes Plásticas*, México, núm. 3, enero-febrero de 1987, pp. 6, 15.

[16] Malú Huacuja del Toro, "La fotografía sigue siendo rigurosamente una forma de memoria: Gerardo Suter", *El Financiero*, México, 25 de noviembre de 1996, p. 86.

BREVE CRONOLOGÍA DE LA FOTOGRAFÍA

1826 Joseph Nicéphore Niépce consigue fijar una imagen a través de una fórmula química, que presenta en 1827 a la Royal Society con el nombre de heliografía.

1833 Hércules Romuald Florence aplica por primera vez el término *photograpie* y realiza los primeros descubrimientos fotoquímicos en Brasil.[1]

1834 El filósofo y matemático Henry Fox Talbot descubre el proceso negativo-positivo, proceso que se utiliza hasta hoy; además publica el primer libro con fotografías e ilustraciones.

1839 Se reconoce oficialmente como el año del nacimiento de la fotografía y a Louis Jaques Mandé Daguerre como su inventor en Francia.

A finales de ese año desembarcan en el Puerto de Veracruz las primeras cámaras importadas por comerciantes franceses que radicaban en nuestro país.

1843 Hacia este año empiezan a colorearse los daguerrotipos, lo cual causa sensación en la sociedad mexicana.

1850 Se difunde el ambrotipo como técnica más barata y que requiere menos tiempo de exposición.

1860 Los fotógrafos se hacen publicidad mediante tarjetas de visita. Destaca en nuestro país el establecimiento de estudios fotográficos; entre los más importantes se encuentran los de Cruces y Campa y Valleto & Co.

1866 La publicación *El mundo* convoca a lo que seguramente es el Primer Concurso Nacional de Fotografía.

1900-1901 Surge *El fotógrafo mexicano*, revista destinada a presentar el trabajo más destacado de los fotógrafos de estudio, así como artículos enfocados a fomentar la fotografía profesional. Esta publicación es distribuida por tiendas de materiales fotográficos en México.

1902 Aparece *Foto*, publicación dirigida principalmente a aficionados a la fotografía.

1904-1908 Guillermo Kahlo viaja por todo el país retratando edificios y monumentos virreinales de importancia histórica y arquitectónica a petición del ministro de Hacienda, José Yves Limantour, para la Celebración del Centenario de la Independencia.

1910 A partir de la Revolución, el clima político obliga a madurar el fotoperiodismo gráfico, en el que sobresale la labor fotográfica de Agustín Casasola.

1919 Enrique Macías, fotógrafo experimental, realiza los primeros retratos a color.

1920 Inicia en esta década un auge por la fotoescultura, que terminará alrededor de los años cincuenta.

1923 Arriban a México Tina Modotti y Edward Weston, durante cuya estancia, que se prolonga hasta 1926, desarrollan una obra innovadora en el contexto mexicano a través de temas como desnudos, retratos, formas cotidianas y naturalezas muertas.

1925 Modotti y Weston exponen en el Museo del estado de Guadalajara, Jalisco.

1926 Editan en Alemania el libro *México pintoresco*, de Hugo Brehme, quien se dedica a retratar el paisaje y la arquitectura de México.

Manuel Álvarez Bravo gana un concurso regional de fotografía en la ciudad de Oaxaca.

1928 Se realiza la exposición *Fotógrafos mexicanos* en los salones de Carta Blanca, con trabajos de Hugo Brehme, Antonio Garduño, Tina Modotti y Manuel Álvarez Bravo.

---

[1] Para mayor información, revisar "La fotografía en Latinoamérica en el siglo XIX. La experiencia europea y la experiencia exótica de Boris Kossoy", en *Image and Memory, Photography from Latin America, 1866-1994*, FOTOFEST, pp. 18-54.

1929 Tina Modotti realiza la que sería su única exposición individual, en el vestíbulo de la Biblioteca Nacional (ubicada en el Templo de San Agustín) de la UNAM, a escasas semanas de ser deportada. En 1998 el Centro de la Imagen reprodujo dicha muestra.

Se publica *Helios, revista mensual fotográfica.*

1930 Al iniciarse la década de los treinta llegan a México Paul Strand, Henri Cartier-Bresson y Serguei Eisenstein.

1931 La compañía cementera Portland a través de la Tolteca convoca a los artistas a un concurso para resolver con sus obras los problemas de publicidad. El jurado está conformado por Diego Rivera, Federico Sánchez Fogarty, el ingeniero Mariano Moctezuma y el arquitecto Manuel Ortiz Monasterio; el primer premio es para Manuel Álvarez Bravo, el segundo para Agustín Jiménez, el tercero para Lola Álvarez Bravo y el cuarto para Aurora Eugenia Latapí.

1935 Manuel Álvarez Bravo y Cartier-Bresson exponen en el Palacio de Bellas Artes y exhiben con Walker Evans en una galería en Nueva York.

Con los inmigrantes españoles, refugiados de la guerra civil, llegan los hermanos Mayo, quienes de 1945 a 1946 producen una revista gráfica de contenido político.

1945 Se reúnen Mario Sabate, Francisco Vives, López Aguado, Ángel Ituarte y Enrique Segarra, grupo que más tarde se convertiría en el Club Fotográfico de México.

Héctor García organiza su agencia Fotopress ante "la necesidad de ser, de no depender ni recibir órdenes de nadie, salvo las de mi conciencia y compromiso" —afirma don Héctor.

1947 Antonio Rodríguez promueve desde la revista *Mañana* una primera exposición de fotografía de prensa; Fernando Gamboa, director del Museo del Instituto Nacional de Bellas Artes (INBA), acoge la propuesta y monta la exposición en las salas del Palacio de Bellas Artes titulada *Palpitaciones de la vida nacional, México visto por fotógrafos de prensa,* inaugurada por el presidente Miguel Alemán.

A partir de este año y hasta 1950, Manuel Álvarez Bravo imparte clases de fotografía en el Instituto Cinematográfico Mexicano y a mediados de los sesenta, en el Centro Universitario de Estudios Cinematográficos (CUEC) de la UNAM.

1949 Nace formalmente el Club Fotográfico de México, que en los años cincuenta y sesenta mantiene viva la actividad fotográfica en sus salones nacionales e internacionales.

1950 Enrique Fernández Ledesma publica *La gracia de los retratos antiguos*, trabajo precursor de la historiografía mexicana. Esta obra analiza las actitudes, poses y vestimentas de la sociedad mexicana proclive a retratarse.

1956 Se crea el primer grupo independiente de fotógrafos, La Ventana, integrado por Alex Klein, Ruth Lechuga y Hans Deutsch, entre otros, que finaliza sus actividades en 1964.

1957 La George Eastman House de Rochester, Nueva York, adquiere 45 fotografías de Manuel Álvarez Bravo.

1958 Héctor García funda la publicación *Ojo*, donde aparecen fotografías del movimiento ferrocarrilero, con el apoyo de Horacio Quiñones —quien funda a su vez el BIP (Buró de Investigación Política).

1959 Manuel Álvarez Bravo, Leopoldo Méndez, Rafael Carrillo y Carlos Pellicer fundan el Fondo Editorial de la Plástica Mexicana, comité para la publicación de libros de arte mexicano.

1962 Surge el grupo Arte Fotográfico, integrado por Pedro Meyer y Raúl Díaz, entre otros.

1963 El Palacio de Bellas Artes es escenario de la exposición de Arno Brehme.

1966 En el Museo de Arte Moderno se presenta una muestra fotográfica de Edward y Bret Weston.

1968 Se crea el grupo 35 = 6 x 6, que reúne a Lázaro Blanco, Domingo Hurtado de Río, José Luis Neyra, Manuel Alvarado Veloz, Luis López Núñez y Gustavo Hernández Godínez.

Dentro de la Olimpiada Cultural, Manuel Álvarez Bravo realiza una exposición individual en el Palacio de Bellas Artes.

Los grupos independientes comienzan a tener cierta proyección; la revista *Life* en español publica un portafolio de los fotógrafos mexicanos del grupo 35 = 6 x 6, hecho que antecede a una exposición en la Biblioteca Pública de Nueva York.

Se publica *Fotografías del pensamiento*, de Armando Salas Portugal.

Lázaro Blanco funda el taller de fotografía de la Casa del Lago en la UNAM y en 1973 la Galería Casa del Lago, exclusivamente para exponer fotografía. Ese mismo año funda el grupo VOD (Velocidad, Obturador, Diafragma) de fotógrafos.

1970 Paulina Lavista es presentada por su esposo Salvador Elizondo en una exposición en el Palacio de Bellas Artes como parte de un ciclo denominado *Los críticos presentan*.

Se publica *América un viaje a través de la injusticia*, de Enrique Bostelmann con prólogo de Carlos Fuentes.

1971 Surge la revista *Fotoguía*, con el objetivo de "propiciar una corriente y un auge en la fotografía mexicana".[2]

1973 José Emilio Pacheco presenta el catálogo de la exposición *El paisaje del hombre* de Enrique Bostelmann en el Museo de Arte Moderno.

1974 Nace la revista *Fotozoom*, dirigida a una amplia gama de fotógrafos, desde aficionados hasta profesionales.

Se publica *El arte de la aprehensión de las imágenes y el unicornio*, de Carlos Jurado editado por la UNAM.

1975 Es otorgado a Manuel Álvarez Bravo el Premio Nacional de las Artes por su obra fotográfica, de amplio reconocimiento e importancia internacional.

Ernesto Machado funda la Escuela Activa de Fotografía con el objetivo de formar profesionales de la imagen.

1976 El Instituto Nacional de Antropología e Historia (INAH) compra el Fondo Casasola y funda con este material la Fototeca Nacional, en la ciudad de Pachuca, Hidalgo.

Diez fotógrafos son miembros del Salón de la Plástica Mexicana: Manuel Álvarez Bravo, Aníbal Angulo, Enrique Bostelmann, Héctor García, Graciela Iturbide, Paulina Lavista, Nacho López, Walter Reuter, Antonio Reynoso y Colette Álvarez Urbajtel.

Surge el grupo Fotógrafos Independientes, integrado por Adolfo Patiño (Adolfotógrafo), Armando Cristeto, Agustín Martínez Castro, Ángel de la Rueda, Alberto Pergón y Rogelio Villareal, el cual instaura una nueva forma de comunicación con el público: *Fotografía en la calle, exposiciones ambulantes*, que consistía en exponer en lugares populosos (mercados, parques o paseos). Después el grupo cambia su nombre por el de Peyote y la compañía, al que se integran Carla Rippey, Esteban Azamar y otros artistas plásticos como Alejandro y Sara Arango y Enrique Guzmán, entre otros.

La revista *Artes Visuales*, dirigida por Carla Stellweg, presenta un número dedicado a la fotografía.

1977 Nace el Consejo Mexicano de Fotografía A. C. (CMF) con la participación de Aníbal Angulo, Lázaro Blanco, Miguel Ehrenberg, Lourdes Grobet, Pedro Meyer, Julieta Giménez Cacho, Felipe Ehrenberg, José Luis Neyra, Renata von Hansffstengel, Pablo Ortiz Monasterio, Patricia Mendoza, Jorge Westendrop, Jesús Sánchez Uribe y Raquel Tibol

Fernando Bastón funda la Sociedad de Autores de Obras Fotográficas (SAOF) con el objetivo de defender la autoría de la obra fotográfica.

Tiene lugar el Salón Nacional de las Artes Plásticas del INBA, en el que son aceptados todos los fotógrafos que inscribieron sus obras; sin embargo, el jurado declara que sus conocimientos son insuficientes para evaluar y otorgar algún premio a la fotografía.

Carlos Lamothe y Rafael Doniz ingresan al Salón de la Plástica Mexicana.

---

[2] "Editorial. Una forma de decirles gracias", por Fabián H. Pérez Sánchez, en *Fotoguía: revista de fotografía y turismo*, año 1, vol. 2, núm. 9, abril de 1972, p. 4.

1978 Se realiza la exposición y se publica el libro *Imagen histórica de la fotografía en México* en el Museo Nacional de Historia y Museo Nacional de Antropología; el libro es editado por INAH-SEP-FONAPAS.

A finales de los setenta se lleva a cabo la exposición *Agustín Víctor Casasola. El hombre que retrató una época 1900-1938*.

El CMF organiza la Primera Muestra de Fotografía Latinoamericana Contemporánea en el Museo de Arte Moderno a la par del Primer Coloquio Latinoamericano de Fotografía, con el nombre de *Hecho en Latinoamérica*; SEP-INAH-FONAPAS editan las memorias.

El Instituto Mexicano Norteamericano de Relaciones Culturales organiza la exposición *La gracia de los retratos antiguos*.

A partir de este año, el importante Concurso Nacional para Estudiantes de Artes Plásticas de Aguascalientes incluye y premia a la fotografía.

Enrique Bostelmann y Sebastián realizan la exposición *Estructura y biografía de un objeto* en la Galería Juan Martín; un año más tarde la UNAM publica el libro de la muestra.

1979 La muestra *Hecho en Latinoamérica* se presenta en Venecia, Turín y Nueva York, y se incluye en el *Anuario Time-Life* 1979.

El grupo El Rollo edita un libro sobre el desnudo con el trabajo de Gerardo Suter, Arturo Pérez Olivares, Javier Ángeles y Manuel Peñafiel, entre otros.

1980 El INBA organiza la Primera Bienal de Fotografía, que contó con la participación de 140 fotógrafos, de los cuales fueron seleccionados 65, cuya obra se presentó en la Galería del Auditorio Nacional. El premio de esta bienal fue una innovación: en lugar de entrega de dinero, se publica un libro con los mejores trabajos, con 22 selecciones y nueve menciones honoríficas.

El jurado estuvo integrado por Enrique Bostelmann, Alfredo Joskowickz, Antonio Rodríguez y Carlos Jurado.

Ciento diez fotos de 51 fotógrafos mexicanos se exhiben en Río de Janeiro, Brasil.

La exposición y el libro *Siete portafolios mexicanos*, organizada por el CMF y editado por la UNAM respectivamente, se presenta en París y Antibes, Francia.

La antología del desnudo, libro editado por la UNAM, se presenta en la Casa del Lago.

Cartier-Bresson exhibe su trabajo hecho en México en el Palacio de Bellas Artes.

En el mismo recinto se realiza un homenaje nacional a Juan Rulfo, en el que se incluye una exposición de sus fotografías.

Abre sus puertas La Casa de la Fotografía, sede del CMF, como un centro de promoción de la fotografía mexicana y latinoamericana.

El Instituto Nacional Indigenista edita libros de fotos con ensayos etnográficos de importantes autores contemporáneos: *Los pueblos de la bruma y el sol* de Nacho López, *La casa en la tierra* de Mariana Yampolsky (1980), *Los que viven en la arena* de Graciela Iturbide (1981) y *Los indios del noroeste* de Carl Lumholtz (1982), entre otros.

1981 Se realiza en la Ciudad de México el Segundo Coloquio Latinoamericano de Fotografía y la exposición *Hecho en Latinoamérica II,* convocados por el CMF.

1982 Se lleva a cabo la Segunda Bienal de Fotografía. El comité único de selección y adquisición estuvo integrado por Rita Eder, Gabriel Figueroa Mateos, Antonio Rodríguez, Paulina Lavista y Alfredo Joskowickz, quienes revisaron aproximadamente dos mil obras de 165 participantes. Se otorgaron los premios de adquisición a Gerardo Suter, Carlos Somonte, Laura Magaña y Lourdes Grobet, y mención honorífica a León Rafael Pardo, Cristina Montoya, Jan Hendrix, Lourdes Almeida, Eduardo Enríquez Rocha, Carlos Contreras de Oteyza y Catherine Carey.

En el Centro Georges Pompidou de París se presenta una exposición de Graciela Iturbide.

El Museo de Arte Moderno del INBA, como un homenaje al trabajo de Manuel Álvarez Bravo, le asigna una sala permanente para albergar la obra que él había donado al museo.

Se presenta el Taller de la Luz, integrado por Javier Hinojosa, Gerardo Suter y Lourdes Almeida.

Se presenta en el Kulturhuseth de Estocolmo la exposición *Mexicansk Fotografi*, en la que participan Romualdo García, Hugo Brehme, Tina Modotti, Agustín Víctor Casasola, los hermanos Mayo, Manuel Álvarez Bravo, Enrique Bostelmann, Mariana Yampolsky, José Luis Neyra, Antonio Reynoso, Héctor García, Pedro Meyer, Lázaro Blanco, Paulina Lavista, Carlos Blanco,

Graciela Iturbide, Rafael Doniz, Pedro Valtierra, Adrián Bodek, Lourdes Grobet, Victoria Blasco, Pablo Ortiz Monasterio y José Ángel Rodríguez.

1983 La galería OMR edita una colección de postales de autores mexicanos titulada *Bestiario*.

Aparece el libro *Foto Estudio Jiménez. Sotero Constantino. Fotógrafo de Juchitán*, editado por Editorial Era y el H. Ayuntamiento de Juchitán.

El Museo de Arte Moderno presenta *La fotografía como fotografía*, un intento de revisar el desarrollo de la fotografía mexicana de 1950 a 1980.

Aparece la primera convocatoria para las becas de producción para el ensayo fotográfico, evento que se mezcló y confundió con la Bienal para desaparecer con ella en 1988.

1984 Se realiza el Tercer Coloquio Latinoamericano, en la Habana, Cuba, mientras que en México se llevan a cabo el primer y único Coloquio Nacional de Fotografía y la Tercera Bienal de Fotografía en Pachuca, Hidalgo, con la participación de 224 autores. El comité de adquisición y becas está integrado por Víctor Flores Olea, Graciela Iturbide, José Luis Neyra y José de Santiago, quienes otorgan premios de adquisición a Javier Hinojosa, Carlos Lamothe, Pedro Valtierra y Pedro Meyer; las becas de producción a Fernando Espejo, David Maawad, Rubén Ortiz y John C. O'Leary, y mención honorífica a Francisco Barriga, Victoria Blasco, Adrián Bodek, Carlos Contreras de Oteyza, Eduardo Enríquez Rocha, Elías Jáber, Ricardo Neira Noceda, Antonio Turok.

Bajo el título de *Retrato de una tierra lejana* se presenta una síntesis de *Hecho en Latinoamérica I y II* en Australia.

Inicia la colección Río de luz del Fondo de Cultura Económica, bajo la coordinación de Pablo Ortiz Monasterio, cuyo consejo editorial está conformado por Víctor Flores Olea, Pedro Meyer, Graciela Iturbide, Manuel Álvarez Bravo y Jaime García Terrez. La colección, que concluye en 1989, publicó 20 libros.

El CMF inicia la creación de la primera y única biblioteca especializada en fotografía abierta al público, que pasa a formar parte de la biblioteca del Centro de la Imagen en 1994, acervo que se ha ido incrementando.

En la sede de la Fototeca Nacional en Pachuca se inaugura el Museo de la Fotografía.

1985 Lola Álvarez Bravo expone en el Palacio de Bellas Artes.

Se publica el libro dedicado al fotoperiodismo: *El poder de la imagen, la imagen del poder*, editado por la Universidad Autónoma de Chapingo.

Pedro Meyer funda el Taller de los Lunes en su casa y después en la sede del CMF; invita a fotógrafos internacionales como Abbas, y Gilles Peres. Realizan la exposición *Ojos que no ven,* en la Fototeca Cubana, que después viaja al CMF y a la Universidad de Guanajuato (1987-1988). A este grupo asistieron, por citar a algunos: Gabriel Orozco, Rubén Ortiz, Ana Casas, Carlos Somonte, Tatiana Parcero, Jorge López, Manuel y Mauricio Rocha, Pablo Cabado, Eniac Martínez, Emmanuel Lubenzki, Carlos Marcovich.

El Centro Universitario de Estudios Cinematográficos de la UNAM suspende el taller permanente de fotografía; dicho taller cuenta en la parte docente con Jesús Sánchez Uribe, Nacho López, Lola Álvarez Bravo y Gabriel Figueroa, entre otros; entre los alumnos se encuentran Guillermo Castrejón, Salvador Lutteroth, Elsa Medina y Adolfo Pérez Butrón.

A raíz del temblor en la Ciudad de México, los fotógrafos participan en la Casa de la Fotografía en una rifa pro damnificados.

Se exhibe *Nicaragua, testimonio gráfico de tres fotógrafos mexicanos*, de Pedro Valtierra, Andrés Garay y Marco Antonio Cruz, en el Museo de Arte Moderno, sólo por veinte días, ya que hubo que retirar obras debido al terremoto.

1986 Se inaugura en el CMF la muestra *A un año del temblor*, que después viaja a Italia.

El Fondo de Cultura Económica edita el libro *Jefes, héroes y caudillos*, de Flora Lara Klahr, sobre el Archivo Casasola.

Se realiza la Cuarta Bienal con la participación de 206 portafolios; el jurado está integrado por Arnold Belkin, Lázaro Blanco, Juan Castañeda y Jesús Sánchez Uribe, quienes otorgan los premios de adquisición a Sergio Toledano, John O'Leary, Carlos Lamothe y César Vera, y las becas de producción a Yolanda Andrade, Laura González, Marco Antonio Cruz y Heriberto Rodríguez Camacho.

1987 El International Center of Photography de Nueva York rinde un homenaje a Manuel Álvarez Bravo como maestro de la fotografía.

El CMF celebra su décimo aniversario con una colección de postales de 78 autores, editada por Vicente Guijosa y coordinada por Vida Yovanovich.

Graciela Iturbide recibe el premio Eugene Smith.

1988 Se realiza la Quinta Bienal de Fotografía. El jurado: Oliver Debroise, Luis Almeida, Felipe Ehrenberg, Armando Cristeto y Eugenia Rendón, otorga los premios de adquisición a Andrés Garay, Fabrizio León, Rogelio Rangel y Francisco Mata, y las becas de producción a Graciela Landgrave, Eniac Martínez, Oweena Fogarty y Everardo Rivera.

Nace *Fotoforum* con el propósito de ayudar e informar a los fotógrafos acerca de todas las aplicaciones de la fotografía.

Se publican *Imágenes de Nicaragua* y *El fin del silencio* de Antonio Turok, editados por Casa de las Imágenes y Editorial Era, respectivamente.

1989 Con la exposición *Fotografía del retrato*, el Museo Tamayo da a conocer la colección propiedad de Televisa iniciada por el maestro Manuel Álvarez Bravo, hoy resguardada en Casa Lamm.

El Conaculta, bajo la presidencia de Víctor Flores Olea, prepara *150 años de la fotografía*; el comité organizador está integrado por Manuel Álvarez Bravo como presidente y Pablo Ortiz Monasterio como coordinador. Presenta exposiciones en 11 museos de la Ciudad de México, entre las que destacan: *Un lápiz de luz*, de Henry Fox Talbot, en el Munal; *Nacho López, fotorreportero de los años cincuenta*, en el Museo Carrillo Gil; *Mucho sol*, de Manuel Álvarez Bravo, en el Palacio de Bellas Artes, y *Memoria del Tiempo*, en el Museo de Arte Moderno.

Apperture edita *Latin America Photography*, donde, entre otros, publica parte de *Juchitán de las mujeres*, de Graciela Iturbide.

1992 Marco Antonio Cruz coordina el libro de fotoperiodismo titulado *Fotografía de prensa en México, 40 reporteros gráficos*.

Testigos del tiempo, de Flor Garduño con textos de Carlos Fuentes, se publica simultáneamente en siete editoriales.

Se crea el Sistema Nacional de Fototecas (SINAFO) con el objetivo de proteger, rescatar, conservar, catalogar, reproducir y difundir los acervos fotográficos que se encuentran bajo custodia del INAH.

1993 Con un número dedicado a Manuel Álvarez Bravo nace la revista *Luna Córnea*, editada por el Conaculta y dirigida por Pablo Ortiz Monasterio, con el propósito de ser un espacio para la teoría, la crítica, el análisis y la discusión fotográfica. Un año más tarde, con el nacimiento del Centro de la Imagen, forma parte de éste.

Se realiza la primera edición del Festival Fotoseptiembre, coordinado por Patricia Mendoza y Pablo Ortiz Monasterio, que consiste en dedicar un espacio en museos, galerías, casas de la cultura, instituciones educativas y espacios alternativos para exhibir muestras fotográficas.

Después de seis años, el INBA y el Conaculta convocan a los fotógrafos de todo el país a la Sexta Bienal de Fotografía bajo la coordinación de Emma Cecilia García, en la que participan 326 fotógrafos y en la que el jurado está integrado por Graciela Iturbide, Adolfo Patiño y Herman Bellinghausen, quienes acuerdan premiar a Gilberto Chen, Eugenia Vargas y Marco Antonio Pacheco, y otorgar mención honorífica a Laura Anderson, Marco Antonio Cruz, Raúl Ortega, José Raúl Pérez, Ambra Polidori, Gustavo Prado y Vida Yovanovich.

1993-1994 Se realiza la primera edición de la Bienal de Fotoperiodismo, que tiene como jurado a Fabrizio León, Eniac Martínez, Patricia Mendoza, Aarón Sánchez y Padro Valtierra, quienes otorgaron los premios a José H. Mateos y Efrén Mota Cabrera.

Se publica *Nuevo fotoperiodismo mexicano*, de John Mraz, libro sobre fotoperiodismo en México, editado por el Centro de la Imagen.

1994 Se funda el Centro de la Imagen, bajo la dirección de Patricia Mendoza, como una respuesta a la necesidad de contar con un espacio idóneo para la exhibición y el análisis de la fotografía, además de los lenguajes alternativos como el video y las imágenes por computadora. Incluyen dentro sus actividades un programa de talleres nacionales e internacionales.

Se lleva a cabo la segunda edición de Fotoseptiembre en todo el país, coordinado por Elizabeth Romero.

1995 Se realiza la Séptima Bienal de Fotografía, coordinada por Gabriela González y Estela Treviño. El jurado está conformado por Gutierre Aceves Piña, Lourdes Almeida, Aristeo Jiménez y Marco Antonio Pacheco, quienes revisan el trabajo de 560 participantes (3 232 obras); premian a José Raúl Pérez, Lorenzo Armendáriz y Adolfo Pérez Butrón, y otorgan mención honorífica a Lorena Alcaraz, Aurora Boreal (Gustavo Prado), Miguel Calderón, Oweena Fogarty, Rosalba Pegó, Antonio Tirocchi, Eduardo Warnholtz, Vida Yovanovich y Moy Volcovich.

1995-1996 Se realiza la Segunda Bienal de Fotoperiodismo. El jurado está integrado por Francisco Mata, Marco Antonio Cruz, Alfonso Morales, Mariana Yampolsky y Aarón Sánchez, quienes premiaron a Francisco Olvera Reyes y Darío López Mills.

1996 Ante la necesidad de los países latinoamericanos de difundir su fotografía, en su segunda edición Fotoseptiembre amplía sus fronteras y toma el nombre de Latinoamericano. A partir de esta edición y hasta la del 2000, este festival es coordinado por Estela Treviño.

Se realiza el Quinto Coloquio Latinoamericano de Fotografía a la par de una Muestra de Fotografía Latinoamericana.

Se abre el Centro Fotográfico Manuel Álvarez Bravo en la Ciudad de Oaxaca.

1997 Se lleva a cabo la Octava Bienal de Fotografía con 576 participantes (3 050 obras) teniendo como jurado a Marco Antonio Cruz, Miguel Fematt, Osvaldo Sánchez, Gerardo Suter, Wendy Watriss, quienes acuerdan premiar a Laura Barrón, Edgar Ladrón de Guevara y Pedro Slim; y otorgan mención honorífica a Dante Busquets, Adriana Calatayud y Hildegart Moreno Oloarte. A partir de 1995, la bienal es coordinada por Estela Treviño, desde el Departamento de Enlace y Curaduría del Centro de la Imagen.

Nace la revista *Alquimia* como el órgano de difusión del Sistema Nacional de Fototecas, especializada en historia y conservación de la Fotografía Mexicana; el editor es José Antonio Rodríguez.

El CMF y el Laboratorio Mexicano de Imágenes (LMI) editan una colección de treinta tarjetas postales, con el nombre de *Nuevos fotógrafos mexicanos*, bajo la coordinación de Armando Cristeto y Gerardo Montiel Klint.

1997-1998 Se realiza la Tercera Bienal de Fotoperiodismo. El jurado: Andrés Garay, Elsa Medina, Gilberto Chen, John Mraz y Pablo Ortiz Monasterio, premia a José Carlo González y Pedro Valtierra.

1998 Se realiza la tercera edición del Festival Fotoseptiembre, en el que participan países de otros continentes sumando 21, entre los que se encuentran España, Austria y Japón, por lo que se denomina Fotoseptiembre Internacional.

Abre sus puertas la Fototeca y Cineteca de Monterrey.

Se funda la Fototeca de Veracruz con el apoyo del Instituto Veracruzano de Cultura.

1999 Presentando innovaciones, se realiza la Novena Bienal de Fotografía, la cual se rige por el tema "Frontera" e incluye un salón de invitados con fotógrafos contemporáneos de México, Europa, Asia, Europa, Latinoamérica y Norteamérica. Los curadores y jurados son Hou Hanru, Guillermo Santamarina y José Antonio Navarrete, quienes otorgan los premios a Katya Brailovsky y Javier Dueñas, y mención honorífica a Eric Beltrán, Ximena Berecochea, Pía Elizondo y Jorge Peraza.

2000 Fotoseptiembre se une al Festival de Luz, en el que se reúnen los festivales fotográficos mundialmente reconocidos de 24 países, entre los cuales se encuentran Estados Unidos, Dinamarca, España y Argentina.

Estela Treviño
Martha Jarquín

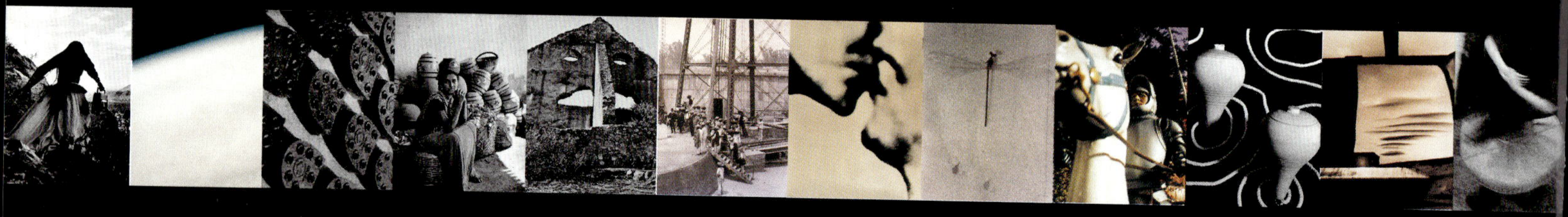

160 AÑOS DE FOTOGRAFÍA EN MÉXICO

ANÓNIMO

Retrato de un hombre, México, ca. 1847, Daguerrotipo, Colección Matías Rocha

ANÓNIMO

María del Rosario Paz de Haro Ovando, Puebla, Puebla, ca. 1858, Ambrotipo, Colección Museo de El Carmen

ANÓNIMO

Retrato, México, ca. 1860. Ambrotipo, Colección Luis González

ANÓNIMO

ENTRADA DE LAS TROPAS DE JUÁREZ A LA CIUDAD DE MÉXICO, México, 15 de julio de 1867, Albúmina, Colección Museo de Arte de Lima, Perú

ANÓNIMO

Sin título, México, ca. 1890. Plata sobre gelatina. Colección Carlos Monsiváis

34 | 160 AÑOS DE FOTOGRAFÍA EN MÉXICO

ANÓNIMO

JORNADA A LAS FILIPINAS, México, 1895, Albúmina, Colección Matías Rocha

ANÓNIMO

Manuel Tejeda (Camafeo), Teotitlán del Camino, Oaxaca, 1897, Albúmina, Colección Matías Rocha

ANÓNIMO

Botón, México, ca. 1900, Colección Matías Rocha

ANÓNIMO

Botón, México, ca. 1901, Colección Matías Rocha

ANÓNIMO

GREGORIA Y GERTRUDES RODRÍGUEZ AVENDAÑO, ANTELMA Y ADELINA JARQUÍN, Sta. María Ecatepec, Oaxaca, ca. 1900, Gelatina de impresión directa, Cortesía Familia Zárate López

ANÓNIMO

PANORÁMICA, México, D.F., ca. 1900, Plata sobre gelatina, Colección Nayelly Jiménez

SIN TÍTULO, México, 1904. Plata sobre gelatina iluminada. Colección Carlos Monsiváis

ANÓNIMO

CALLE DE TEOTITLÁN DEL CAMINO, PASEO DEL 21 DE MARZO DE 1906 EN EL CENTENARIO DE JUÁREZ, Teotitlán del Camino, Oaxaca, 1906, Albúmina, Colección Matías Rocha

ANÓNIMO

Catedral de la Ciudad de México, México, ca. 1910, Plata sobre gelatina virada, Colección Carlos Monsiváis

ANÓNIMO

RETRATO, México, ca. 1910, Colección Matías Rocha

Díaz de la Barra, Botón político, Ciudad de México, ca. 1911, Colección Matías Rocha

ANÓNIMO

Boda, México, ca. 1914, Plata sobre gelatina, Colección Carlos Monsiváis

ANÓNIMO

AMADO NERVO, México, 1918. Plata sobre gelatina. Colección Carlos Monsiváis

ANÓNIMO

CATALINA ZÁRATE DE JARQUÍN, Sta. María Ecatepec, Oaxaca, ca. 1920, Plata sobre gelatina, Colección Familia Jarquín Zárate

ANÓNIMO

CASA DE CITAS, México, ca. 1920, Plata sobre gelatina, Colección Ava Vargas

ANÓNIMO

María Teresa Montoya, Compañía Industrial Fotográfica, México, ca. 1920.
Plata sobre gelatina virada e iluminada. Colección Carlos Monsiváis

ANÓNIMO

STACHINO EVAN, México, 1924, Plata sobre gelatina, Cortesía Archivo General de la Nación

160 AÑOS DE FOTOGRAFÍA EN MÉXICO | 51

ANÓNIMO

EL CASO DEL NIÑO BOHIGAS, México, D.F., 1946, Plata sobre gelatina. Cortesía Archivo periódico LA PRENSA

AGUADORES, Oaxaca, Colección Archivo Municipal de la Ciudad de Oaxaca

ANÓNIMO

China poblana, probablemente Esperanza Iris, México, ca. 1940, Fotoescultura, Fototeca Antica/ Colección Jorge Carretero Madrid

BUEN ABAD

Galería de pinturas modernas mexicanas, México, D.F., 22 de enero de 1913, Plata sobre gelatina. Colección Academia de San Carlos

ABBAS

ÁRBOL CAMINANDO, Oapan, Guerrero, 1985, Plata sobre gelatina, Colección Autor

JESÚS H. ABITIA

Retrato de Álvaro Obregón, México, enero de 1923, Plata sobre gelatina, Colección Matías Rocha

THEDA ACHA

Un ángel, de la serie de retratos *gay*, México, D.F., 1997. Plata sobre gelatina. Colección Autora

RAFAEL ADAMS TEJEDA

Sra. Francisca Morales, México, D.F., ca. 1935. Plata sobre gelatina. Colección Matías Rocha

BESS ADAMS

La tienda de Don Tomás, México, ca. 1937, Plata sobre gelatina, Colección José Antonio Rodríguez

RETRATO DE NOVIA, Calle 5 de mayo, México, D.F., 1916, Platino/Paladio, Colección Matías Rocha

SILVANA AGOSTONI

Región clavicular, de la serie Topografías, México, D.F., 2000, Impresión digital en papel fotográfico, Colección Autora

ESTUDIO AGUILAR

PALACIO DE CORTÉS. PANORÁMICA DE LA CIUDAD (NÚM. DE INV. 421088). Cuernavaca, Morelos, ca. 1960.
© CONACULTA-INAH-SINAFO-Fototeca Nacional

JOSÉ MARIA AGUILAR

PANORAMA DE ZACATECAS TOMADO DE LA BUFA (12), Zacatecas, Zacatecas, México, 1908,
Plata sobre gelatina, Cortesía Archivo General de la Nación

LUIS AGUILAR

EL CRUCIFIJO, El Salto, San Luis Potosí, 1998, Impresión cromógena, Colección Autor

ITZEL AGUILERA

La escuela menonita, Chihuahua, 1997, Plata sobre gelatina, Colección Autora

MUJER BAJANDO LAS ESCALERAS (NÚM. DE INV. 427541). Chihuahua, ca. 1900. Estereoscópica.
© CONACULTA-INAH-SINAFO-Fototeca Nacional

ALICIA AHUMADA

Tarahumara, Norogachi, Chihuahua, 1994. Plata sobre gelatina. Colección Autora

RAFAEL A. ALATRISTE

Plaza de Armas en tiempo de la Intervención Francesa, Calle del Puente de Ovando No. 9, Puebla, ca. 1865,
Estereocópica, Fototeca Antica/Colección Jorge Carretero Madrid

J. ALBISUA

Retrato de León Trotsky (1), México, D.F., 1944. Plata sobre gelatina. Cortesía Archivo General de la Nación

MONSERRAT ALBORES GLEASON

Diálogo 2, México, 1999, Plata sobre gelatina, Colección Autora

ÁNGEL ALCALÁ MENDIZÁBAL

Gutenberg, México, 1998, Digital/plata/gelatina, Colección Autor

BENJAMÍN ALCÁNTARA

Trabajadores del metro, México, D.F., 1994, Plata sobre gelatina, Colección Autor

LORENA ALCARAZ MINOR

Mujer semilla, México, 1998, Plata sobre gelatina, Colección Autora

MAURICIO ALEJO

Jabón, México, D.F., 1998, Plata sobre gelatina, Colección Autor

M. ALMANZA

PINTORESCOS REGUEROS (3), México, D.F., 1906, Plata sobre gelatina, Cortesía Archivo General de la Nación

LOURDES ALMEIDA

Virgen de Guadalupe, catálogo 39, México, 1987, Montaje de Polaroid SX-70 esgrafiado, Colección Autora

MA. DE LOURDES ALONSO CASTILLO

San Juan Evangelista, México, 1994, Color, Colección Autora

MANUEL ÁLVAREZ B. MARTÍNEZ

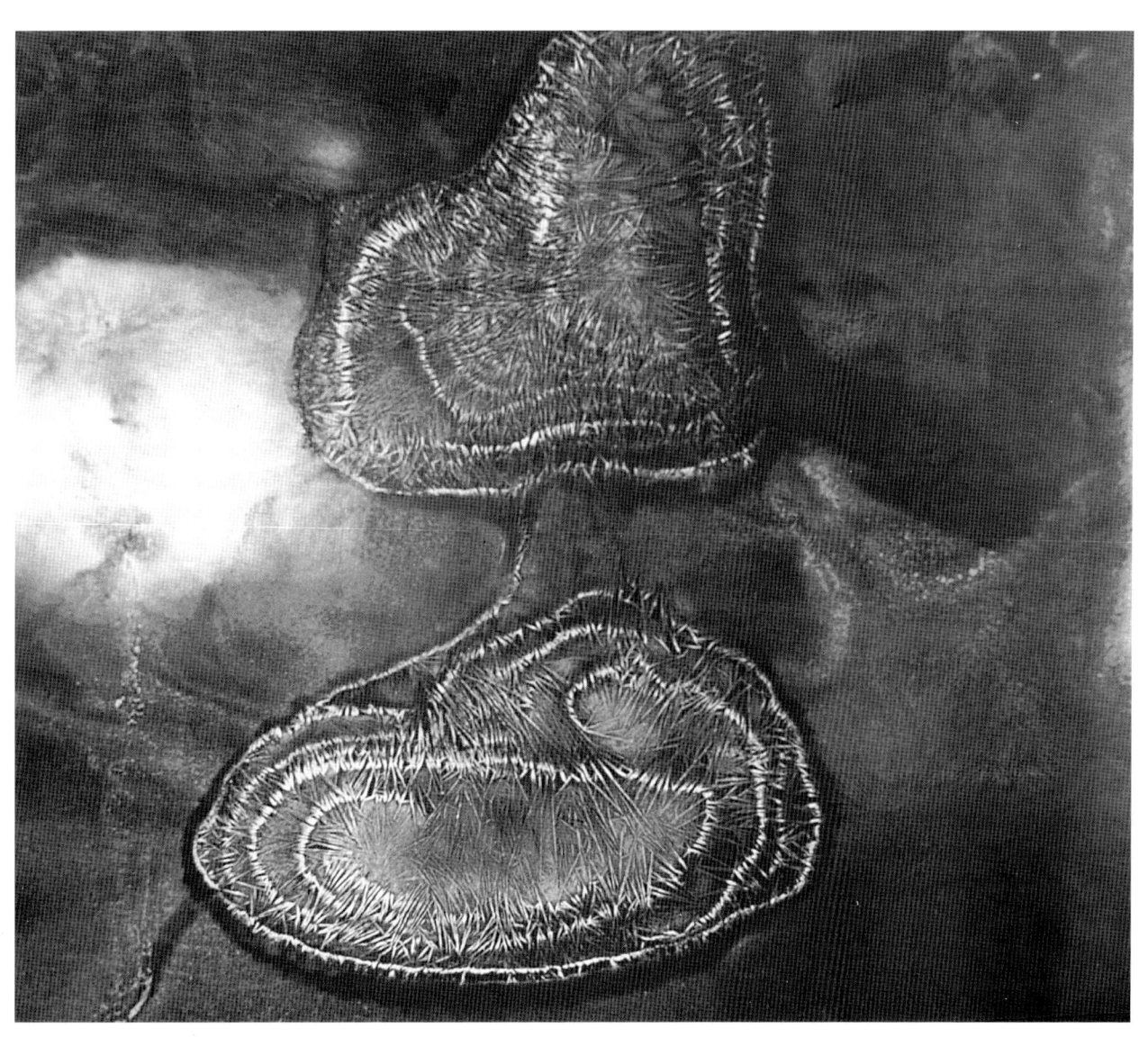

Sin título, México, s/f, Plata sobre gelatina. Colección Autor

LOLA ÁLVAREZ BRAVO

ÚNOS SUBEN, OTROS BAJAN, México, D.F., ca. 1940, Plata sobre gelatina. © 1995 Center of Creative Photography. University of Arizona Foundation

MANUEL ÁLVAREZ BRAVO

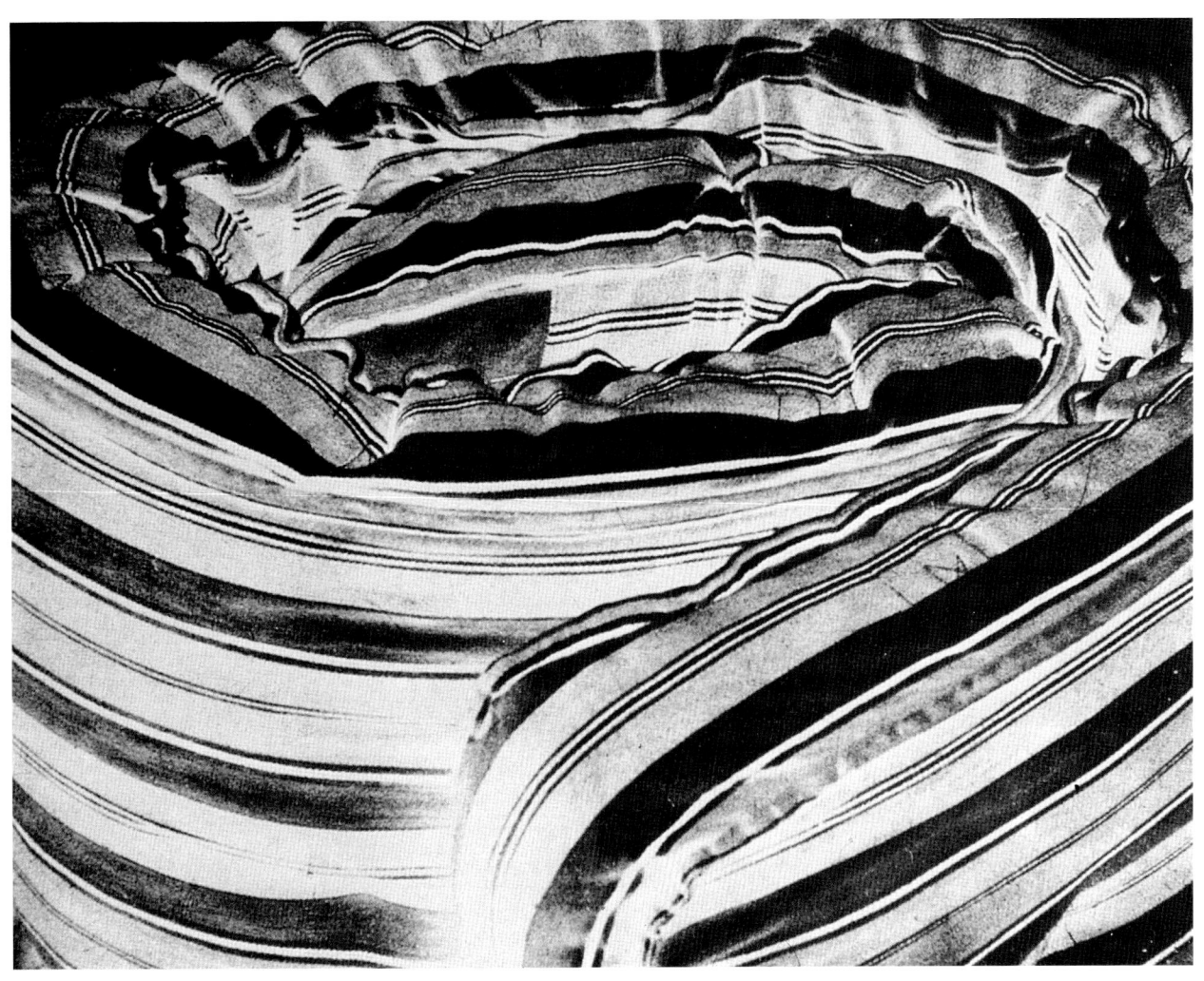

COLCHÓN, México, ca. 1926, Plata sobre gelatina, Colección Autor

COLETTE ÁLVAREZ URBAJTEL

Aurelia en Teotihuacán, México, 1962, Plata sobre gelatina, Colección Autora

CARLOS ÁLVAREZ

INTERIORES EXTERNOS, México, 1996. Plata sobre gelatina. Colección Autor

CELESTINO ÁLVAREZ

Retrato (núm. de inventario 419410), México, ca. 1890, © CONACULTA-INAH-SINAFO, Fototeca Nacional

Retrato de imagen religiosa, México, ca. 1890, Colección Matías Rocha. Foto atribuida a Celestino Álvarez por estar firmada por C. Álvarez

FRANCIS ALŸS

DUETT/HYPOTHESIS FOR A WALK, México, D.F., 1999, Impresión cromógena, Colección Autor

EMILIO AMERO

SIN TÍTULO, México/US, 1901-1976, Rayografía. ©Throckmorton Fine Art, Inc.

AMOR J. Y ESCANDÓN

RETRATO DE DAMA, México, ca. 1866, Carte de visite, albúmina, Fototeca Antica/Colección Jorge Carretero Madrid

ARCHIVO ANAYA

SIN TÍTULO, Tlaxiaco, Oaxaca, 1934, Plata sobre gelatina. Colección Familia Jiménez García

88 | 160 AÑOS DE FOTOGRAFÍA EN MÉXICO

LAURA ANDERSON

En el orden del caos, Platanal, 1996. Impresión cromógena. Colección Autora

MANUEL L. ANDRADE

Los maderistas dirigiéndose al Serro (sic) Grande (4), México, 1911, Plata sobre gelatina, Cortesía Archivo General de la Nación

YOLANDA ANDRADE

Monalisa, pintora, México, D.F., 1985, Plata sobre gelatina, Colección Autora

ANÍBAL ANGULO

JARDÍN DE LAS DELICIAS I, México, D.F., 1991, Collage-foto b/n-asfalto, Colección Autor

ANTOLÍN

REBECA, Victoria núm. 4, Puebla, 1920, Plata sobre gelatina, Fototeca Antica/Colección Jorge Carretero Madrid

ENRIQUE ARCE

Sin Título, Sta. María del Mar, Francia, 2000, Plata sobre gelatina virada a sepia. Colección Autor

CHARLES W. ARCHER

Panorama de Guadalajara, México, ca. 1920, Plata sobre gelatina, Colección Matías Rocha

PATRICIA ARIDJIS

Despedida de soltera, México. D.F., 1993, Diapositiva a color. Colección Autora

LORENZO ARMENDÁRIZ

Aprendiz de domador, Santa Ana Maya, Michoacán, México, 1995. Plata sobre gelatina. Colección Autor

ARRIAGA

PALACIO NACIONAL Y RESIDENCIA DEL SR. MADERO CERCA DE CD. JUÁREZ (7), Chihuahua, México, ca. 1910.
Plata sobre gelatina. Cortesía Archivo General de la Nación

J. ARRIAGA

LYDIA DE ROSTOW (3), México, 1908, Gelatina de impresión directa, Cortesía Archivo General de la Nación

JOSÉ P. ARRIAGA

Manuel Ugarte. Retrato de cuerpo entero (2), México, ca. 1930, Plata sobre gelatina, Cortesía Archivo General de la Nación

PATRICIA ARRIAGA

PILAR, DE LA SERIE 90 KM-H, Tilamook, Oregon, s/f, Plata sobre gelatina, Colección Autora

ARTES Y LETRAS, S. A.

IMAGEN DE PORFIRIO DÍAZ Y PERSONAJE NO IDENTIFICADO, México, 16 de octubre de 1909,
Plata sobre gelatina, Cortesía Archivo General de la Nación

DAISY ASCHER

Jaime Sabines, México, 1996, Plata sobre gelatina, Colección Autora

FRANÇOIS AUBERT

El emperador Maximiliano (núm. de inv. 451734) / La emperatriz Carlota Amalia (núm. de inv. 451770), México, ca. 1864-1867.
© CONACULTA-INAH-SINAFO-Fototeca Nacional

IGNACIO AVILÉS

Palcos del Teatro Nacional, México, D.F., ca. 1920, Plata sobre gelatina, Cortesía Archivo General de la Nación

AZTEC STORE

CALLE CERRADA. A RESIDENCE STREET (8), Cd. Juárez, Chihuahua, 1907.
Plata sobre gelatina iluminada, Cortesía Archivo General de la Nación

BALVANERA T. E HIJO

Monumento a Cuauhtémoc (núm. de inv. 418647), México, ca. 1890, © conaculta-inah-sinafo-Fototeca Nacional

NATALIA BAQUEDANO

Angelito, México, D.F., ca. 1895, Albúmina, Colección Shanti Lesur

ODETTE BARAJAS

Sin título, de la serie Del río amarillo al colorado, Mexicali, Baja California, 1994-1995. Plata sobre gelatina. Colección Autora

JUAN B. BARNEY

LEONOR DE LA PARRA (3 AÑOS 8 MESES), Durango, 1896, Carte de visite, albúmina, Fototeca Antica/Colección JorgeCarretero Madrid

AGUSTÍN BARRAZA

CRUZ SÁNCHEZ, Calle Tacuba núm. 8, Zacatecas, 1885, Carte de visite, albúmina, Fototeca Antica/Colección Jorge Carretero Madrid

BARREIRO Y PIEDRAS

HOMBRE EN TRAJE DE CHARRO, Portería de Sta. Clara núm. 8, Puebla, ca. 1895.
Carte de visite, albúmina, Fototeca Antica/Colección Jorge Carretero Madrid

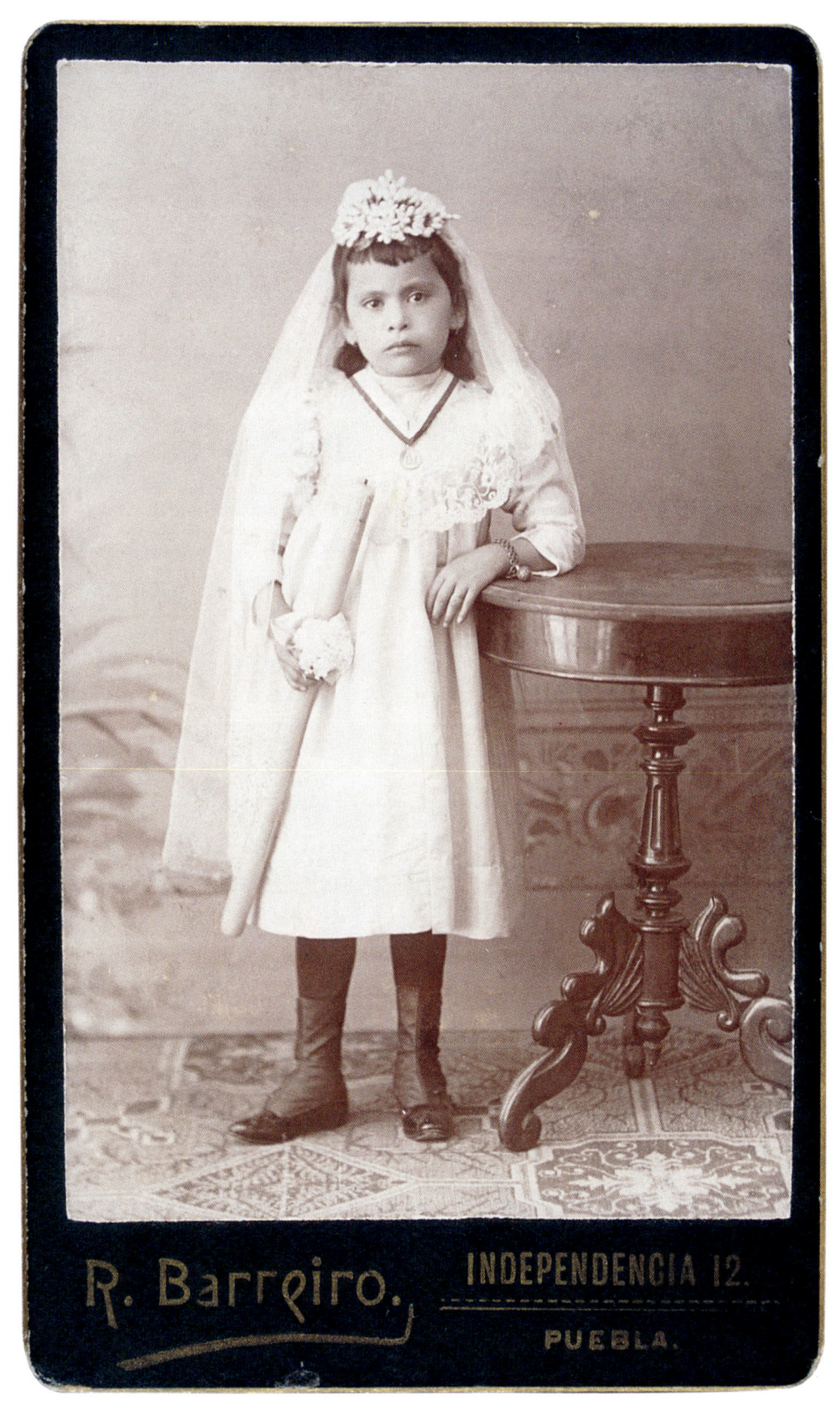

Retrato de niña en primera comunión, Independencia 12, Puebla, ca. 1890. Carte de visite, albúmina, Fototeca Antica/Colección Jorge Carretero Madrid

C. H. BARRIERE

Retrato de dama, Fotografía Artística. Portal de Washington núm. 2, Guadalajara, Jalisco, ca. 1881, Cabinet card, Fototeca Antica/Colección Jorge Carretero Madrid

PARADEISOS III, México, 1997, Plata sobre gelatina, Colección Autora

OSWALDO BARRUECOS

FCM, TREN ELÉCTRICO EN LA MONTAÑA (2), Orizaba, Veracruz, 1926, Plata sobre gelatina, Cortesía Archivo General de la Nación

GABRIEL BÁTIZ

Luciana, México, 1999, Cross process, Colección Autor

LORENZO BECERRIL

MUJER DE TEHUANTEPEC DE ESPALDAS, México, ca. 1876, Albúmina, Colección Olivier Debroise

GABRIEL BENÍTEZ

El estanque de los pescaditos, Puebla, ca. 1900, Estereoscópica, Fototeca Antica/Colección Jorge Carretero Madrid

XIMENA BERECOCHEA

Sin título, de la serie Animal, México, 1999, Plata sobre gelatina, Colección Autora

CANNON BERNÁLDEZ

Sin título, de la Serie Las Mercedes, México, D.F., 1998-1999. Plata sobre gelatina, Colección Autora

LÁZARO BLANCO

Así, México, 1980, Plata sobre gelatina, Colección Autor

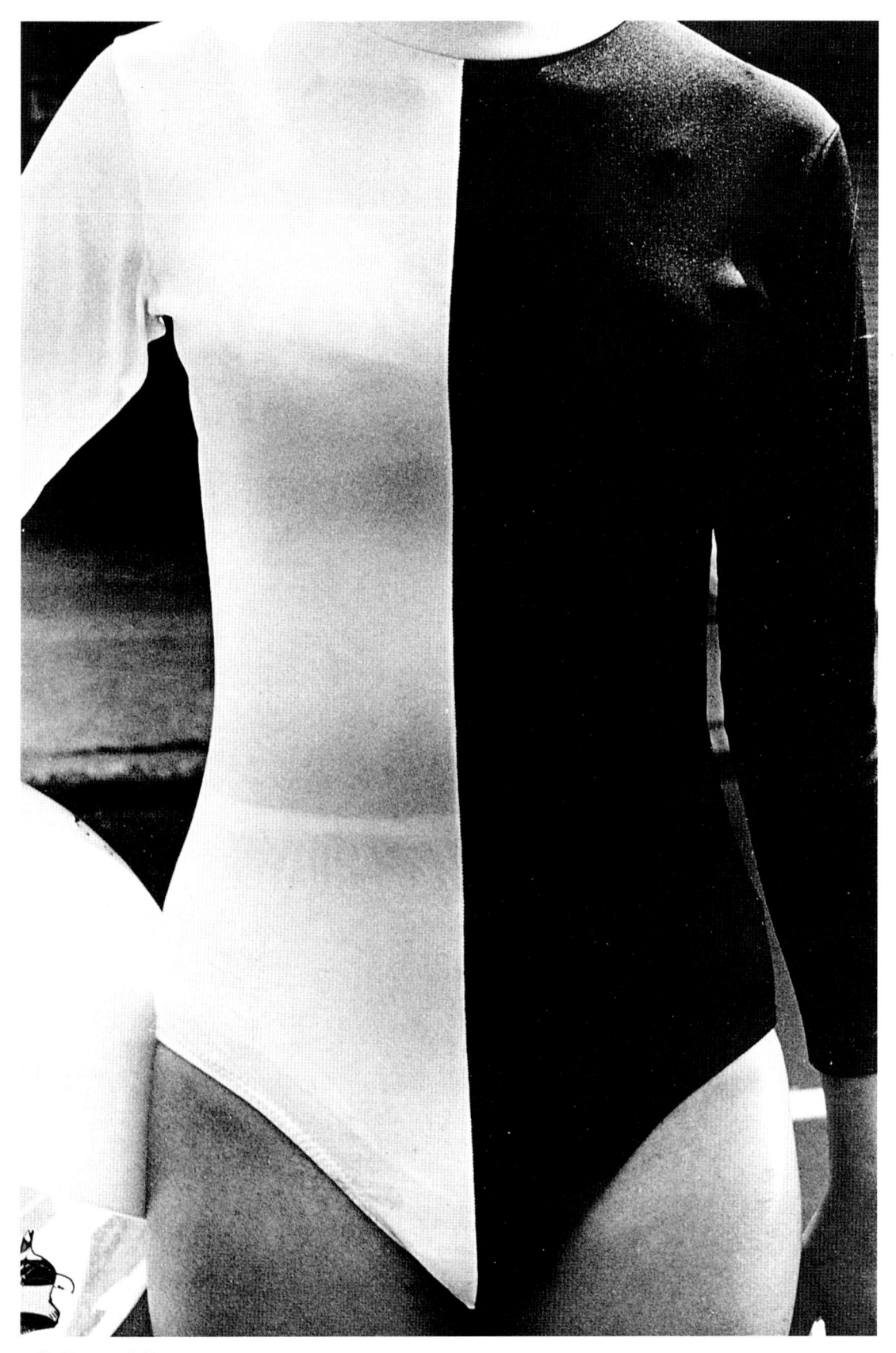

VICTORIA BLASCO

Sin título II, México, D.F., 1979, Plata sobre gelatina, Colección Autora

ADRIÁN BODEK

Luis Fernando, de la serie Mis contactos, Tepoztlán, Morelos, 1998, Plata sobre gelatina, Colección Autor

JAIME BOITES

Spring Final, Hipódromo de las Américas, México, D.F., 1995-1997. Foto/color negativo, Colección Autor

ENRIQUE BORDES MANGEL

El tuerto es rey, México, 1955. Plata sobre gelatina. Colección Autor

ENRIQUE BOSTELMANN

10 PANTALONES, Acuma, Nuevo México, 1992, Plata sobre gelatina con viraje parcial a sepia, Colección Autor

KATYA BRAILOVSKY

En la casa de los B52´s, Nueva York, 1996, Impresión cromógena, Colección Autora

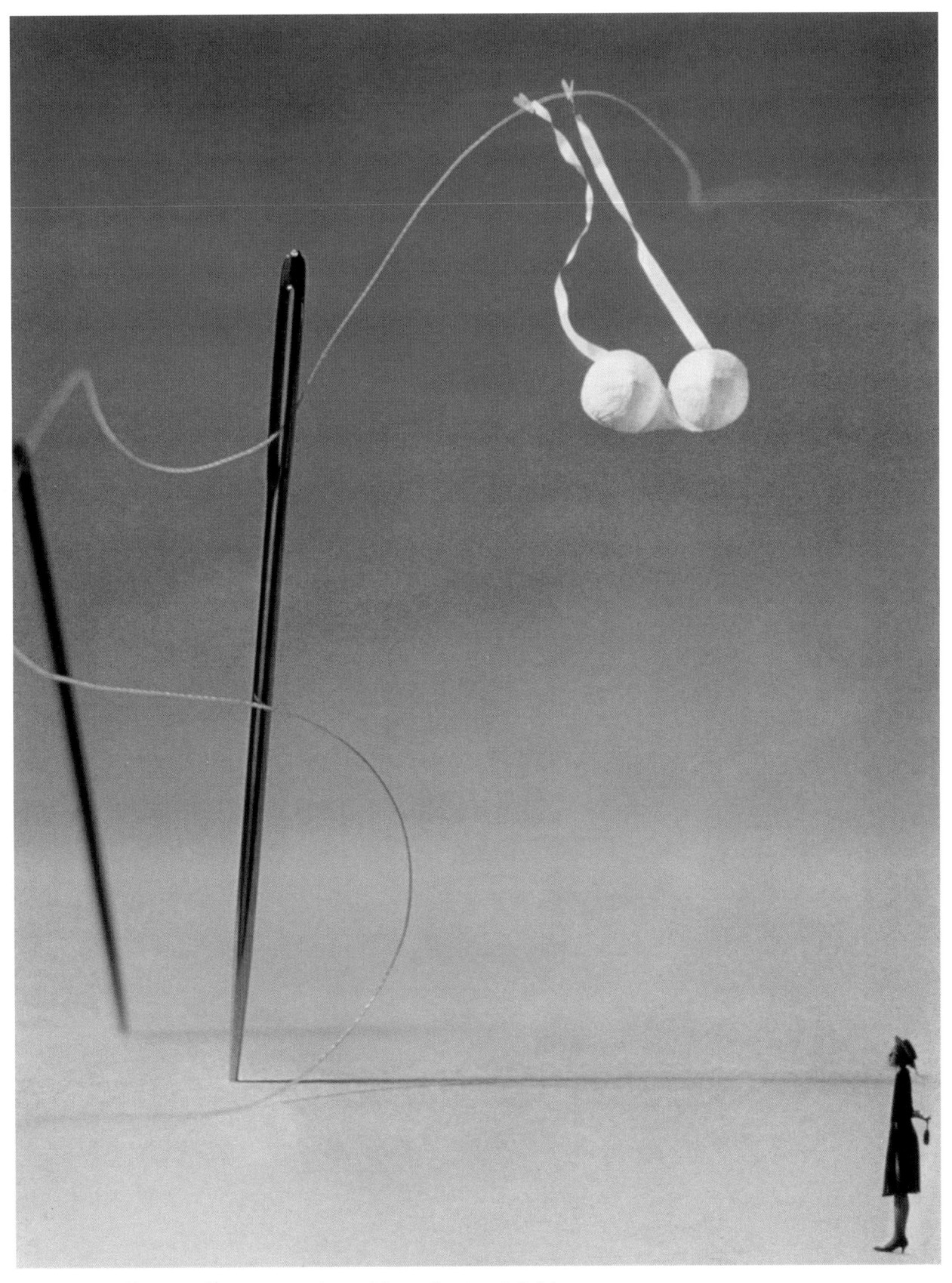

A.B. BRASSIERE, México, 1963, Plata sobre gelatina, Colección José Antonio Rodríguez

HUGO BREHME

Erupción del Popocatépetl, México, 1920. Plata sobre gelatina. Colección Gregorio Rocha

A. BRIQUET

EMBARCACIONES (NÚM. DE INV. 450999), México, ca. 1900, © CONACULTA-INAH-SINAFO-Fototeca Nacional

ANTON BRUEHL

Mujeres del pueblo, México, 1933, Plata sobre gelatina, © Throckmorton Fine Art, Inc

STEFAN BRÜGGEMANN

Políptico, Brookling, Nueva York, 1999, Proceso E-6, Colección Autor

EL BUEN TONO

Gracia y elegancia se adquieren fumando cigarros de "El Buen Tono", Tete Tapía artista (17), México, 1928. Plata sobre gelatina. Cortesía Archivo General de la Nación

BURGESS

Retrato de dama, México, ca. 1870, Carte de visite, albúmina, Fototeca Antica/Colección Jorge Carretero Madrid

DANTE BUSQUETS

Laurie, Mariana y Leslie, de la serie Las bodas, Cuernavaca, Morelos, 1998, Plata sobre gelatina, Colección Autor

FRANCISCO BUSTAMANTE

Retrato de niño, Fotografía Americana. Calle de la Independencia núm. 2. Antigua de la Carnicería, Puebla, 1895. Cabinet card, Fototeca Antica/Colección Jorge Carretero Madrid

JOSÉ ANTONIO BUSTAMANTE

Angelito, Fresnillo, Zacatecas, ca. 1920, Gelatina de impresión directa, Colección Alfonso Morales

BUSTAMANTE L. Y CÍA.

Detalle del tronco del arbol del Tule, Oaxaca Mexico. - Detail of Trunk-Tule-Tree. 842

DETALLE DEL TRONCO DEL ÁRBOL DEL TULE (56), Oaxaca, México, 1909, Plata sobre gelatina, Cortesía Archivo General de la Nación

E. ANTONIO CABALLERO RODRÍGUEZ

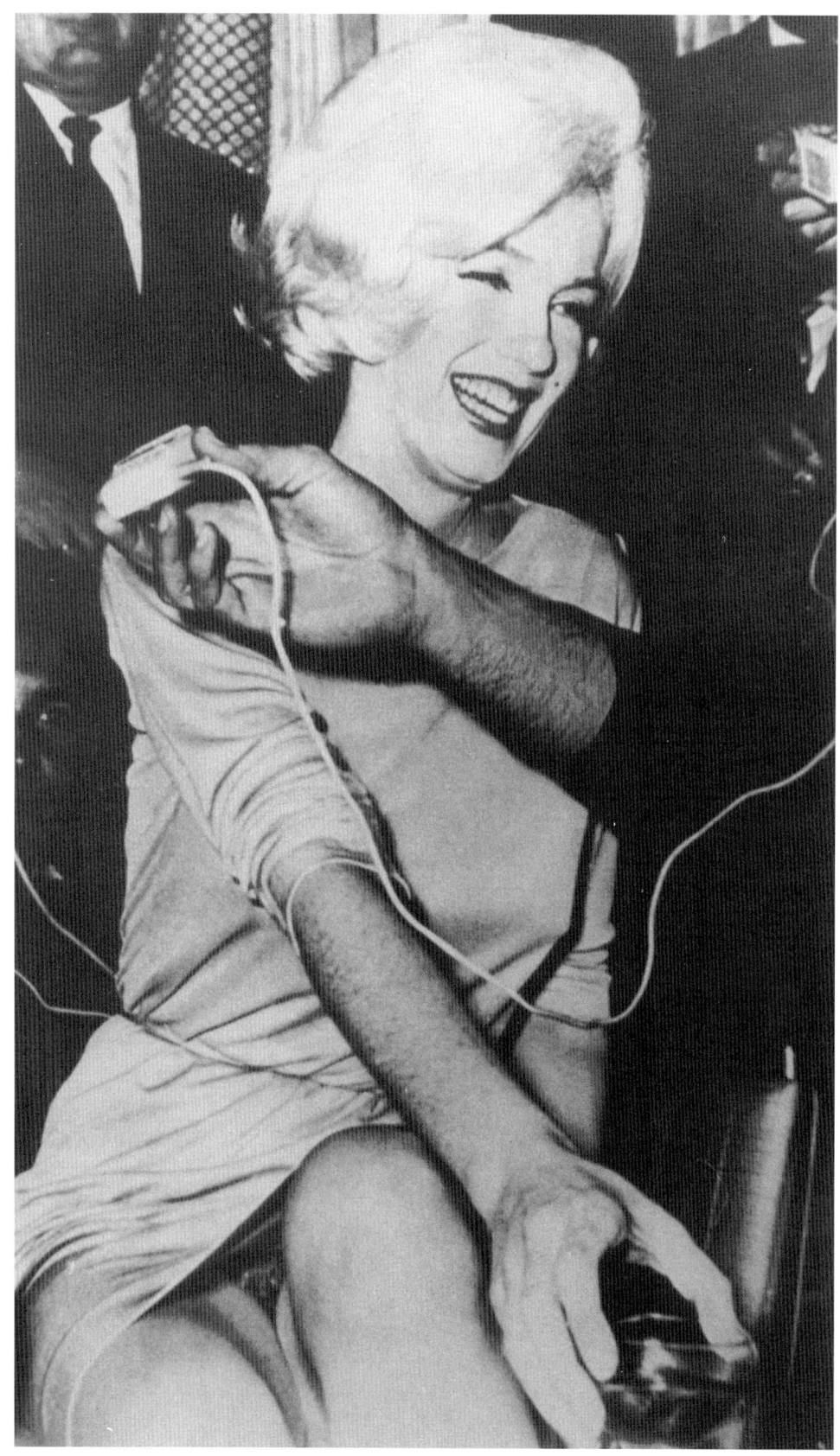

Marilyn Monroe, Hotel Continental Hilton, Ciudad de México, 1962, Plata sobre gelatina, Colección Autor

ADRIANA CALATAYUD

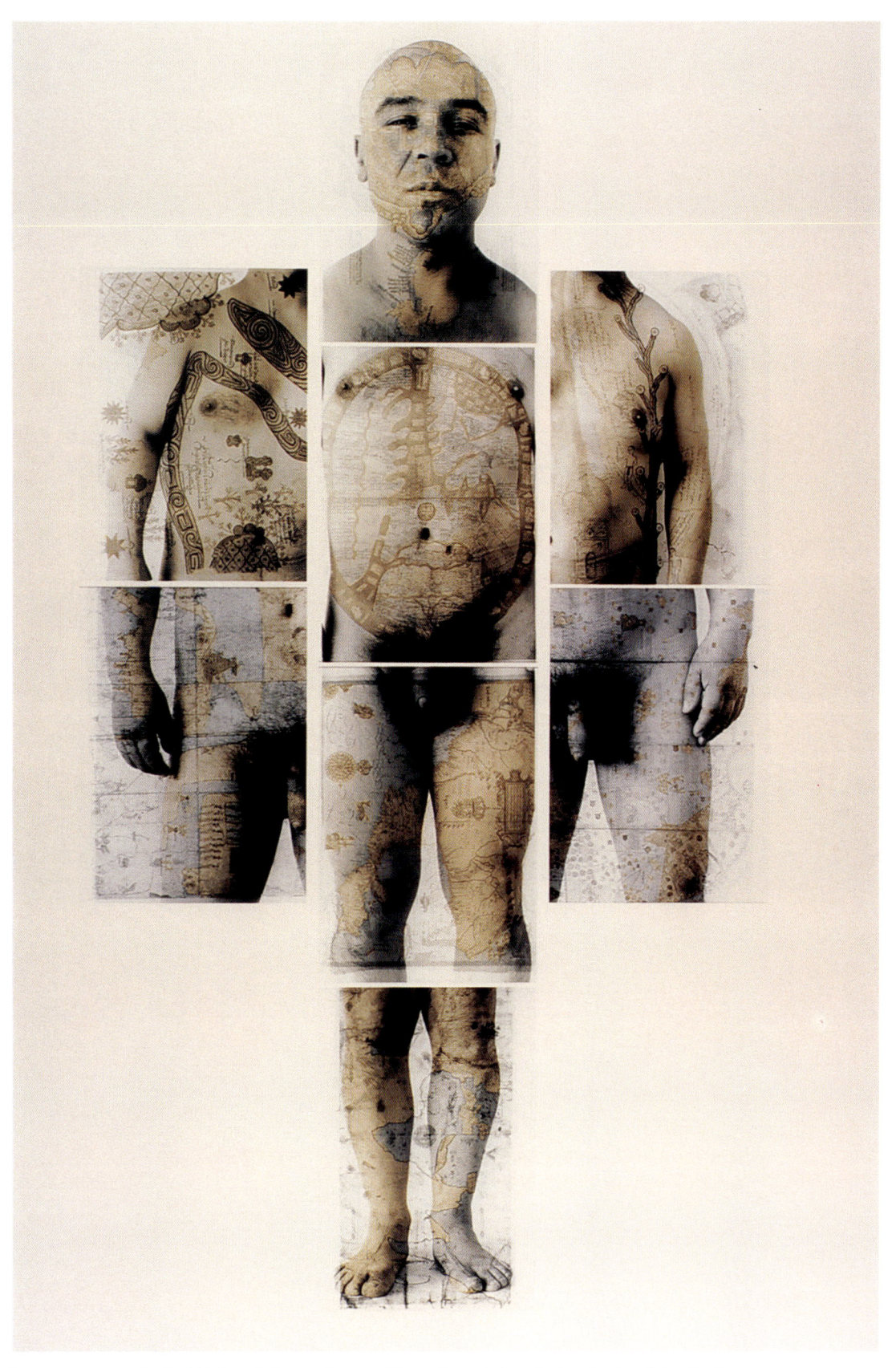

Operación de lo mutable I y II, México, D.F., 1998-1999, Plata sobre gelatina virado selectivo, Colección Autora

SYLVIA CALATAYUD

Sin título, de la serie Pescadores, Ensenada, Baja California, 1994, Plata sobre gelatina, Colección Autora

CALDERÓN Y CÍA

Hombre, retrato (núm. de inv. 453419), México, © conaculta-inah-sinafo-Fototeca Nacional

M. CALDERÓN

Vista de la ciudad (núm. de inv. 454922), Puebla, ca. 1920, © CONACULTA-INAH-SINAFO-Fototeca Nacional

MIGUEL CALDERÓN

Serie Oficinas, México, D.F., 2000, Foto color c-print, Colección Autor

MICHAEL CALDERWOOD

Corral de piedra, Aguascalientes, 1996. Fotografía aérea. Colección Autor

LORENA CAMPBELL

De la serie Apuntes de viaje, Nueva York, 1992-1993, Plata sobre gelatina, Colección Autora

CAMPOS Y TORRE

RETRATO (NÚM DE INV. 452224), México, © CONACULTA-INAH-SINAFO-Fototeca Nacional

NIÑA EN COLUMPIO, México, 1995, Plata sobre gelatina, Colección Autora

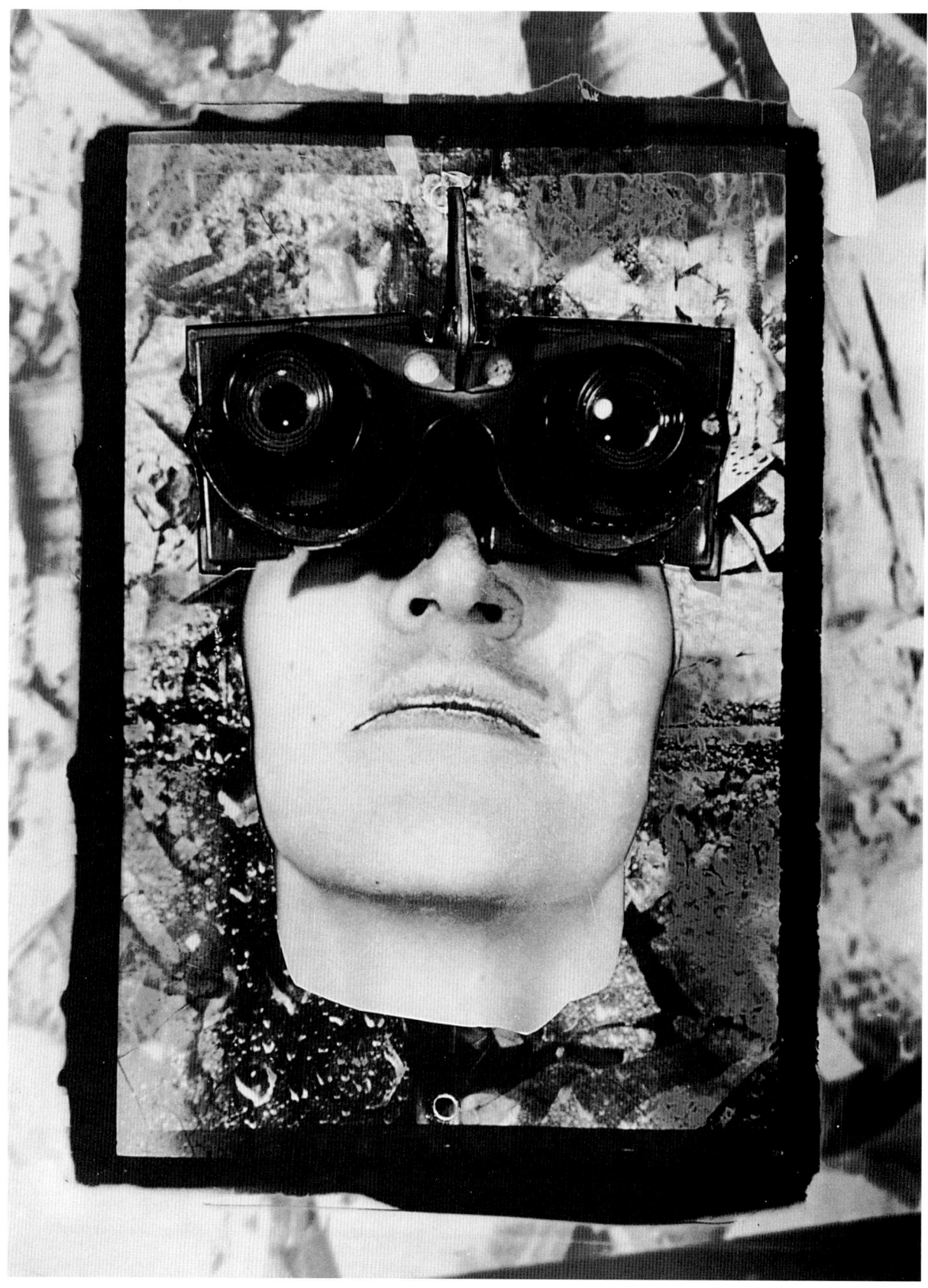

ENRIQUE CANTÚ

Serie Estereoscópicas, México, D.F., 1999, Plata sobre gelatina, Colección Autor

TAMAYO EN SU ALBERCA, México, 1963, Plata sobre gelatina, © Agencia Magnum

ROBERT CAPA

SIN TÍTULO, México, D.F., julio 9 de 1940, Plata sobre gelatina, © Agencia Magnum

J. CARBAJAL

Angelita, Carlota y Arturo, San Luis Postosí, México, ca. 1910, Gelatina de impresión directa, Colección Matías Rocha

LEANDRO CARBO

Amelia Fernández, México, ca. 1870, Carte de visite, albúmina, Fototeca Antica/Colección Jorge Carretero Madrid

A. CARRILLO

PORFIRIO DÍAZ, JUNTO AL CALENDARIO AZTECA O PIEDRA DEL SOL (1), México, D.F., 1910. Plata sobre gelatina virada a sepia,
Cortesía Archivo General de la Nación

EVARISTO G. CARRILLO

RETRATO DE NIÑA, Fotografía Morelos, Toluca, México, ca. 1905, Albúmina, Fototeca Antica/Colección Jorge Carretero Madrid

IVÁN CARRILLO

Autopista México-Acapulco, México, 2000, Impresión digital, Colección Autor

MANUEL CARRILLO

Sin título, México, ca. 1960, Plata sobre gelatina, Colección University of Texas at El Paso Library. Special Collections Department

HENRI CARTIER-BRESSON

SIN TÍTULO, CUADERNO DE VIAJE MEXICANO, México, 1964, Plata sobre gelatina. © Agencia Magnum

TOMAS CASADEMUNT

De la serie Fábrica de santos, México, D.F., 1998, Plata sobre gelatina, Colección Autor

CASANOVA

Retrato de dama, 2a. San Francisco 7, México, ca. 1885, Carte de visite, albúmina, Fototeca Antica/Colección Jorge Carretero Madrid

ANA CASAS

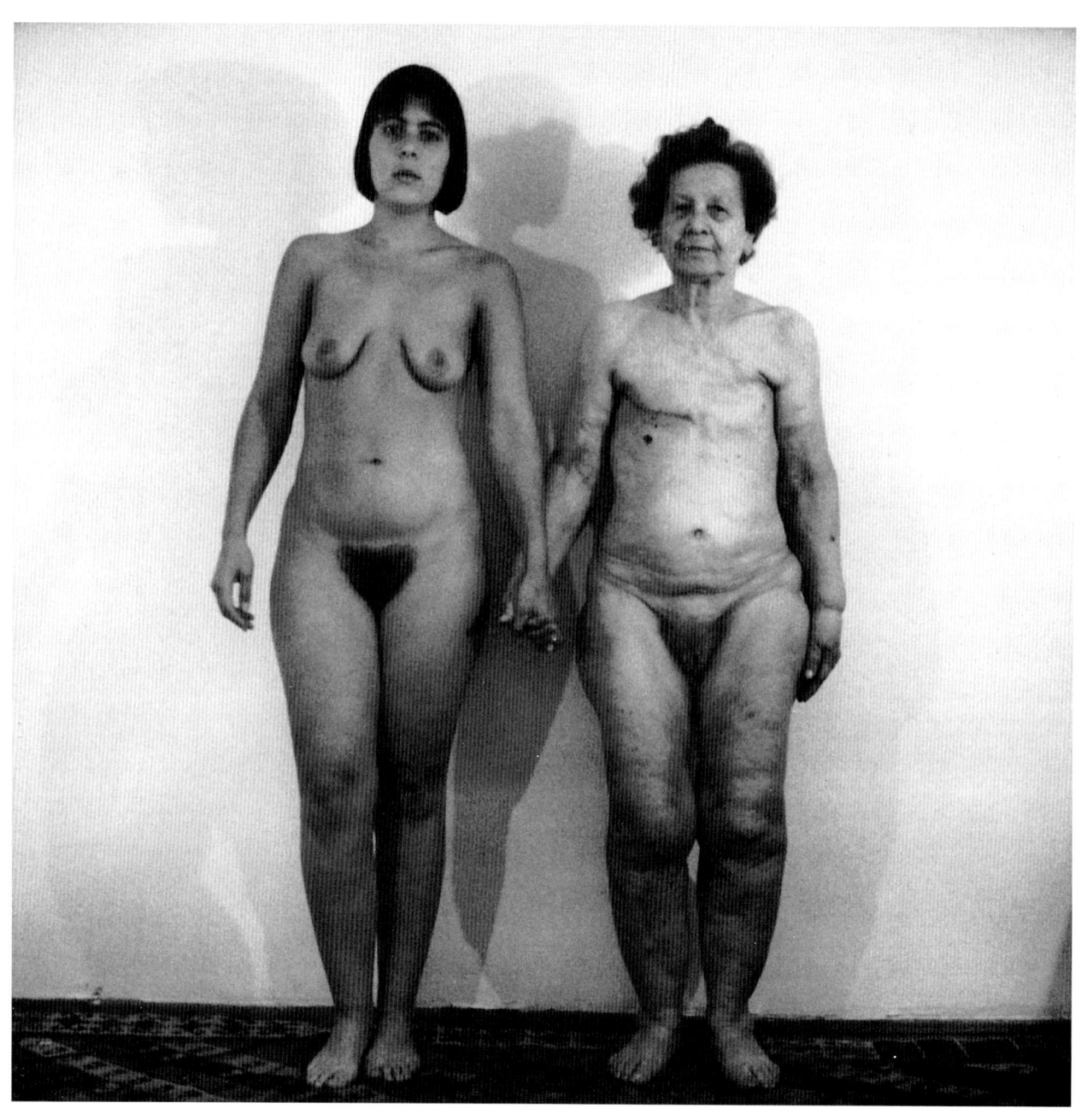

MI ABUELA Y YO, Viena, 1992, Plata sobre gelatina, Colección Autora

AGUSTÍN VÍCTOR CASASOLA

Paro de transportistas urbanos en la avenida Juárez y San Juan de Letrán (núm. de inv. 196308), México, D.F., ca. 1935, Plata sobre gelatina, © CONACULTA-INAH-SINAFO-Fototeca Nacional

JUAN CASTAÑEDA RAMÍREZ

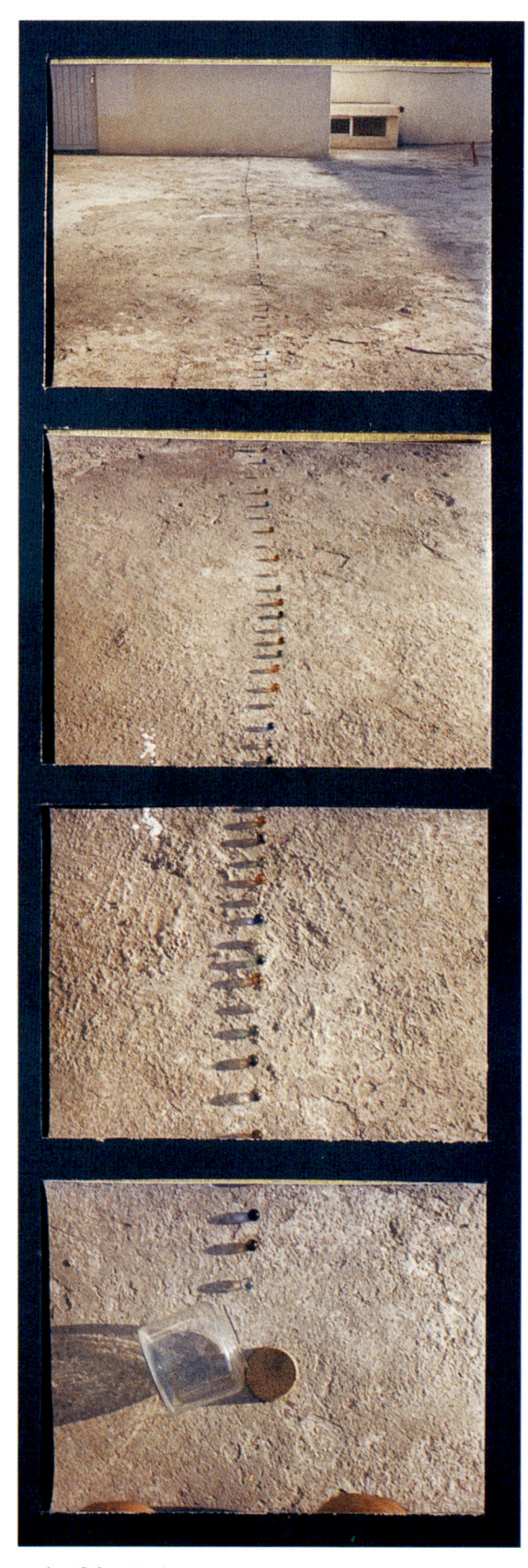

88 CANICAS, México, 1979. Impresión a color. Colección Autor

ULISES CASTELLANOS

JUEGOS DE GUERRA, Sarajevo, 1998, Plata sobre gelatina, Colección Autor

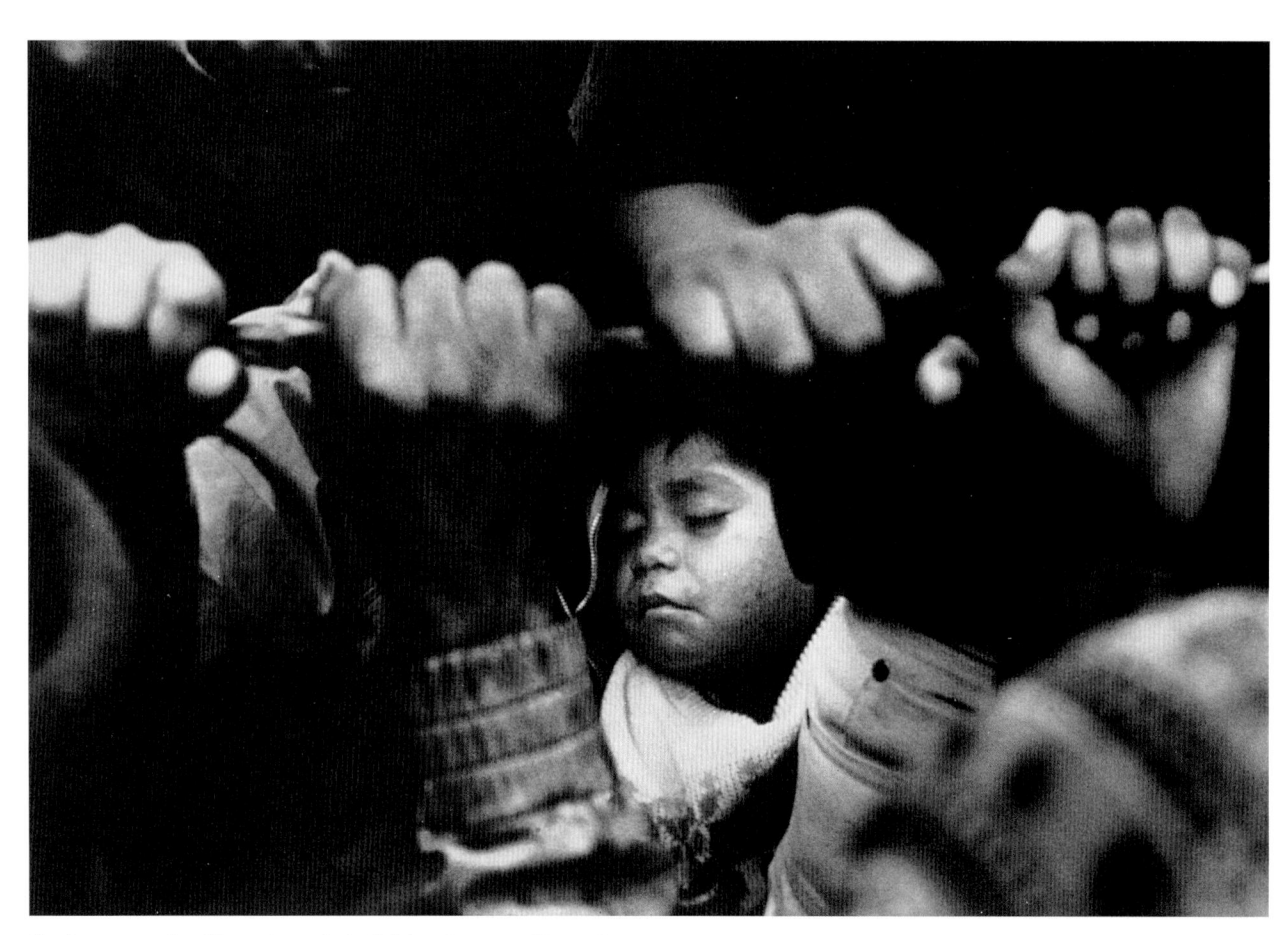

GUILLERMO CASTREJÓN

SUEÑO OAXAQUEÑO, Maneadero, Baja California, 1997, Plata sobre gelatina, Colección Autor

JESÚS CASTRO TORRES

Retrato de dama, México, ca. 1900, Cabinet card, Fototeca Antica/Colección Jorge Carretero Madrid

ENRIQUE A. CERVANTES

PAISAJE COSTERO, México, ca. 1936, Plata sobre gelatina, Fototeca Antica/Colección Jorge Carretero Madrid

F. CERVANTES

Retrato de dama, Palma núm. 3, México, ca. 1866, Carte de visite, albúmina, Fototeca Antica/Colección Jorge Carretero Madrid

MÓNICA CERVANTES

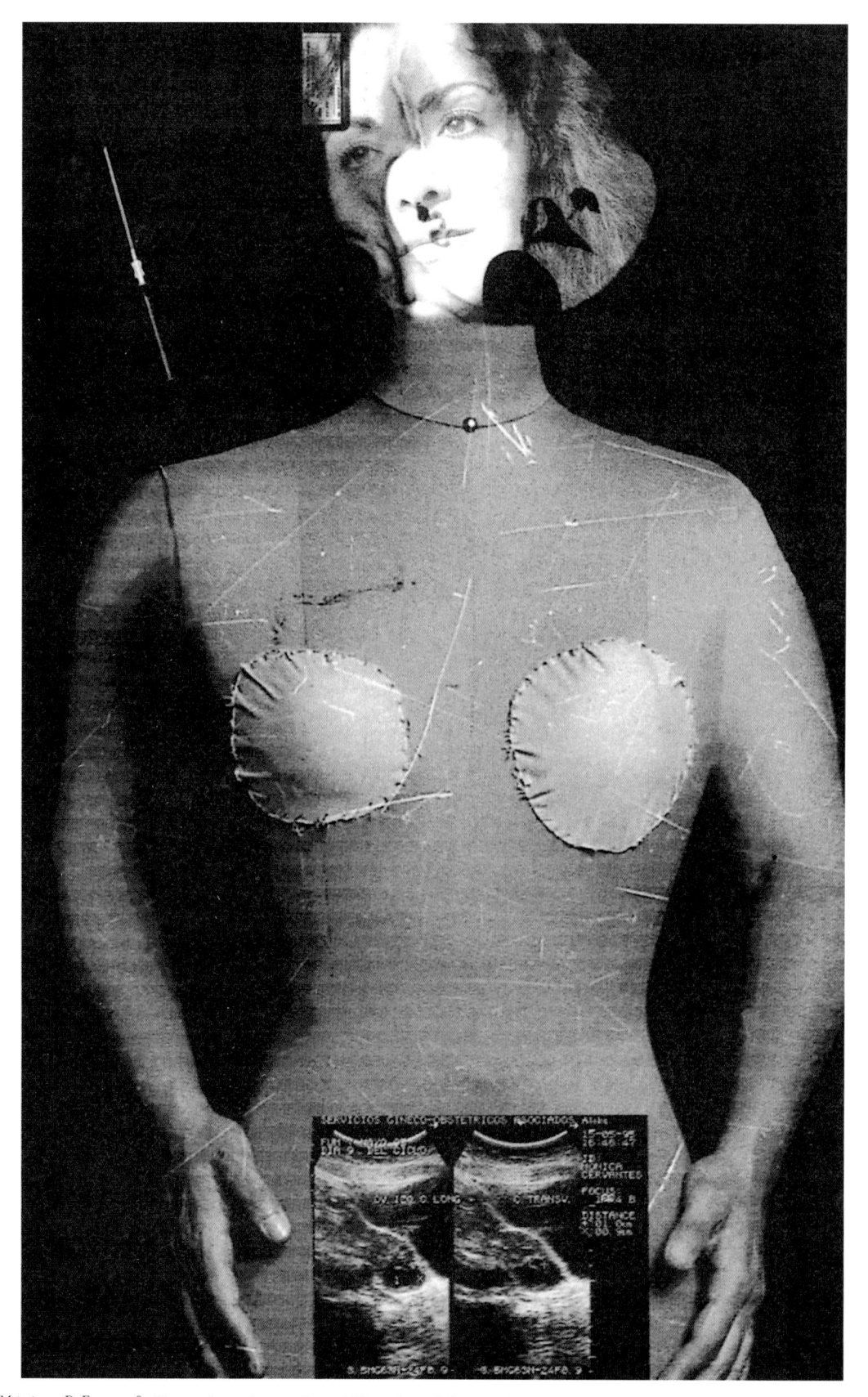

Renacer, México, D.F., 1998, Plata sobre gelatina. Digital Photoshop, Colección Autora

CÍA. CERVECERA DE TOLUCA

BEBER CERVEZA DE TOLUCA O NO BEBER. LA MUCHACHA DE TOLUCA (7), Toluca, Estado de México, 1909,
Plata sobre gelatina, Cortesía Archivo General de la Nación

CÍCERO Y PÉREZ

CALLE DE LA MARINA, CARMEN (4), Campeche, 1910, Plata sobre gelatina iluminada, Cortesía Archivo General de la Nación

CARLOS CISNEROS

SUBLEVACIÓN EN CHIAPAS, Chiapas, México, 1994, Plata sobre gelatina, Colección Autor

CLARKE

DOS DAMAS Y UN NIÑO, The American Photo Art Studio, San Diego núm. 6, México, D.F., ca. 1905, Platino/paladio, Fototeca Antica/Colección Jorge Carretero Madrid

RETRATO DEL GENERAL FÉLIX DÍAZ (NÚM DE INV. 666662), México, D.F., ca. 1913, Paladio/platino, Colección Academia de San Carlos

JORGE CLARO LEÓN

Protesta gay en el museo, México, D.F., 1996, Plata sobre gelatina. Colección Autor

LAURA COHEN

IN SECURITY (TRÍPITICO), México, D.F., 1998, Plata sobre gelatina, Colección Autora

CARLOS CONTRERAS DE OTEYZA

MAQUILLAJE, DE LA SERIE EL CIRCO DE BIBIS, México, D.F., 1982, Plata sobre gelatina, Colección Autor

CONTRERAS M. Y CÍA.

La Corte Imperial, Puente del Espíritu Santo 10, México, 1867, Carte de visite, albúmina, Fototeca Antica/Colección Jorge Carretero Madrid

EGMONT CONTRERAS

X-Ine (extractor), México, D.F., 1988, Plata sobre gelatina, Colección Autor

VICENTE CONTRERAS

SIN TÍTULO, México, ca.1885, Albúmina, Colección Carlos Monsiváis

FERNANDO CORDERO

SÍN TÍTULO, México, D.F., 2000, Diapositiva/color, Colección Autor

ADRIEN CORDIGLIA

NIÑA M. GALLEGO (2 AÑOS), esquina de la 1a. calle Plateros, entrada por Alcaicería núm. 1, México, 1866.
Carte de visite, albúmina iluminada, Fototeca Antica/Colección Jorge Carretero Madrid

CORRAL Y BARROSO

Retrato de caballero, Alcaicería 17, México, ca. 1880, Carte de visite, albúmina. Fototeca Antica/Colección Jorge Carretero Madrid

VICENTE CORTÉS SOTELO

PERSONA SOLDANDO AVIÓN, México, D.F., ca. 1920, Plata sobre gelatina, Colección Alfonso Cortés MacManus

ROSA COVARRUBIAS

México, ca. 1930, Plata sobre gelatina, Colección Fundación de Arquitectura Tapatía Luis Barragán A.C.

CHRISTA COWRIE

REFUGIADA GUATEMALTECA EN CHIAPAS, Chiapas, México, 1982, Plata sobre gelatina, Colección Autora

P. S. COX

ATRIO DEL TEMPLO DE AMECAMECA (1), Amecameca, Estado de México, 1907. Plata sobre gelatina. Cortesía Archivo General de la Nación

ARMANDO CRISTETO

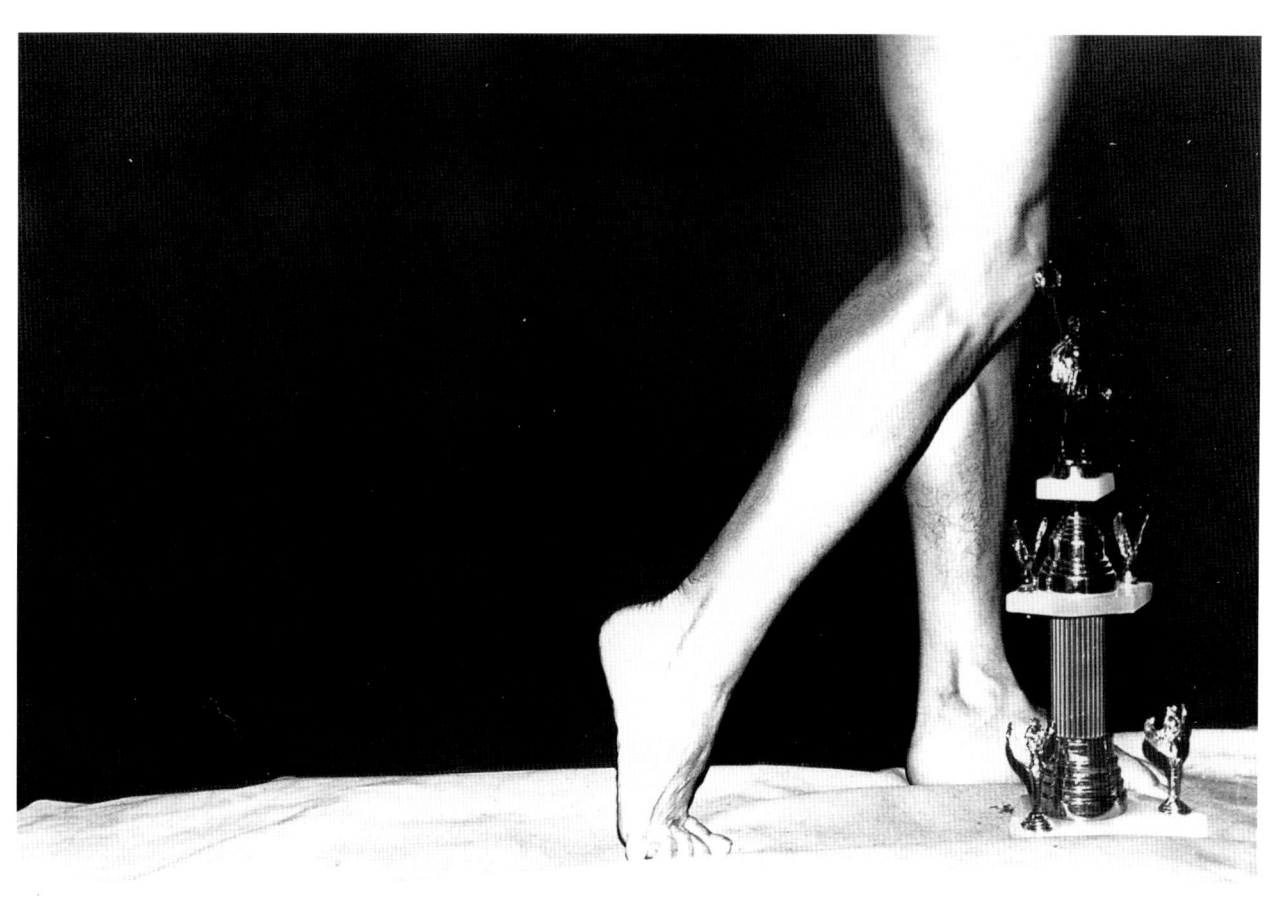

Apolo urbano, México, D.F., 1981, Plata sobre gelatina, Colección Autor

JOSÉ ANTONIO CROCKER

RETRATO DE HOMBRE CON SOMBRILLA, San Cristóbal de las Casas, Chiapas, ca. 1930.
Plata sobre gelatina, Colección Archivo de San Cristóbal

CRUCES Y CAMPA

Porfirio Díaz, México, 1867, Albúmina, Colección Carlos Monsiváis

MARCO ANTONIO CRUZ

Viernes Santo, México, D.F., 1986, Plata sobre gelatina, Colección Autor

J. T. CUÉLLAR

RETRATO (NÚM DE INV. 451996), México, ca. 1870, © CONACULTA-INAH-SINAFO-Fototeca Nacional

ROGELIO CUÉLLAR

Reloj, Mérida, Yucatán, 1980, Plata sobre gelatina, Colección Autor

J. CUETO

HOMBRE A CABALLO ENTRE ÓRGANOS GIGANTES (NÚM. DE INV. 351163), México, ca. 1920, © CONACULTA-INAH-SINAFO-Fototeca Nacional

MINERVA CUEVAS

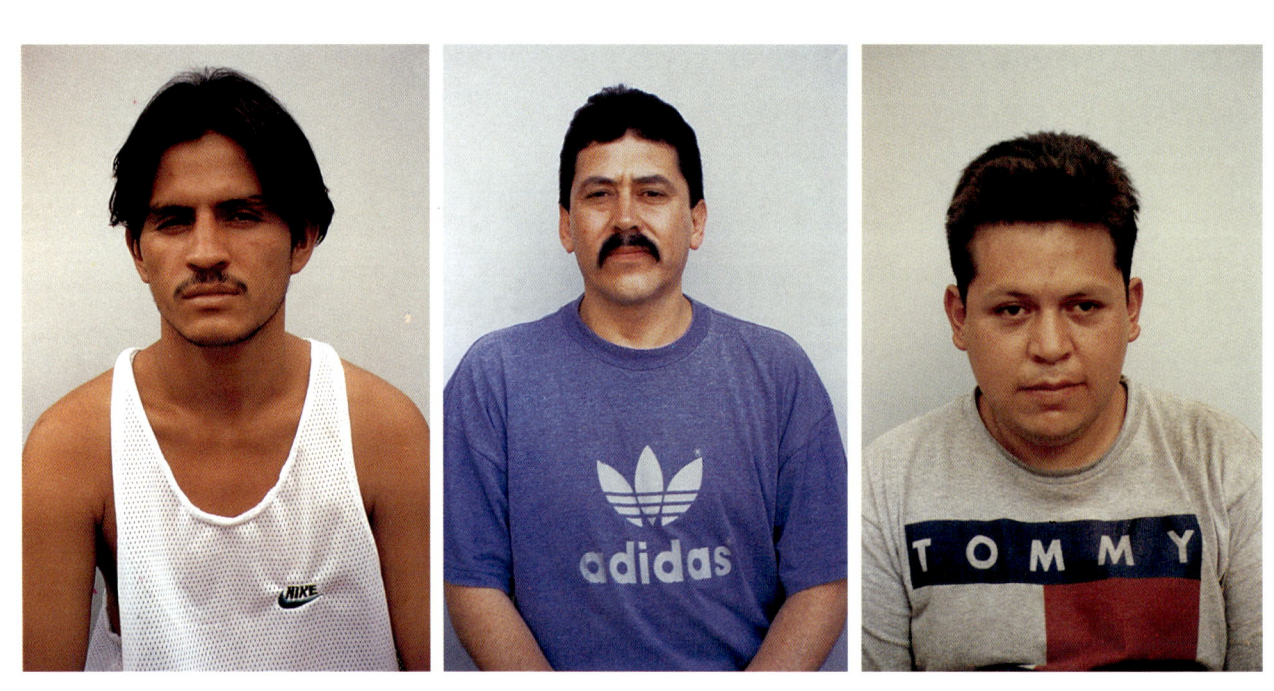

PIENSA GLOBAL-ACTÚA LOCAL, México, D.F., 1999, Impresión a color, Colección Autora

DESIRÉ CHARNAY

Mitla, Oaxaca(núm de inv. 426320), Oaxaca, México, ca. 1870, © CONACULTA-INAH-SINAFO-Fototeca Nacional

BLANCA CHAROLET

DESPEDIDA, México, D.F., 2000, Plata sobre gelatina, Colección Autora

HUMBERTO CHÁVEZ MAYOL

BOXES, SERIE FOTOGRÁFICA, 2002. Impresión a color, Colección Autor

GILBERTO CHEN

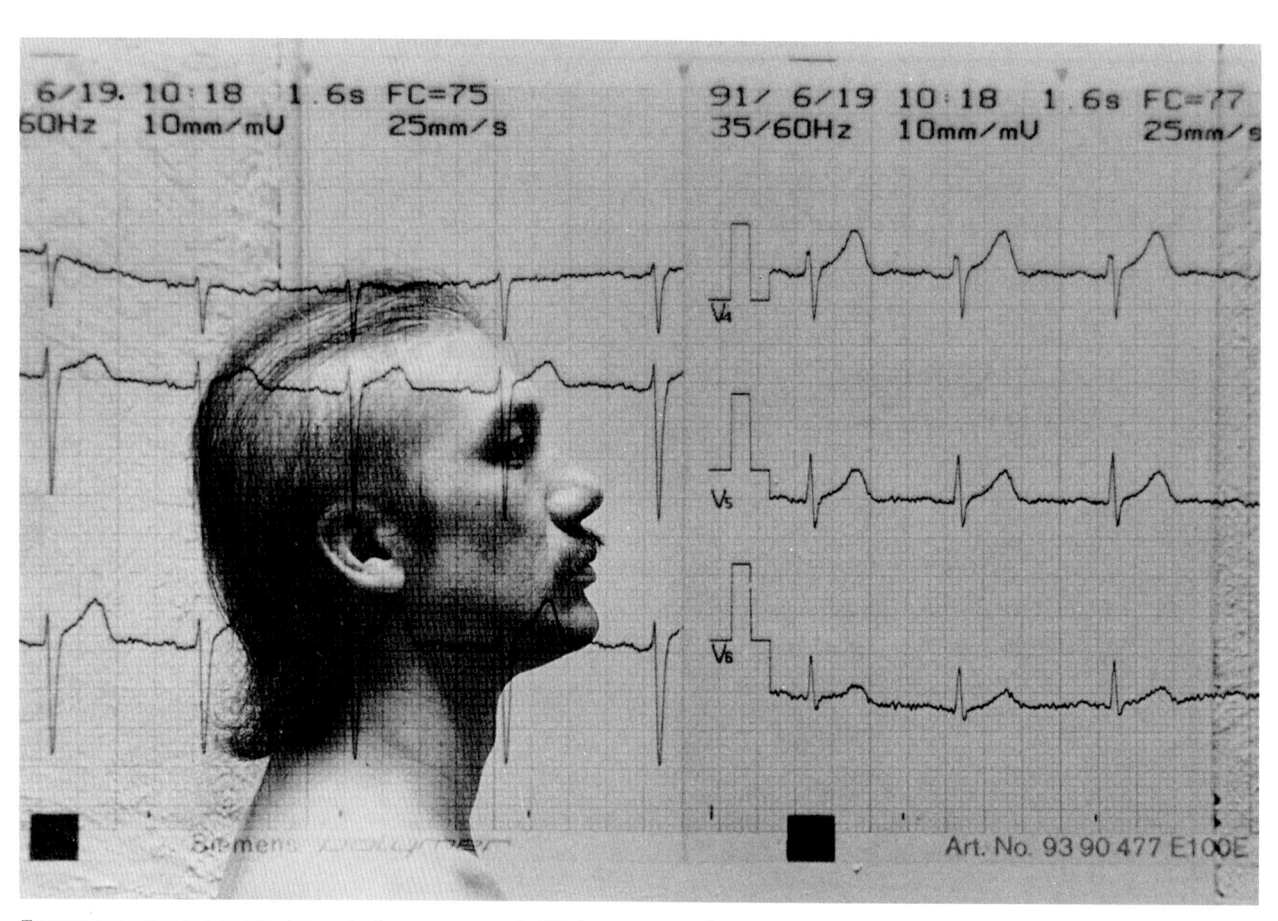

TESTIMONIO PERSONAL DE UNA CURACIÓN (AUTORRETRATOS), México, 1991-1993, Plata sobre gelatina, Colección Autor

JORGE PABLO DE AGUINACO

Sin título, Tlacotalpan, Veracruz, 1996, Impresión color RC, Colección Autor

JAVIER DE LA GARZA

Vanitas-Vanitae, México, 2000, Impresión digital, Colección Autor

OCTAVIANO DE LA MORA

Retrato, México, ca. 1890, Albúmina, Colección Matías Rocha

160 AÑOS DE FOTOGRAFÍA EN MÉXICO | 203

IRERI DE LA PEÑA

Cada chango a su mecate, Tabasco, México, Plata sobre gelatina, Colección Autora

JOSÉ MARÍA DE LA TORRE

RETRATO DE JOVEN, 2a. de San Francisco núm. 4, México, ca. 1870, Carte de visite, albúmina, Fototeca Antica/Colección Jorge Carretero Madrid

LOUIS DE PLANQUE

José Pérez García, Calle de Abasolo 62, Matamoros, México, 1870, Carte de visite, albúmina, Fototeca Antica/Colección Jorge Carretero Madrid

ALFREDO DE STÉFANO

Escaleras al cielo, de la serie Vibración del vacío, Coahuila, México, 1999, Ilfochrome, Colección Autor

MARIANA DELLEKAMP

21 PACIENTES ANÓNIMOS, DE LA SERIE EL CUERPO MEDIATIZADO, México, D.F., 2000, Impresión digital, Colección. Autora

J. DENSON COOK

PEONES EN HACIENDA CAFETALERA, México, 1906, Plata sobre gelatina, Cortesía Archivo General de la Nación

FRANCISCO DÍAZ DE LEÓN

Francisco Zarco (núm. de inv. 667762), México, D.F., ca. 1870, Albúmina, Colección Academia de San Carlos

DIAZ, DELGADO Y GARCÍA

BALLET CARROL, México, 1923, Plata sobre gelatina, Cortesía Archivo General de la Nación

ENRIQUE DÍAZ

LINDBERGH EN XOCHIMILCO, México, D.F., 1927, Plata sobre gelatina, Cortesía Archivo General de la Nación

JESÚS DÍAZ

El color, el dolor, la magia y la pobreza, Haití, 1993, Impresión r-3, Colección Autor

LUCIO DÍAZ

RETRATO DE DAMA, Fotografía Orizaveña(sic). Retratos instantáneos, 1890, Cabinet card, Fototeca Antica/Colección Jorge Carretero Madrid

RAMÓN DÍAZ

Manuel Osorno, Reforma núm. 6, Orizaba, Veracruz, México, 1914, Cabinet card, Fototeca Antica/Colección Jorge Carretero Madrid

S. DÍEZ

Cuernavaca. Ejercicio de fuego   637

EJERCICIOS DE GUERRA. MILITARES (7), Cuernavaca, Morelos, 1909, Plata sobre gelatina, Colección Archivo General de la Nación

RAFAEL DONIZ

Papel sagrado, San Pablito, Puebla, 1979, Plata sobre gelatina, Colección Autor

J. G. DREFFESE

Peregrino y gente en las vías del tren (16), México, 1912, Plata sobre gelatina, Cortesía Archivo General de la Nación

CARLOTA DUARTE

De la serie Secretos, En estudio, 1980, Plata sobre gelatina, Colección Autora

GERTRUDE DUBY BLOOM

Santiago, oficial religioso, Chiapas, México, 1974. Plata sobre gelatina. Cortesía Asociación Cultural Na Bolom

MARTÍN DUHALDE

RETRATO DE DAMA, Fotografía Universal, San Luis Potosí, México, ca. 1875. Carte de visite, albúmina. Fototeca Antica/Colección Jorge Carretero Madrid

H. DUHART

EDIFICIO DE LA MEXICANA. FACHADA (22), México, D.F., 1912, Plata sobre gelatina, Cortesía Archivo General de la Nación

ESTUDIO E. PORTILLA

Egresados de la Universidad Nacional, México, D.F., ca. 1920, Plata sobre gelatina, Colección Matías Rocha

FULVIO ECCARDI

Quetzal, El Triunfo, Reserva de la Biosfera, Chiapas, 1986, Cibachrome, Colección Autor

ALEJANDRA ECHEVERRÍA

SF #1, México, 1999, Impresión digital, Colección Galería Enrique Guerrero

GALIA EIBENSCHUTZ

Zócalo 2000, Zócalo de la Cd. de México, 2000, E-6, Colección Autora

PIA ELIZONDO

DE LA SERIE JUNGLA DE ASFALTO, El triunfo, Chiapas, 35mm, Colección Autora

ELSA ESCAMILLA

Fantasma de lo nuevo, México, D.F., ca. 1980, Plata sobre gelatina. Colección Autora

RETRATO DE NIÑO, Estampa Balvanera 4, México, ca. 1900, Cabinet card, Fototeca Antica/Colección Jorge Carretero Madrid

ANTONIO ESPLUGAS

Retrato de mujer, México, D. F., ca. 1900-1910, Colección Matías Rocha

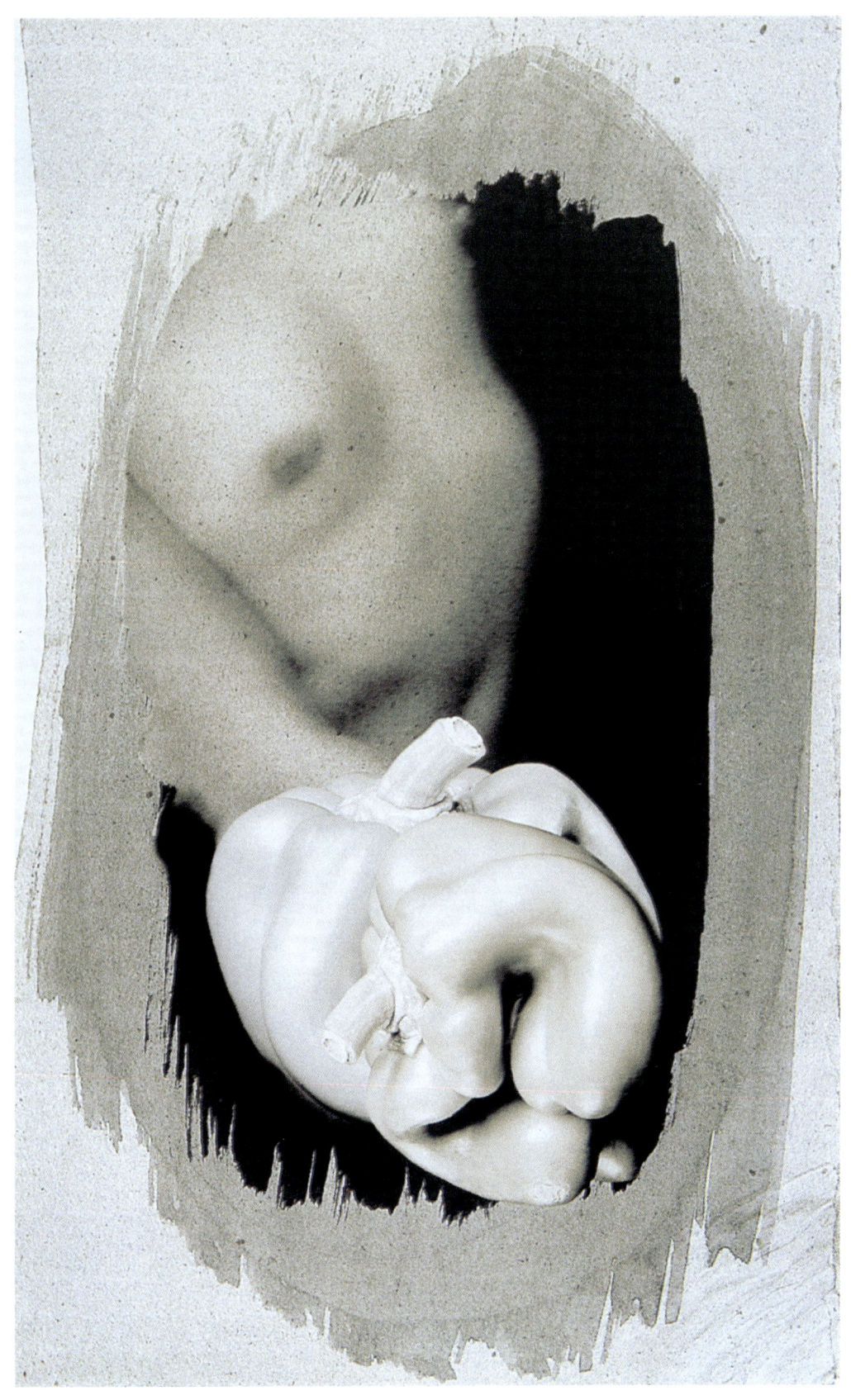

Sin título, México, D.F., 2000, Impresión tipo c, Colección Autor

ALFREDO ESTRELLA

Sin título, Baja California, México, 1999, Plata sobre gelatina, Colección Autor

A. ETERNOD

LUCRECIA, CLEMENTINA Y JOSEFINA EN EL COLEGIO TERESIANO, 1a de San Juan de Letrán, México, D.F., ca. 1908.
Plata sobre gelatina. Colección Shanti Lesur

F. E. NORTH S. E. OSBARH

Retrato, Espíritu Santo 7, México, 1890, Albúmina, Colección Matías Rocha

HÉCTOR FALCÓN

Proceso anabólico II, México, 2000, Impresión R 3 montado en acrílico, Colección Galería Enrique Guerrero/Autor

MIGUEL FEMATT

Hombres en tránsito, Xalapa, Veracruz, México, 2000, Color manipulado, Colección Autor

CLAUDIA FERNÁNDEZ

Universo 1998, México, D.F., 1997, Fotografía en color, Colección Autora

V. FERNÁNDEZ

Manuel Doblado (núm. de inv. 451970), México, ca. 1870, © conaculta-inah-sinafo-Fototeca Nacional

FERNANDO FERRARI PÉREZ

NO. DE INV. 455038, México, ca.1880. © CONACULTA-INAH-SINAFO-Fototeca Nacional

GABRIEL FIGUEROA FLORES

Sin título, México, 1999, Impresión digital, Colección Autor

GABRIEL FIGUEROA

EL FUGITIVO, México, D.F., 1947, Plata sobre gelatina, Colección Familia Figueroa Flores

A. FIGUEROA

Supremo Poder Judicial de los Estados Unidos Mexicanos (núm. de inv. 667148), México, D.F., 1879.
Paladio/platino, Colección Academia de San Carlos

ALEJANDRA FIGUEROA

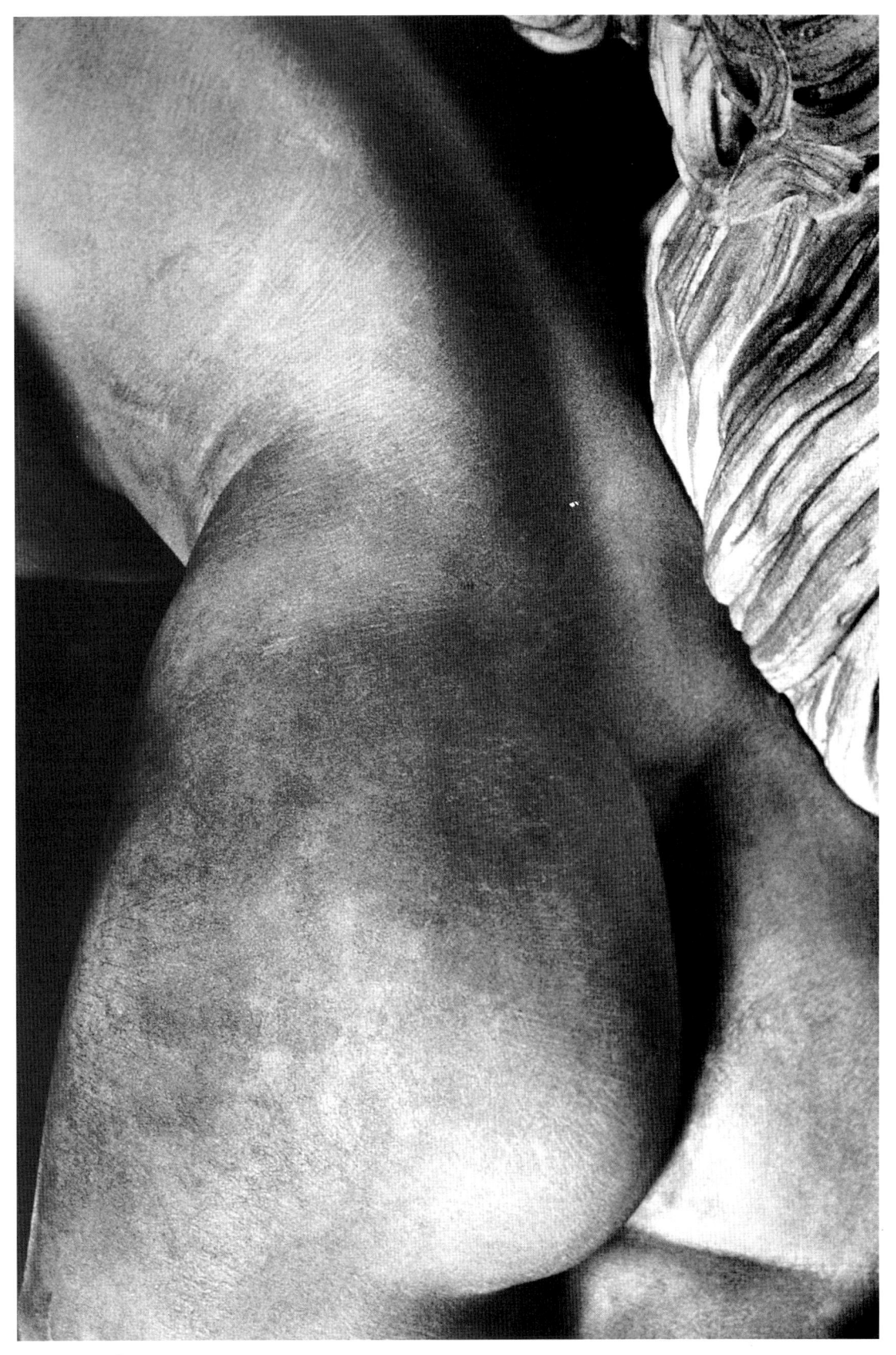

Sin título, Musse de Louvre, 1995. Plata sobre gelatina. Colección Autora

LUIS FIGUEROA

CRÓNICAS DE TRÁFICO Y VERIFICACIÓN, México, D.F., 1998, Mix media, Colección Autor

S. FINOCO

Caporal (2), México, 1906, Cortesía Archivo General de la Nación

RURY FISCHELT

Sin título, México, 1998, Plata sobre gelatina, Colección Autor

SIN TÍTULO, París, Francia, 1981, Plata sobre gelatina, Colección Autor

P. FLORES PÉREZ

LÍNEA DE MANZANA 30 USMC (41), México, D.F., 1914, Plata sobre gelatina, Cortesía Archivo General de la Nación

OWEENA FOGARTY

Sericí. Diablos de arroyo florido, Veracruz, 1994, Plata sobre gelatina, Colección Autora

FOTOCELERE

Escenas nupciales, Bodas (18), México, 1940. Plata sobre gelatina iluminada. Cortesía Archivo General de la Nación

FOTOGRAFÍA DAGUERRE

RETRATO DE NIÑOS CON AROS, Sta. Clara 10, Puebla, ca. 1910, Carte de visite, albúmina, Fototeca Antica/Colección Jorge Carretero Madrid

A. C. FRENCH

Centenario 1810-1910. Paseo Hidalgo, Festividades (3), Ensenada, Baja California, 1910,
Plata sobre gelatina, Cortesía Archivo General de la Nación

GISÉLE FREUND

Frida Kahlo, México, 1952, Plata sobre gelatina, © Giséle Freund/Agency Nina Beskow

ARTURO FUENTES FRANCO

SIN TÍTULO, México, 1994, Plata sobre gelatina, Colección Autor

N. FUENTES

Retrato (núm. de inv. 453269), México, ca. 1864, © CONACULTA-INAH-SINAFO-Fototeca Nacional

JULIO GALINDO

Retrato en Tacubaya, México, D.F., 1997, Paladio/platino, Colección Autor

FEDERICO GAMA

El cuerpo es el templo de Dios, de la serie Historias en la piel, México, D.F., 1997, Plata sobre gelatina, Colección Autor

ANDRÉS GARAY

Sin título, Guaymas, Sonora, México, 1986, Plata sobre gelatina, Colección Autor

ARTURO GARCÍA CAMPOS

Ancianos desalojados, México, D.F., 1995, Plata sobre gelatina, Colección Autor

HÉCTOR GARCÍA

David Alfaro Siqueiros, Lecumberri, México, D.F., 1960, Plata sobre gelatina, Colección Autor

JESÚS MARÍA GARCÍA

Retrato, Oaxaca, 1906, Albúmina, Colección Matías Rocha

160 AÑOS DE FOTOGRAFÍA EN MÉXICO | 261

HÉCTOR GARCÍA SÁNCHEZ

Granadero, México, D.F., 1996, Plata sobre gelatina, Colección Autor

CARLOS GARCÍA

Dos jovencitas de pie, México, ca. 1875, Carte de visite, albúmina, Fototeca Antica/Colección Jorge Carretero Madrid

MARÍA GARCÍA

Detrás de, México, D.F., 1980, Plata sobre gelatina, Colección Autor

ROMUALDO GARCÍA

Retrato, Guanajuato, ca. 1905-1914, Plata sobre gelatina, Colección Museo Regional de Guanajuato-Alhóndiga de Granaditas

A. G. GARDUÑO

MODELOS, México, D.F., ca. 1900, Plata sobre gelatina, Colección Academia de San Carlos

ANTONIO GARDUÑO

NAHUIN OLLIN, México, D.F., 1927, Plata sobre gelatina, Colección Carlos Monsiváis

FLOR GARDUÑO

MUJER QUE SUEÑA, Pinotepa Nacional, Oaxaca, México, 1991, Plata sobre gelatina, Colección Autora

RICARDO GARIBAY RUIZ

Aparición 1, México, 1994, Paladio/platino, Colección Autor

PAOLO GASPARINI

De la serie Presagios de Moctezuma, México, 1994, Plata sobre gelatina, Colección Autor

F. GAYTÁN

Retrato de familia, México, ca. 1870, Carte de visite, albúmina, Fototeca Antica/Colección Jorge Carretero Madrid

GUSTAVO GILABERT

Sin título, México, 1998, Fotografía directa, Colección Autor

JULIETA GIMÉNEZ CACHO

SERIE CHINOS EN MEXICALI, Mexicali, Baja California, 1977, Plata sobre gelatina, Colección Autora

MAYA GODED

SALÓN DE BELLEZA, México, D.F., 1996, Plata sobre gelatina. Colección Autora

GÓMEZ FLORES Y PACHECO

ADELA VILLA REAL, Gran Fotografía 2a. del Correo Mayor núm. 7 1/2 y esquina de la 1a. de la Merced, México 1886, Cabinet card, Fototeca Antica/Colección Jorge Carretero Madrid

M. GÓMEZ

IGNACIO DÍAZ Y ROSALÍA CASILLAS, Colima, ca. 1868/1869, Carte de visite, albúmina, Fototeca Antica/Colección Jorge Carretero Madrid

RAFAEL GÓMEZ

Interior de las grutas (3), Cacahuamilpa, Guerrero, 1922, Plata sobre gelatina, Cortesía Archivo General de la Nación

MAURYCY GOMULICKI

SENTIMENTAL TYPOLOGY, México, D.F., 1999, Impresión digital, Colección Autor

IVÁN GONZÁLEZ DE LEÓN

Intervenciones de ausencia y presencia, México, D.F., 1994. Barro, foto, filtro azul. Colección Autor

GABRIELA GONZÁLEZ

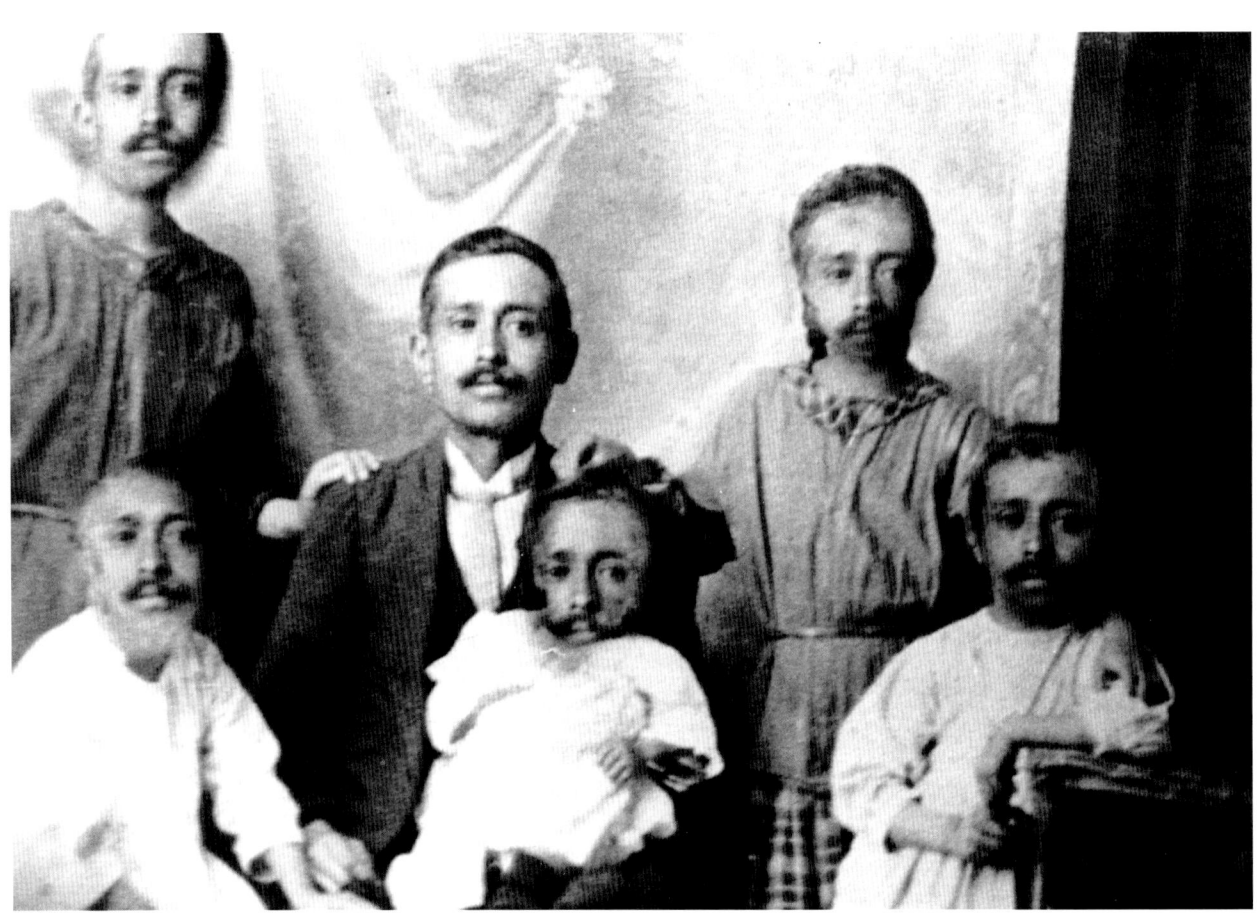

Aprehender lo insano (aumentar y engendrar), México, D.F., 1996, Plata sobre gelatina, Colección Autora

JESSICA GONZÁLEZ SUSTAETA

CAMA: ARMAZÓN DE MADERA, BRONCE O HIERRO QUE GENERALMENTE SIRVE PARA DORMIR, México, 1998, Plata sobre gelatina, Colección Autora

ARTURO J. GONZÁLEZ

Av. Francisco I. Madero (núm. de inv. 375510), México, ca. 1905. © CONACULTA-INAH-SINAFO-Fototeca Nacional

J. GONZÁLEZ

DOLORES TENORIO, México, ca. 1899, Albúmina, Fototeca Antica/Colección Jorge Carretero Madrid

JOSÉ CARLO GONZÁLEZ

ENFRENTAMIENTO EN CHIMALHUACÁN, México, 2000, Plata sobre gelatina, Colección Autor/La Jornada

LAURA GONZÁLEZ

Del Baño núm. 1, de la serie De las sombras, 1986. Cianotipia manipulada sobre papel algodón, Colección INBA-SEP

LUIS HUMBERTO GONZÁLEZ

Invasión norteamericana a Panamá, Panamá, 1989, Plata sobre gelatina, Colección Autor

PEDRO GONZÁLEZ

FRANCISCO DEL RÍO, San Luis Potosí. Calle de las Magdalenas. Costado derecho del Parián, 1867.
Carte de visite, albúmina, Fototeca Antica/Colección Jorge Carretero Madrid

LUIS GORDOA

Cilos, México, D.F., 1999, Plata sobre gelatina, Colección Autor

O. M. GOVE

Retrato de familia, Calle del Espíritu Santo 7, México, ca. 1890, Cabinet card. Fototeca Antica/Colección Jorge Carretero Madrid

HENRY GREENWOOD PEABODY

SALTO DEL AGUA, México, ca. 1899, Albúmina. Fototeca Antica/Colección Jorge Carretero Madrid

LOURDES GROBET

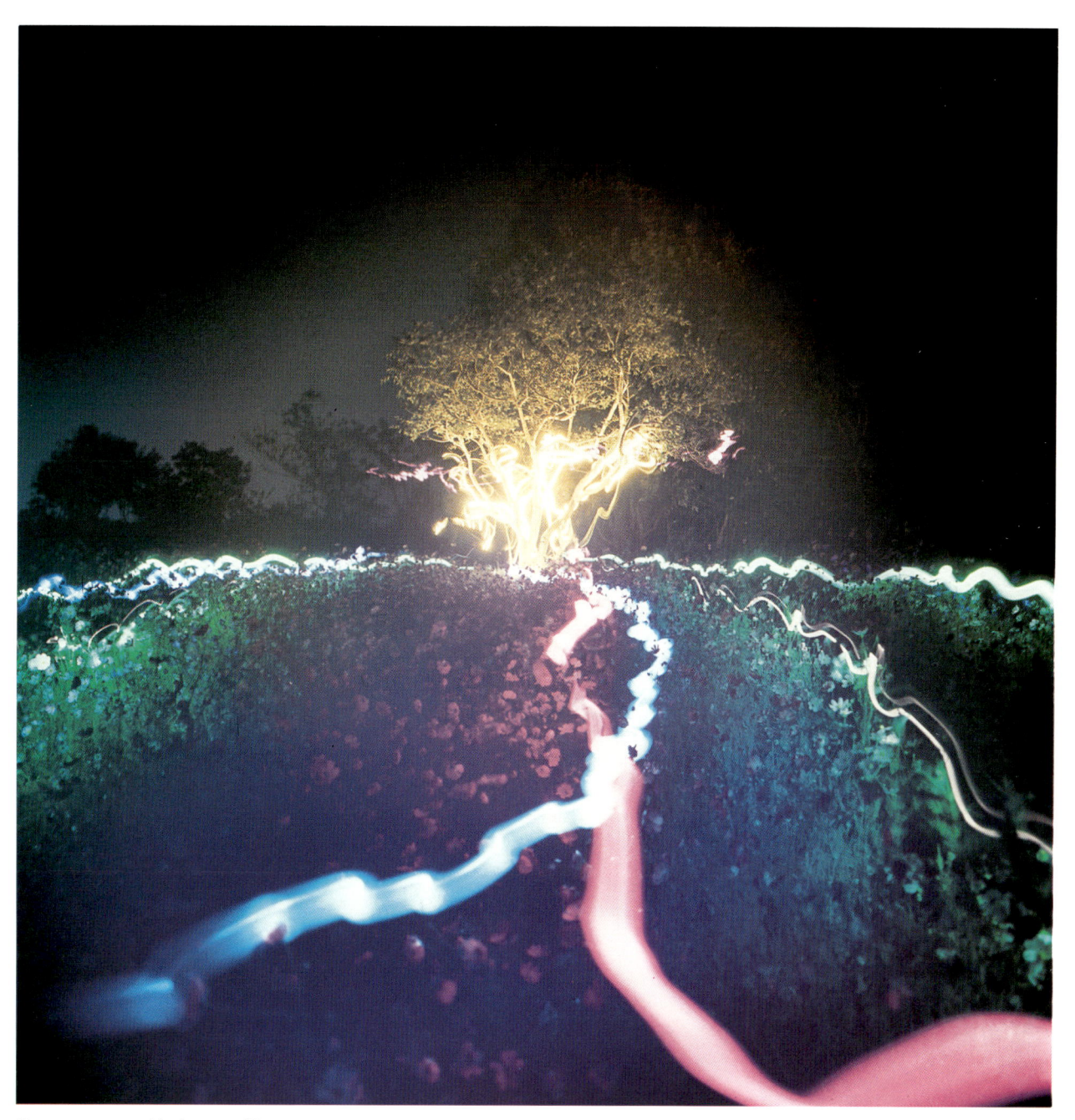

Paisaje pintado, Michoacán, México, 1991, Transparencia, Colección Autora

SILVIA GRUNER

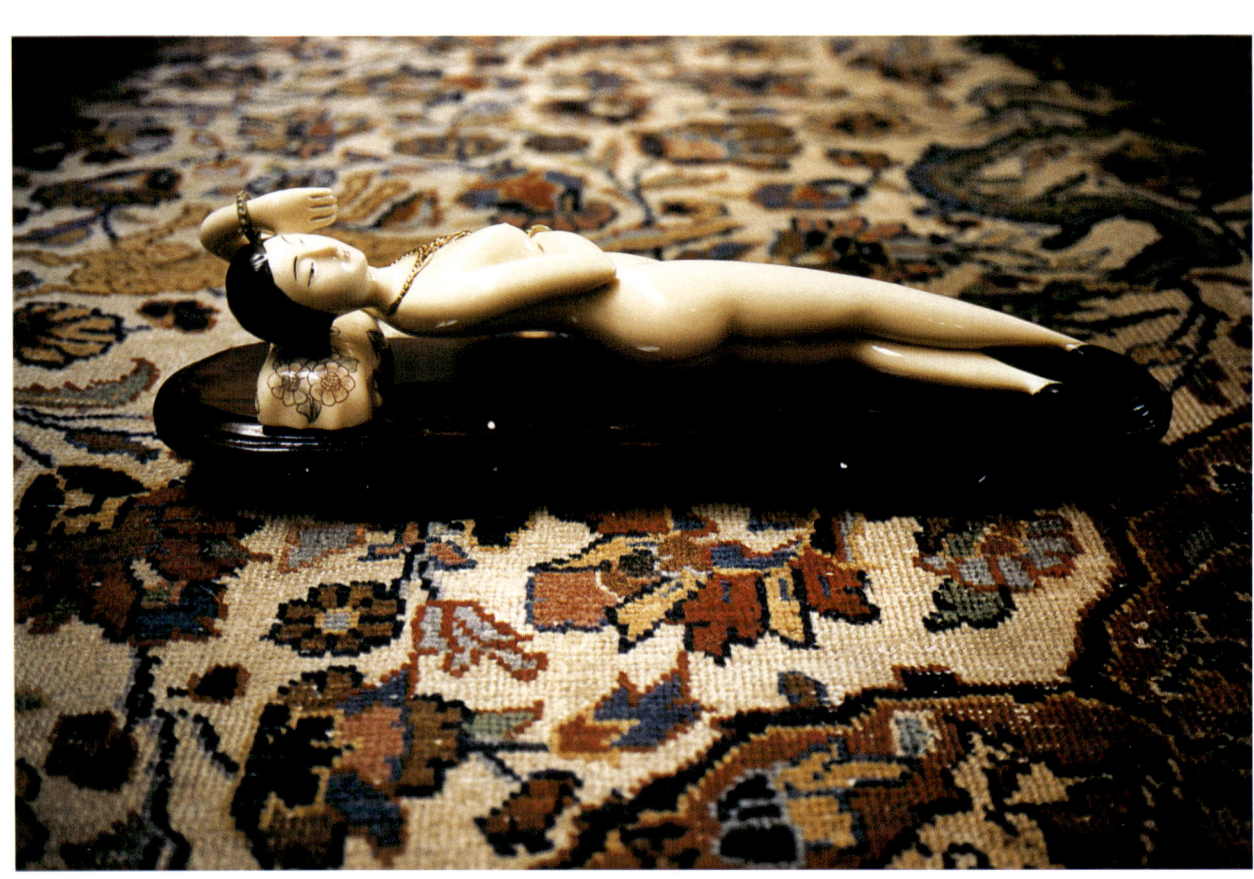

Lady doctor, México, D.F., 2000, Impresión a color r-3, Colección Autora

GUERRA

MARIANO GARCÍA E HIJOS (NÚM. DE INV. 452032), Jalisco, 1896, © CONACULTA-INAH-SINAFO-Fototeca Nacional

C. GUERRA

Retrato de la familia de Ysmael Prado, México, 1892, Cabinet card, Fototeca Antica/Colección Jorge Carretero Madrid

IGNACIO GUERRA MANZANARES

Comandante del Tornado.

COMANDANTE DEL TORNADO (NÚM. DE INV. 452026), México, ca. 1884, © CONACULTA-INAH-SINAFO-Fototeca Nacional

PEDRO GUERRA

RETRATO FAQUIR, Mérida, Yucatán, ca. 1879-1889,
Albúmina, Colección Universidad Autónoma de Yucatán/Facultad de Ciencias Antropológicas

VICENTE GUIJOSA

El mago, de la serie Insurgentes, la sombra de tu sonrisa, México, 1986, Color, Colección Autor

H. J. GUTIÉRREZ

IGNACIO MARISCAL Y PERSONAJE NO IDENTIFICADO. PERSONAJES (4), México, 1908. Plata sobre gelatina.
Cortesía Archivo General de la Nación

PANORÁMICA (5), Cuernavaca, Morelos, 1906, Plata sobre gelatina, Cortesía Archivo General de la Nación

JUAN GUZMÁN/ JOHN GUTMAN

Torre vista en contrapicada, México, D.F., s/f, Plata sobre gelatina, Colección Teresa Miranda/Archivo Juan Guzmán

RETRATO, México, D.F., ca. 1920. Plata sobre gelatina. Colección Shanti Lesur

FREDERICK HAAS

PAREJA CON ATUENDOS NUPCIALES, Colima, ca. 1875, Carte de visite, albúmina, Fototeca Antica/Colección Jorge Carretero Madrid

HADSELL

U.S. Navy Auxiliary Mars (núm. de inv. 474266), Veraruz, ca. 1914, © CONACULTA-INAH-SINAFO-Fototeca Nacional

F. HAFS

Pintura a Miguel Hidalgo (núm. de inv. 464694), México, 1880, Estereoscópica, © conaculta-inah-sinafo-Fototeca Nacional

JERÓNIMO HAGGERMAN

Nave cama, Costa del Pacífico, México, enero 2000. Transparencia. Colección Autor

LORENZO HAGGERMAN

Comunidad aborigen, Oenpelli, Australia, 1991, Plata sobre gelatina, Colección Autor

CHARLES HARBUTT

Ferry, Ciudad del Carmen, Campeche, 5 de abril de 1979, Plata sobre gelatina, Colección Autor

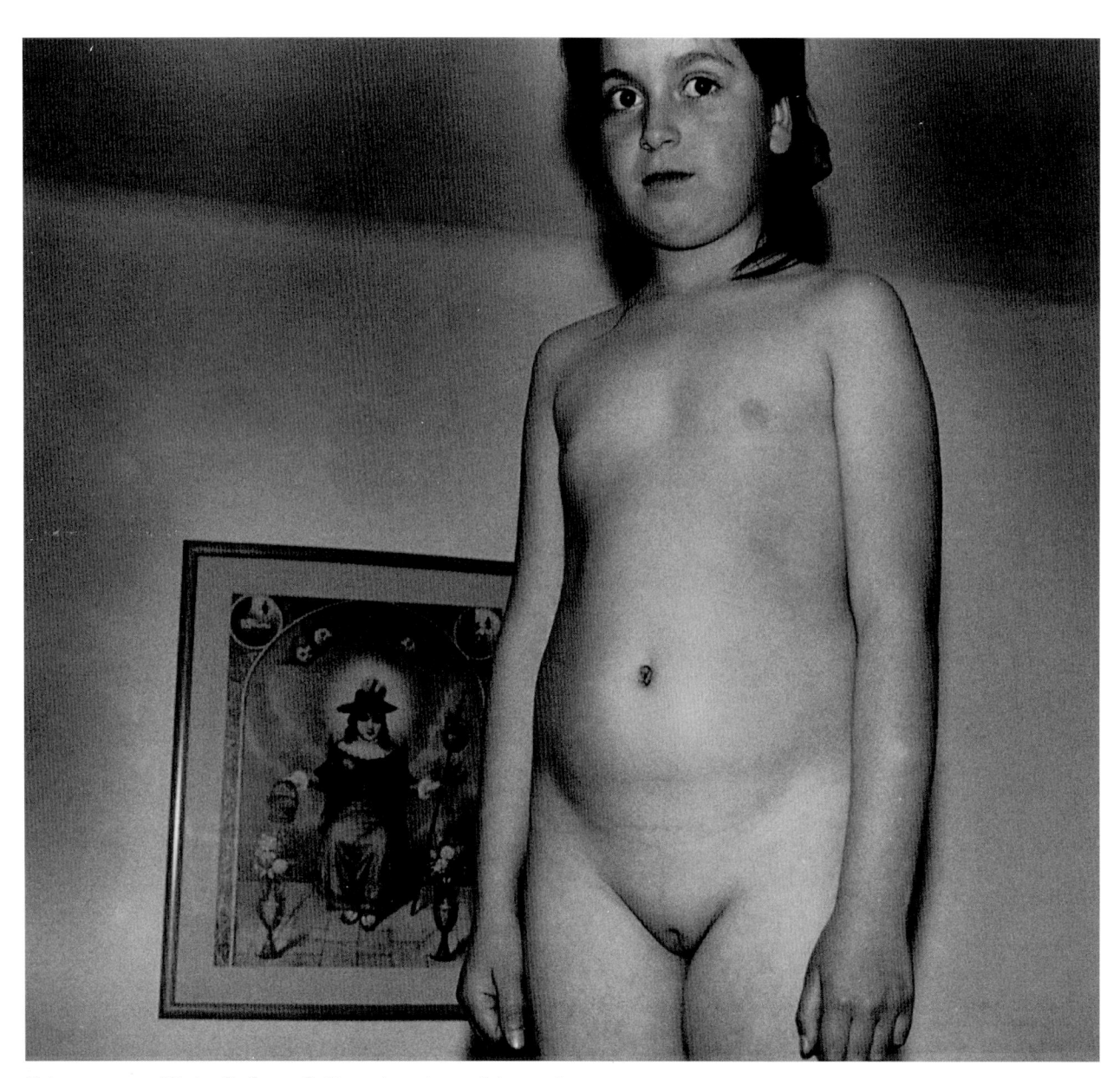

PAULA HARO PONIATOWSKA

Niña de Atocha, México D. F., 1998, Plata sobre gelatina, Colección Autora

JOAQUÍN HARO

Personaje sin identificar con tarros de cerveza y 4 diferentes marcas de cerveza, México 1906, Plata sobre gelatina, Cortesía Archivo General de la Nación

HARRIS & GRAY

RETRATO DE NIÑA, Chihuahua, ca. 1910, Plata sobre gelatina, Fototeca Antica/Colección Jorge Carretero Madrid

CARLOS HARRIS

REVOLUCIONARIOS EN SANTIAGO (NÚM. DE INV. 373890), México, 1912, © CONACULTA-INAH-SINAFO-Fototeca Nacional

JILL HARTLEY

El avión, México, 1995. Plata sobre gelatina. Colección Autor

FRIDA HARTZ

Sin título, Huasteca Potosina, México, 1995, Plata sobre gelatina, Colección Autora

JAN HENDRIX

Dirty window, Holanda, 1969, Plata sobre gelatina, Colección Autor

FRITZ HENLE

SIN TÍTULO, México, 1945. Plata sobre gelatina. ©Throckmorton Fine Art, Inc.

JOSÉ HERNÁNDEZ-CLAIRE

Fe férrea, de la serie Jubileo 2000, Plaza de la Basílica de San Pedro, 2000, Plata sobre gelatina. Colección Autor

M. HERNÁNDEZ

VISTA DEL POBLADO (2), Chapala, Jalisco, 1907, Plata sobre gelatina, Cortesía Archivo General de la Nación

GERMÁN HERRERA

Ciegos buscando la entrada. De la serie Así lo veo yo, México, D.F., 1991, Plata sobre gelatina, Colección Autor

E. HERRERÍAS

CABALLERÍA INSURGENTE DE BLANCO (6), México, 1911, Plata sobre gelatina. Cortesía Archivo General de la Nación

I. HERRERÍAS

Francisco Villa (19), Cd. Juárez, Chihuahua, 1911, Plata sobre gelatina, Cortesía Archivo General de la Nación

JAVIER HINOJOSA

Sin título, México, D.F., 1999, Plata sobre gelatina, Colección Autor

PEDRO HIRIART

Hemíptero, El Salto, San Luis Potosí, 1981, Plata sobre gelatina, Colección Autor

HOLLYWOOD

CLEMENTINA, JOSEFINA Y LUCRECIA, México, D.F., 1947. Colección Plata sobre gelatina, Shanti Lesur

160 AÑOS DE FOTOGRAFÍA EN MÉXICO | 323

KATI HORNA

Carnaval de Huejotzingo, México, 1941, Plata sobre gelatina, © Nora Horna

J. HOYA

Raúl González Enríquez y Clemencia Torres Baquedano, México, D.F., Plata sobre gelatina, Colección Shanti Lesur

J. IBARRA

RETRATO DE DAMA, Portal de Agustinos 2, Guadalajara, Jalisco, ca. 1867, Carte de visite, albúmina, Fototeca Antica/Colección Jorge Carretero Madrid

KENJI IKENAGA

Sin título, México, D.F., 1994, Plata sobre gelatina. Colección Autor

GRACIELA ITURBIDE

Mujer Ángel, Desierto de Sonora, 1979, Plata sobre gelatina, Colección Autora

J. CAMPARDON V.

La Toza, Campeche, ca. 1900, Plata sobre gelatina. Fototeca Antica/Colección Jorge Carretero Madrid

WILLIAM HENRY JACKSON

Fuente Salto del Agua, Ciudad de México, ca. 1880, Gelatina Bromuro iluminada. © Throckmorton Fine Art, Inc.

JACOBI Y CIA.

FRANCISCO MARTÍNEZ Y ADELA CONTRERAS, Puebla, 1878, Cabinet card, Fototeca Antica/Colección Jorge Carretero Madrid

JEFF JACOBSON

Sin título, Tijuana, Baja California, 1995, Kodachrome, Colección Autor

ERIC JERVAISE

CORREO MAYOR Y REPÚBLICA DE URUGUAY, México, D.F., 1988, Plata sobre gelatina, Colección Autor

HNOS. JIMÉNEZ

DINA ENRÍQUEZ, México, D.F., ca. 1900, Gelatina de impresión directa, Colección Shanti Lesur

A. E. JIMÉNEZ

NÚM. DE INV. 08667244, México, D.F., ca. 1920, Plata sobre gelatina, Colección Academia de San Carlos

AGUSTÍN JIMÉNEZ

SUELAS, México, 1934. Plata sobre gelatina. © María Jiménez

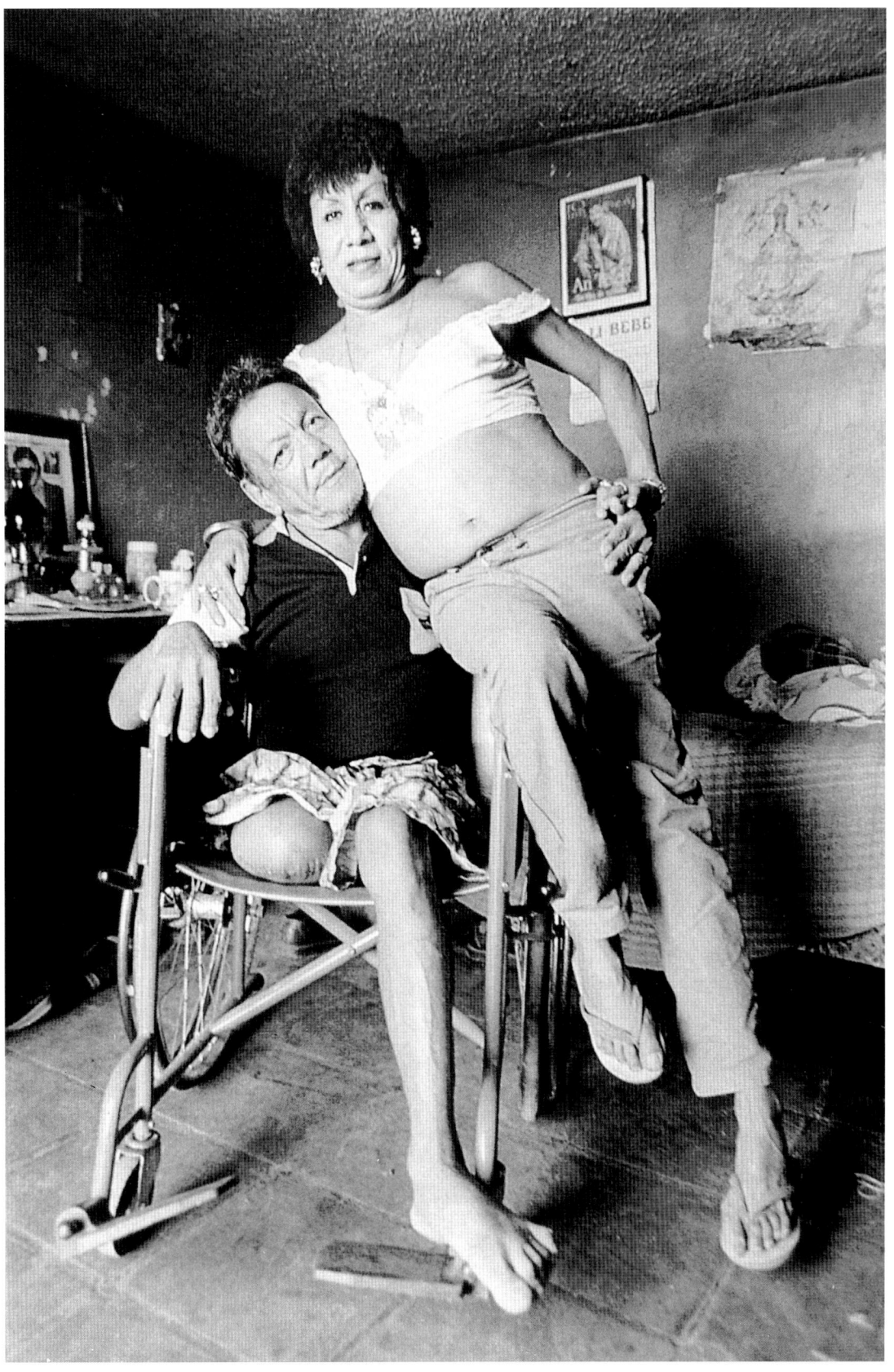

ARISTEO JIMÉNEZ

Los amantes, de la serie sobre el patio de Coyotera, Monterrey, México, 1996, Plata sobre gelatina, Colección Autor

MATEO JIMÉNEZ

Familia Enriquez/retrato en estudio de hombre mayor y niño, México, 4 de mayo de 1910, Colodión mate, Colección Shanti Lesur

SOTERO CONSTANTINO JIMÉNEZ

Retrato familiar, Juchitán, Oaxaca, ca. 1930, Plata sobre gelatina, Colección Graciela Iturbide

CARLOS JURADO

Ahorcadito con vaso, México, D.F., 1996, Cámara estenopeica, Colección Autor

YISHAI JUSIDMAN

Yishai Jusidman (México, 1963)
*M.S., paciente con esquizofrenia hebefrénica
manifiesta por circunstancialidad asindética
y ataxia intrapsíquica, acompañada por
alucinaciones dismegalópicas y
delirios emasculantes, con
Las Hilanderas (ca. 1645-48) de Velázquez.
(1998-2000)*
Superposición digital sobre poliéster

RH, México, D.F., 1998-2000, Superposición digital sobre poliéster, Colección Autora

CRISTINA KAHLO

Con el mar por espejo, de la serie Sogo Bo, México, D.F., 1998, R-3, Colección Autora

CIMENTACIÓN PARA LA COLUMNA DEL ÁNGEL DE LA INDEPENDENCIA, México, D.F., 1907. Plata sobre gelatina. Colección Cristina Kahlo

GUILLERMO KAHLO ALCALÁ

Sin título, México, D.F., 2002, Plata sobre gelatina, Colección Autor

BENJAMÍN KILBURN

Castillo de Chapultepec/Jardín de las flores (núm. de inv. 427420), México, D.F., ca. 1873, Estereoscópica.
© CONACULTA-INAH-SINAFO-Fototeca Nacional

KEN KITANO

Murales en México, México, D.F., 2000, Plata sobre gelatina, Colección Autor

BERNICE KOLKO

MUCHACHA LINDA, Oaxaca, México, 1954. Plata sobre gelatina, Colección Zuñiga/Laborde

TONI KUHN

El otro nido I, III, V, México, D.F., 1988, 1989, 1992, Negativo color, Colección Autor

J. B. KURI

JUAN B. KURI, PRELADO (2), México, 1913, Albúmina, Cortesía Archivo General de la Nación

GUILLERMO L. ZÚBER

Refugio Vargas, Calle de Diana 10, Mazatlán, México, 1889, Cabinet card, Fototeca Antica/Colección Jorge Carretero Madrid

EDGAR LADRÓN DE GUEVARA

El beso esencial, México, 1998, Impresión cromógena, Colección Autor

PATRICIA LAGARDE

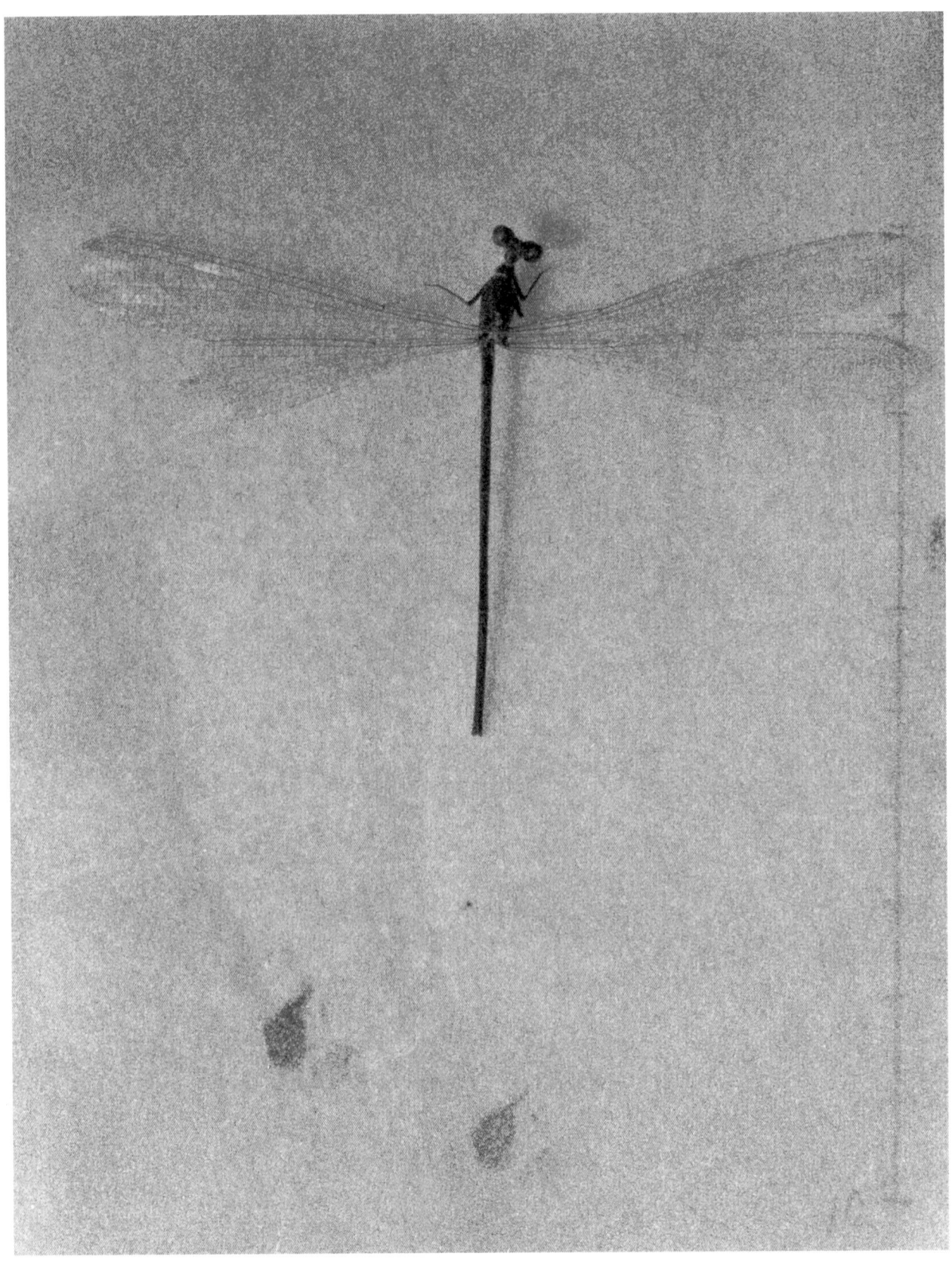

SERIE DE LA CLASIFICACIÓN DE LOS SERES, FOLIO 1/INSECTOS, México, 2000, Van dyke, Colección Autora

DESIDERIO LAGRANGE

Ismael, José y Carlos Pérez Maldonado, Nuevo León, mayo 20 de 1900, Albúmina.
© Fondo Carlos Pérez Maldonado, Fototeca de Nuevo León/Consejo para la Cultura de Nuevo León

CARLOS LAMOTHE SILVA

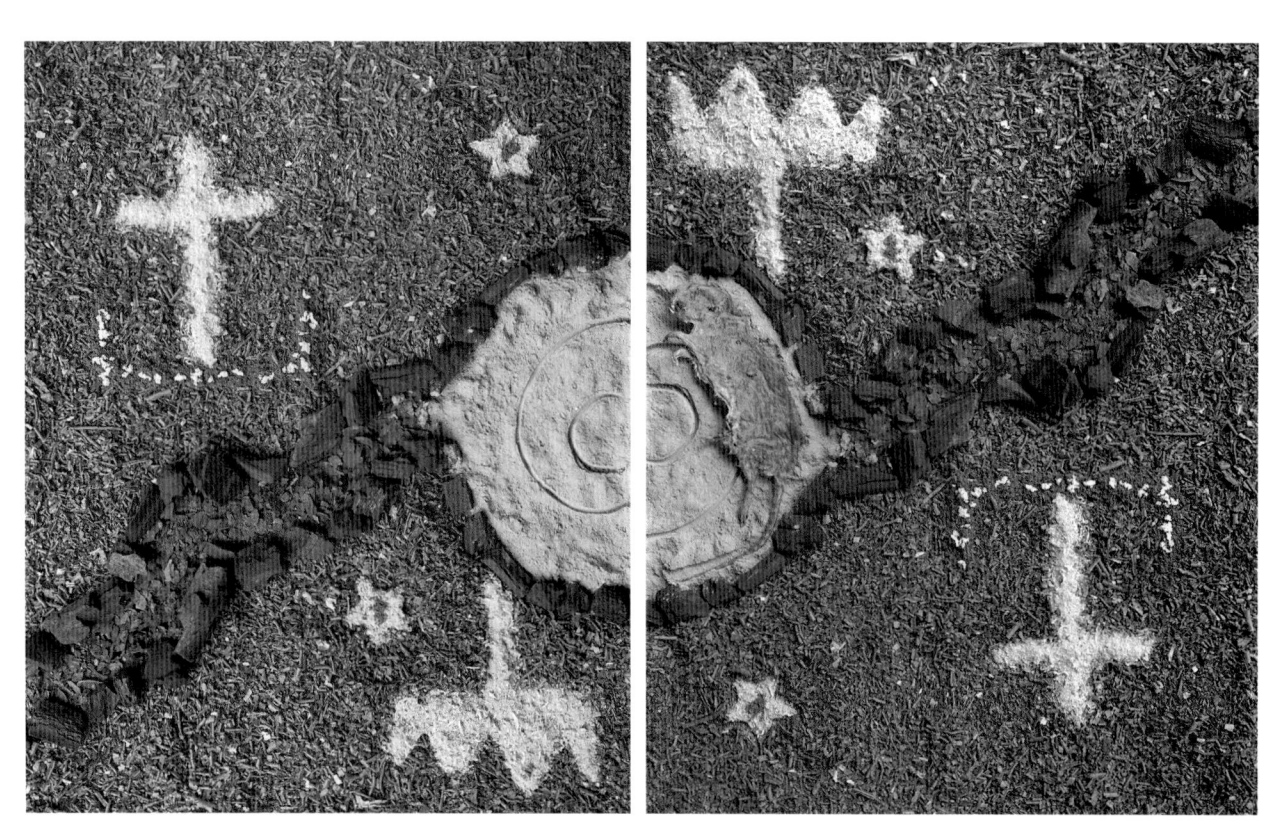

Díptico Laberinto y encrucijada, México. Plata sobre gelatina, Colección Autor

EMILIO LANGE

RETRATO DE FAMILIA, 2a de Plateros 4, México, ca. 1902, Albúmina, Fototeca Antica/Colección Jorge Carretero Madrid

AURORA EUGENIA LATAPÍ

Trompos, México, 1932, Plata sobre gelatina, Colección José Antonio Rodríguez

DAVID LAUER

VENTANA AL CIELO, La Junta, Chihuahua, 1996, Plata sobre gelatina, Colección Autor

FRANCISCO LAVILLETTE

Marie Jacquemin, Profesa núm. 1, México, 1902, Paladio/platino, Fototeca Antica/Colección Jorge Carretero Madrid

PAULINA LAVISTA

Sin título, de la serie El patio, México, D.F., 1969, Negativo 35mm trix b/n cámara leica. Colección Autor

RUTH LECHUGA

México, ca. 1950, Plata sobre gelatina, Colección José Antonio Rodríguez

LEMUS G.

México, D.F., ca. 1960. Plata sobre gelatina. Colección Shanti Lesur

ROBERTO LOMANA

Retrato, México, D.F., 1910, Paladio/platino, Colección Matías Rocha

LEMUS G.

México, D.F., ca. 1960, Plata sobre gelatina, Colección Shanti Lesur

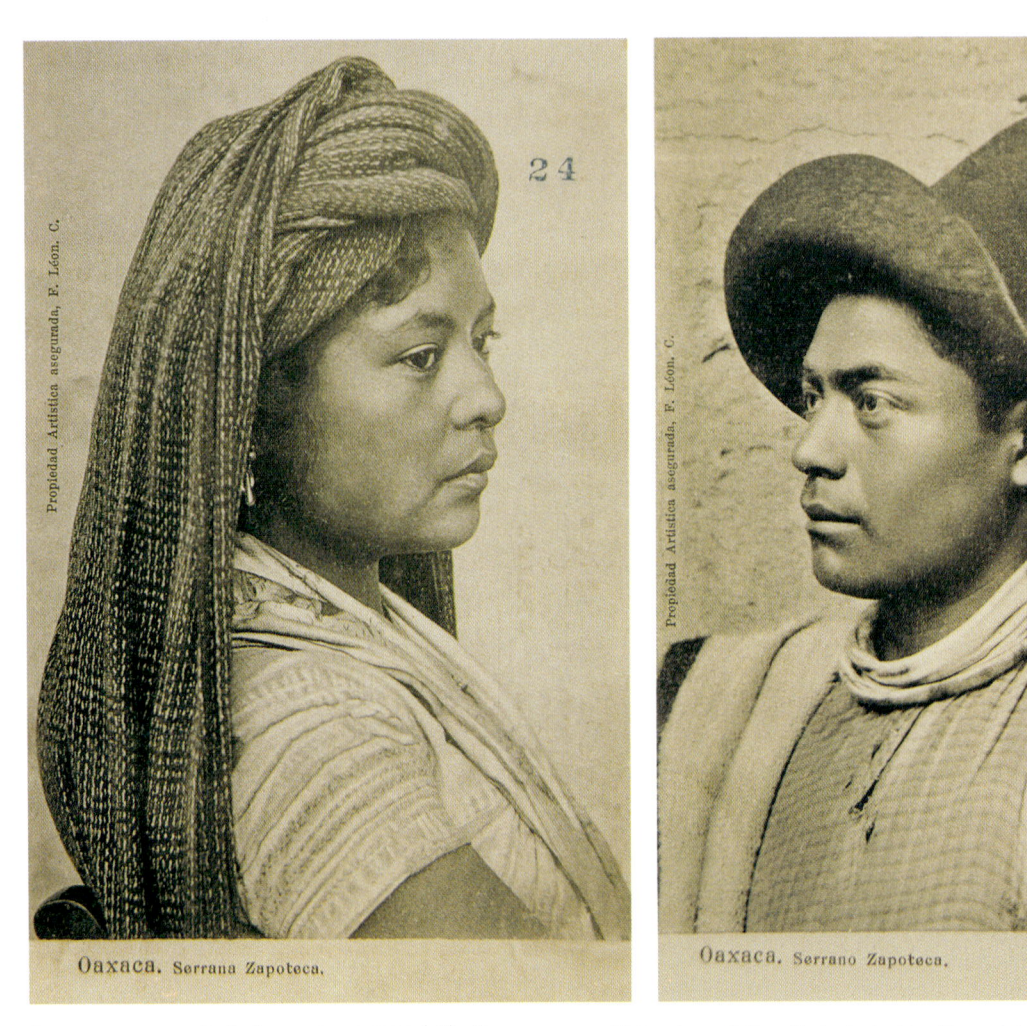

F. LEÓN

SERRANA ZAPOTECA (12), SERRANO ZAPOTECA (13), Oaxaca, 1904. Plata sobre gelatina. Cortesía Archivo General de la Nación

362 | 160 AÑOS DE FOTOGRAFÍA EN MÉXICO

FABRIZIO LEÓN

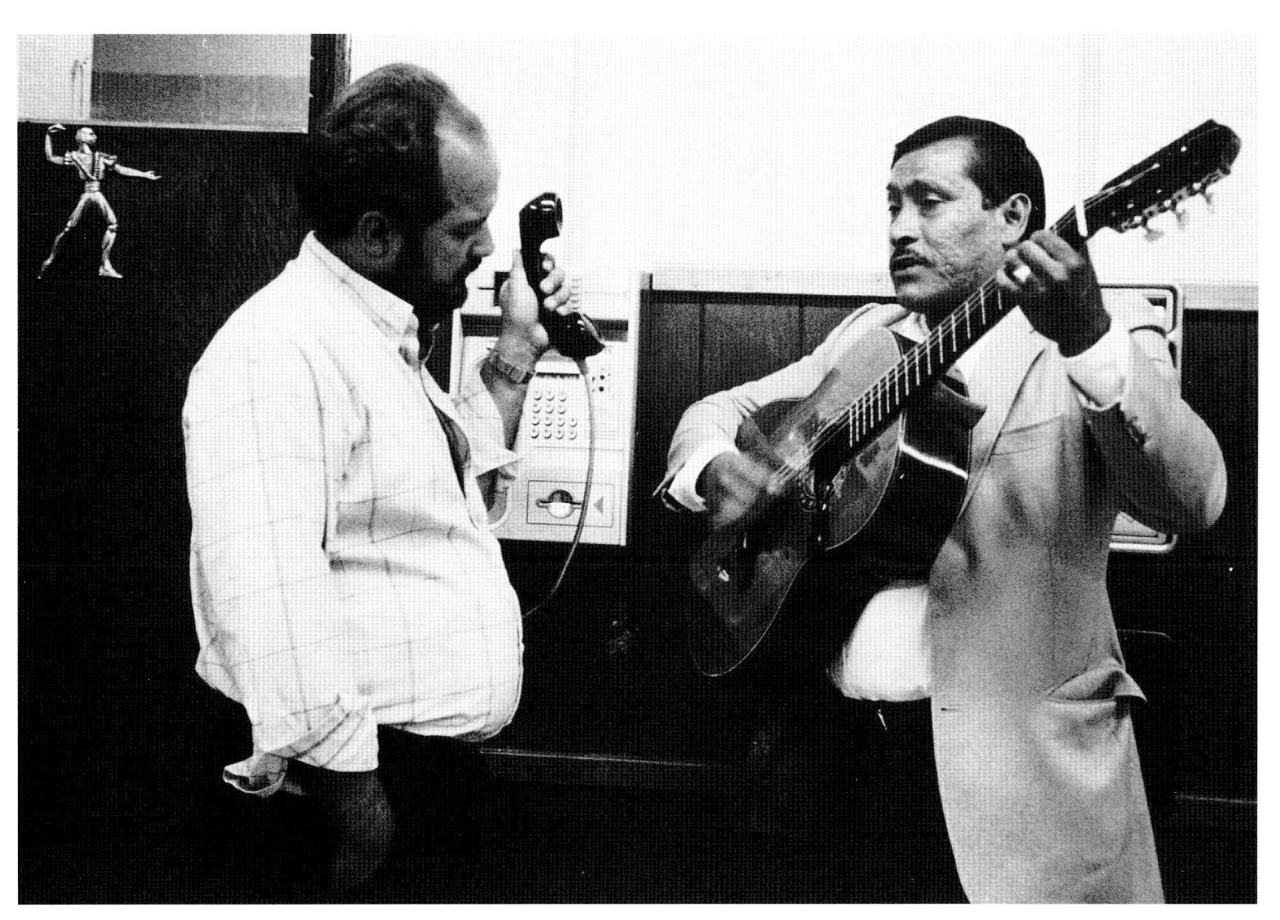

BAR, México, D.F., Plata sobre gelatina. Colección Autor

JORGE LÉPEZ VELA

Sin título. de la serie Sierra Zapoteca, Oaxaca, 1992, Plata sobre gelatina, Colección Autor

JAMES LERAGER

INMIGRANTES ILEGALES MUERTOS, Frontera, Mexicali y Calexico, 2000, Película HPS+, impresión por computadora, systema Piezography (Carbón pigment tinta archival), Colección Autor

HELEN LEVITT

HOMBRE EN LA MERCED CON SOMBREROS, México, D.F., 1941, Plata sobre gelatina, Colección Autora

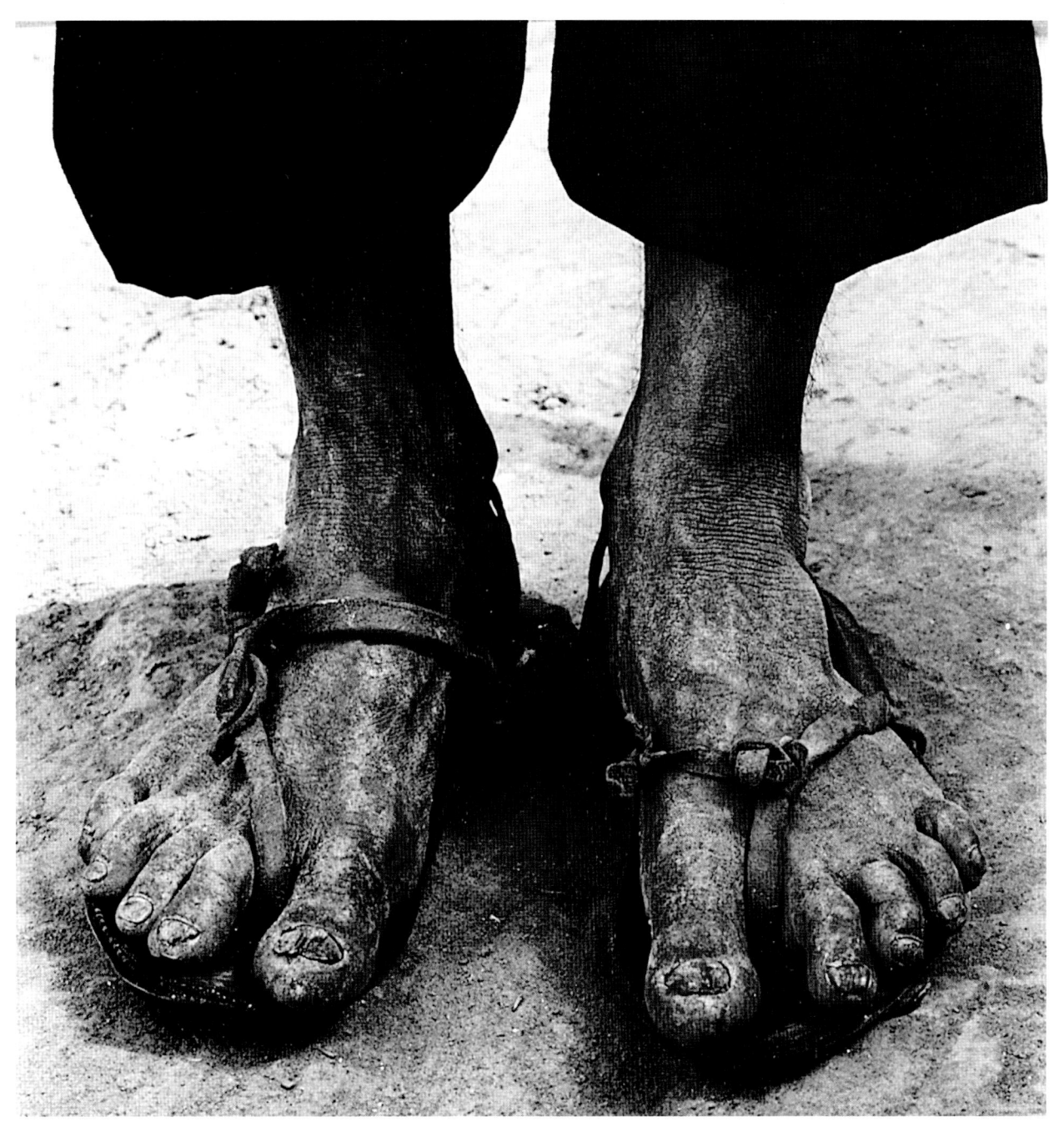

KEN LIGHT

Pie de campesino/Feet of Campesino, Putla, Oaxaca, 1987, Plata sobre gelatina, Colección Autor

BELA LÍMENES

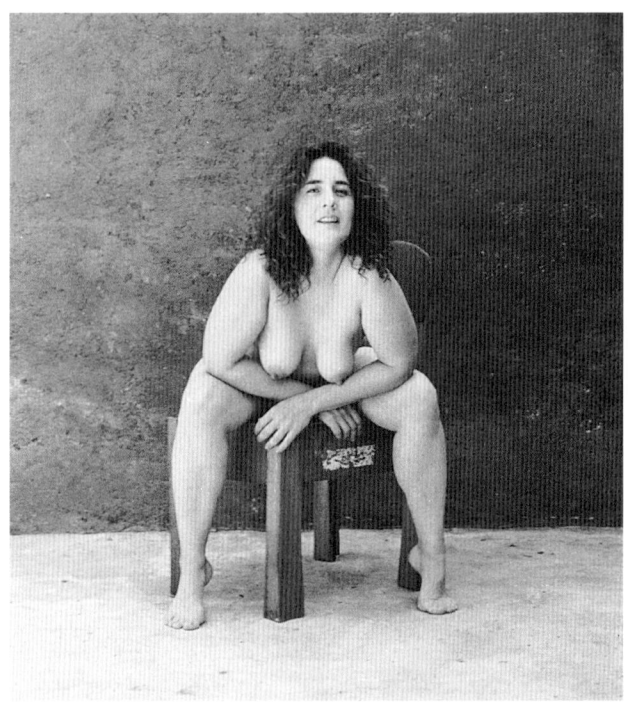

De la serie En una sola silla, Juana y Márgara, México, 1998-2000, Plata sobre gelatina montaje-iluminado. Colección Autora

EMILIO G. LOBATO

FAMILIA VÁZQUEZ NEGRETE, 1a. de Díaz de León, San Luis Potosí, México, 1902, Cabinet card, Fototeca Antica/Colección Jorge Carretero Madrid

ROBERTO LOMANA

Retrato, México, D.F., 1910. Paladio/platino. Colección Matías Rocha

MARITZA LÓPEZ

Diálogos, México, D.F., 2000, Plata sobre gelatina, Colección Autor

DARÍO LÓPEZ MILLS

EPR, DE LA SERIE EL EJÉRCITO, México, 1996, Color, Colección Autor

FOT. LÓPEZ

Escuela naval, después del bombardeo (1), México, 1914, Plata sobre gelatina, Cortesía Archivo General de la Nación

MARCOS LÓPEZ

Camino a Taxco, México, 1984, Plata sobre gelatina, Colección Autor

NACHO LÓPEZ

Av. Juárez, Cd. de México, México, D.F., 1958, Plata sobre gelatina, © Maty Huitrón/CONACULTA-INAH-SINAFO-Fototeca Nacional

BAUDOIN LOTIN

Sin título, Durango, 1982, Plata sobre gelatina, Colección Autor

CARL LUMHOLTZ

Felipe, huichol fabricante de ídolos, México, 1890, Colodión húmedo, INI/American Museum Natural History

FERNANDO LUNA ARCE

Lo anotó Biyik, México, D.F., 1998, Color, Colección Autor

JOSÉ MARÍA LUPERCIO

Lago Chapala, Jalisco, 1905, Plata sobre gelatina, Cortesía Archivo General de la Nación

SALVADOR LUTTEROTH

Pulpo, México, D.F., 1988, Cibachrome, Colección Autor

GALE LYNN GLYNN

De la Serie Nadando el mar profundo, México, D.F., 1997, Electrografía, Colección Autora

JUAN RODRIGO LLAGUNO

De la serie Retratos de Espinazo, 1990, Plata sobre gelatina, Colección Autor

DAVID MAAWAD

Cuadro de Herramientas, Santa Clara del Cobre, Michoacán, 1988, Plata sobre gelatina, Colección Autor

VERÓNICA MACÍAS

El Tepa, de la serie Islas Marías, Islas Marías, 1997, Plata sobre gelatina, Colección Autor

Retrato, Av. San Francisco 69, 1a. de Plateros en la Ciudad de México, ca. 1913, Albúmina, Colección Shanti Lesur

JUAN DE DIOS MACHAIN

Angelito con su hermana, Ameca, Jalisco, fines del siglo XIX y principios del XX, Plata sobre gelatina, Colección Gutierre Aceves

LAURA MAGAÑA NEWTON

Sin título, 1981. Transparencia impresa en papel cibacrome, Colección INBA-SEP

TEOBERT MALER

Ríos (NÚM. DE INV. 351615), México, © CONACULTA-INAH-SINAFO-Fototeca Nacional

SARA MANEIRO

EL PESCANOVIOS, Puebla, 1993, Plata sobre gelatina, Colección Autora

L. MANERO

PUENTE DE Sn. FRANCISCO 16
MEXICO.

Gustavo (a los 5 años), México, 1882, Carte de visite, albúmina, Fototeca Antica/Colección Jorge Carretero Madrid

TERESA MARGOLLES SIERRA

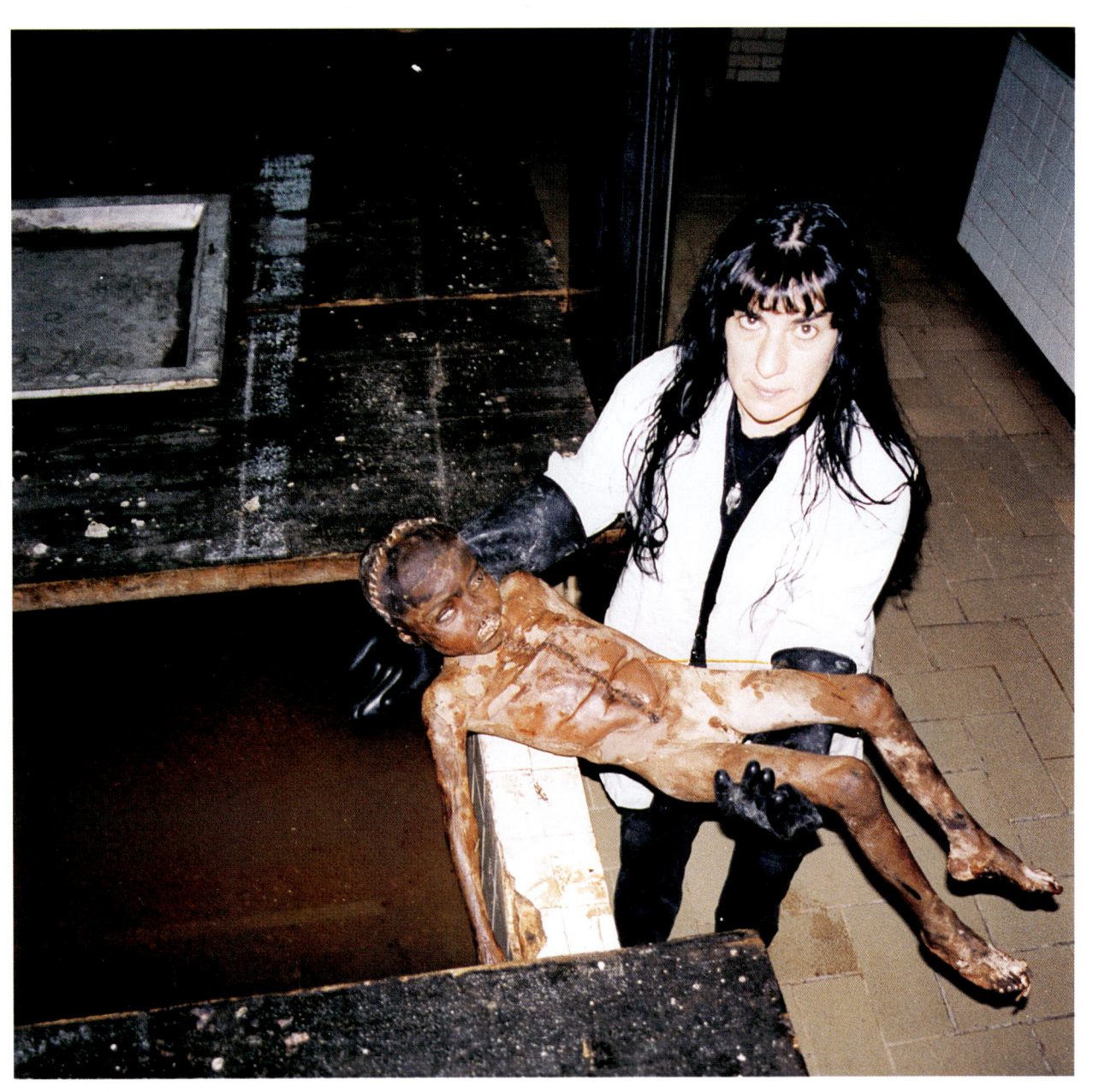

De la serie Autoretratos, México, D.F., 1998, Plata sobre gelatina, Colección Autora

L. A. MARÍN

VAPORES B. JUÁREZ Y BONITA, Nayarit, 1911, Plata sobre gelatina, Cortesía Archivo General de la Nación

MANUEL MARÍN

RETRATO DE DAMA CON MANTÓN, Lafragua núm. 14, Puebla, 1900, Cabinet card. Fototeca Antica/Colección Jorge Carretero Madrid

CARMEN MARISCAL

INSTALACIÓN EL AMOR ES EL VÉRTIGO. DE LA SERIE LA NOVIA PUESTA EN ABISMO, Galería de la SHCP, México, D.F., 1997-1998, Foto en ploter, espejo más vestido de novia de mi bisabuela, Colección Autora

BELEN, TIGHTROPE WALKER, Garzetti Circus, México, 1997. Plata sobre gelatina. Colección Autora

LUIS MÁRQUEZ

México, D.F., 1934, Plata sobre gelatina, Colección Instituto de Investigaciones Estéticas-UNAM

PATRICIA MARTÍN

De la serie Residencia, México, D.F., 2001, Impresión digital, Colección Autora

JOSAPHAT MARTÍNEZ AGUILAR

Luz Álvarez, Puebla, México, ca. 1914, Fototeca Antica/Colección Jorge Carretero Madrid

JOSÉ MARTÍNEZ CASTAÑO

FOTÓGRAFO DE ESTUDIO Y CÁMARA (NÚM. DE INV. 466416), México, ca. 1890, © CONACULTA-INAH-SINAFO-Fototeca Nacional

AGUSTÍN MARTÍNEZ CASTRO

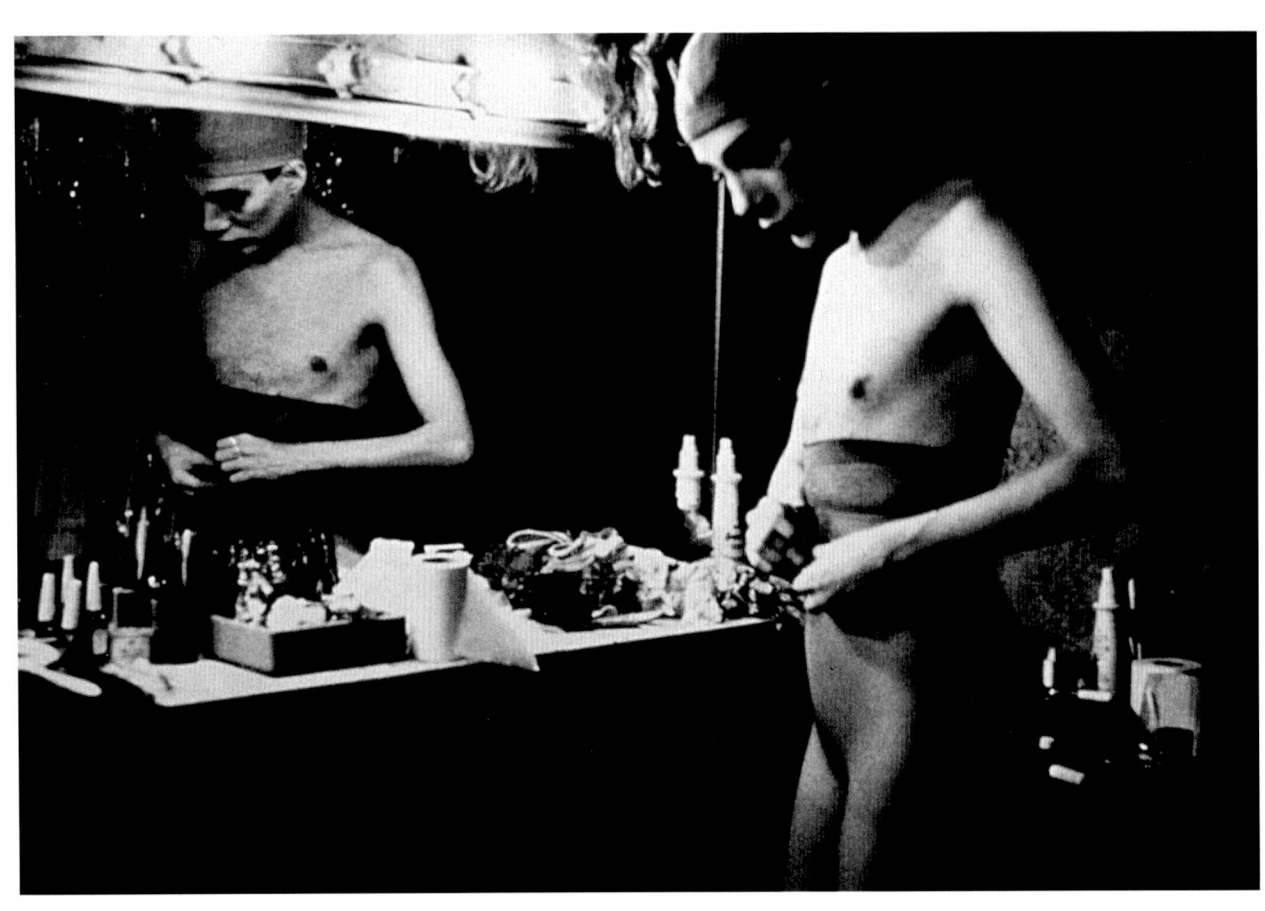

De la serie 10 a 11pm, México, D.F., 1982, Plata sobre gelatina, Colección Josefina Martínez Castro

RICARDO MARTÍNEZ H.

Cholo, Ferrocarril Chihuahua, El Pacífico, Bocoyna, 1994, Plata sobre gelatina, Colección Autor

E. B. MARTÍNEZ SÁNCHEZ

Hombre, retrato (núm. de inv. 452824), México, ca. 1860, © conaculta-inah-sinafo-Fototeca Nacional

ANDRÉS MARTÍNEZ

Sin título, Escalerillas núm. 14, México, ca. 1865, Albúmina, Colección Carlos Monsiváis

ENIAC MARTÍNEZ

1988, Cd. Neza, Estado de México, 1988, Plata sobre gelatina, Colección Autor

JOAQUÍN MARTÍNEZ

Retrato de dama, Estanco de Hombres núm. 5, Puebla, 1868, Carte de visite, albúmina, Fototeca Antica/Colección Jorge Carretero Madrid

FRANCISCO MATA

Sábado de Gloria, México, D.F., 2000, Plata sobre gelatina, Colección Autor

REFORESTACIÓN, México, 1945. Plata sobre gelatina, Colección Alejandra Matiz

FLORENCIO M. MAYA Y
J. VALDÉS Y CUEVA

Gobernantes de México de 1821 a 1885 (núm. de inv. 615202), México, D.F., 1885, Albúmina, Colección Academia de San Carlos

JOSÉ MA. MAYA

Carmen Romero, esposa del presidente Porfirio Díaz (núm. de inv. 466419), Ciudad de México, ca. 1886.
© conaculta-inah-sinafo-Fototeca Nacional

FRANZ MAYER

Retrato, México, ca. 1915, Plata sobre gelatina, Colección Museo Franz Mayer

CONTRATACIÓN DE BRASEROS, México, D.F., ca. 1940, Plata sobre gelatina, Colección Consejo Mexicano de Fotografía A.C.

ELSA MEDINA CASTRO

ACAPULCO, Acapulco, Guerrero, 1993, Plata sobre gelatina, Colección Autora

IGNACIO MEDRANO CHÁVEZ

FUNERALES DE ABRAHAM GONZÁLEZ, Chihuahua, Chihuahua, 1913, Plata sobre gelatina, Archivo Jesús Vargas Valdés

MICHAEL MEHL

Allegory 5, San Antonio, Texas, 1999, Impresión digital, Colección Autor

E. MELHADO

Soldados con cañón, tirado por un boquete en La Ciudadela. Decena Trágica (7), México, D.F., 1913, Plata sobre gelatina.
Cortesía Archivo General de la Nación

HERMANOS MÉNDEZ

RETRATO DE DAMA CON VISÓN, San Luis Potosí, México, ca. 1900, Cabinet card, Fototeca Antica/Colección Jorge Carretero Madrid

JUAN CRISÓSTOMO MÉNDEZ

Sin título, Puebla, 1923, Plata sobre gelatina, Colección Ava Vargas

VÍCTOR MENDIOLA

México, D.F., 1999, Impresión cromógena, Colección Autor

A. V. MENDOZA

INCINERACIÓN DE CADÁVERES EN BALBUENA (1), México, D.F., 1913, Plata sobre gelatina, Cortesía Archivo General de la Nación

FELIPE MENDOZA

Living Mistery, Michoacán, México, 1989, Plata sobre gelatina, Colección Autor

OMAR MENESES

Metro Balderas, México, 1993, Plata sobre gelatina, Colección Autor

MERCADO Y BARRIERE

RETRATO DE NIÑA, Portal de Matamoros núm. 9, Guadalajara, Jalisco, México, ca. 1880, Carte de visite, albúmina iluminada, Fototeca Antica/Colección Jorge Carretero Madrid

MERILLE

PAREJA DE CHARROS, 2a. Calle de San Francisco núm. 8, México, ca. 1865, Carte de visite, albúmina, Fototeca Antica/Colección Jorge Carretero Madrid

ENRIQUE METINIDES

Sin título, Polanco, 1972, Plata sobre gelatina, Colección Autor

MÉXICO VIEW CO. S.A.

DECENA TRÁGICA, MILITARES POR LAS CALLES DE LA CIUDAD (3), México D. F., 1913, Plata sobre gelatina,
Cortesía Archivo General de la Nación

PEDRO MEYER

JORGE LUIS BORGES, México, D.F., 1973-2000, Foto directa y digital, Colección Autor

426 | 160 AÑOS DE FOTOGRAFÍA EN MÉXICO

JULIO MICHAUD

CARGADOR (NÚM. DE INV. 426345), México, 1850, © CONACULTA-INAH-SINAFO-Fototeca Nacional

160 AÑOS DE FOTOGRAFÍA EN MÉXICO | 427

J. S. MIERA

JOAQUÍN POLANCO, Portería de Santa Clara núm. 8, Puebla, México, 1898, Carte de visite, albúmina, Fototeca Antica/Colección Jorge Carretero Madrid

RETRATO DE HOMBRE CON REMO, San Luis Potosí, ca. 1895, Cabinet card, Fototeca Antica/Colección Jorge Carretero Madrid

FÉLIX MIRET

Tarjeta carta. Vista General de la villa de Guadalupe, México, ca. 1910, Foto panorámica, Fototeca Antica/Colección Jorge Carretero Madrid

TINA MODOTTI

MÁQUINA DE ESCRIBIR DE JULIO ANTONIO MELLA, México, ca.1928, Plata sobre gelatina. ©Throckmorton Fine Art, Inc.

JOSÉ P. MONTERRUBIO

Manuel Isaac Zamora, 3a. calle de San Pablo núm. 3, Oaxaca, 1884, Carte de visite, albúmina, Fototeca Antica/Colección Jorge Carretero Madrid

FRANCISCO MONTES DE OCA

Retrato de dama y caballero, 1a. Calle de Plateros núm. 6, México, 1867, Carte de visite, albúmina, Fototeca Antica/Colección Jorge Carretero Madrid

GERARDO MONTIEL KLINT

Y QUE NADA SE INTERPONGA, México, D.F., 1997, Plata sobre gelatina virada, Colección Autor

EUSTASIO MONTOYA

EUSTASIO MONTOYA, FOTÓGRAFO OFICIAL DE LA CRUZ BLANCA NACIONAL, México, ca. 1914-1921,
Plata sobre gelatina, Colección Eustasio Eugenio Montoya

J. MORA

GENERAL PABLO GONZÁLEZ Y ACOMPAÑANTES, Mixcoac, México, D. F., 1916, Plata sobre gelatina,
Colección Museo El Polvorín de Monclova, Coahuila

MIGUEL MORALES DÍAZ

Tania, tina, Cuernavaca, México, 1994, Plata sobre gelatina, Colección Autor

A. MORALES

AVIADOR RENÉ SIMÓN EN PRÁCTICAS. SEMANA DE LA AVIACIÓN EN MÉXICO (1), México D. F., 1911 Plata sobre gelatina,
Cortesía Archivo General de la Nación

Presidente general Porfirio Díaz y Vice Presidente don Ramón Corral (1), México, 1905,
Plata sobre gelatina, Cortesía Archivo General de la Nación

MORENO LÓPEZ

Retrato, Ciudad de México, ca. 1890, Albúmina, Colección Shanti Lesur

HÉCTOR MORENO ROBLES

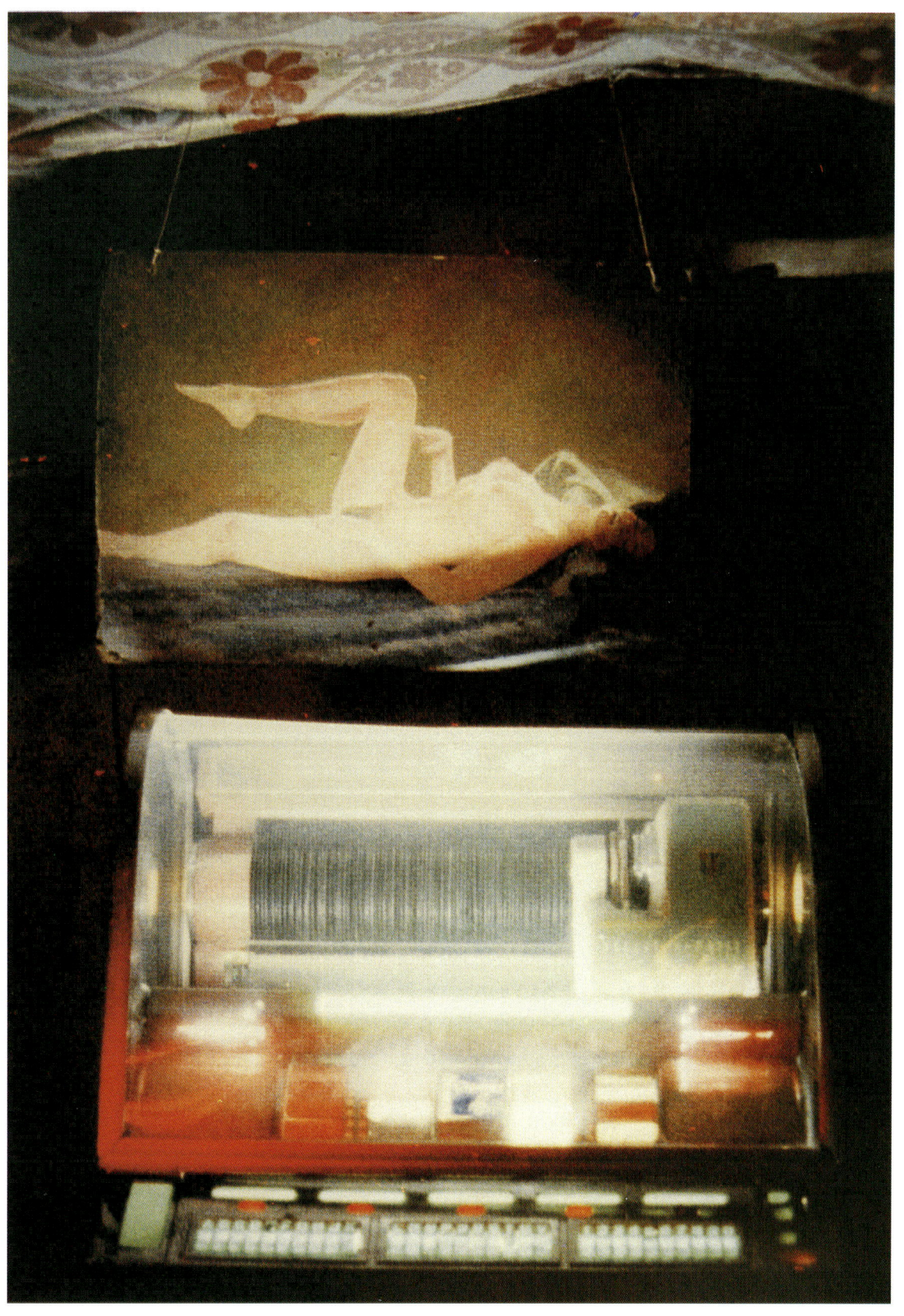

DEL LIBRO CLAUSURADO, México, ca. 1990, Negativo color, Colección Autor

JOSÉ G. MORROW

Av. 16 de septiembre, C. Juárez (1), México, 1925, Plata sobre gelatina, Cortesía Archivo General de la Nación

RODRIGO MOYA

El pistolero, México, D.F., 1964, Colección Autor

FLAVIANO MUNGUÍA

Fuente en casa (núm. de inv. 464699), México, ca. 1880, Estereoscópica. © CONACULTA-INAH-SINAFO-Fototeca Nacional

VISTA DE SALINA CRUZ EN 1904 (10), Salina Cruz, Oaxaca, 1904, Plata sobre gelatina, Cortesía Archivo General de la Nación

ERNESTO MUÑOZ

NIÑA BALEADA, Ocosingo, Chiapas, 1998, Impresión cromógena, Colección Autor

GUDELIO MORALES, LÍDER DE LOS FERROCARRILEROS, Querétaro, 1928, Plata sobre gelatina, Colección Matías Rocha

FELIPE NÁJERA

BRINDIS DE LOS GANADORES, San Ildefonso, 1942, Plata sobre gelatina, Colección Porfirio Zahuna/J. Manuel Crispín Vieyra, perteneciente al Archivo Fotográfico de Nicolás Romero

ÓSCAR NECOECHEA

Sin Título, de la serie El cielo sobre nosotros, México, D.F., 1990, Plata sobre gelatina. Colección Autor

JOSÉ LUIS NEYRA

El circo Orrín, México, D.F., 1981, Plata sobre gelatina, Colección Autor

FOTO OBREGÓN

INUNDACIÓN EN LA CALLE ITURBIDE (4), León, Guanajuato, junio 23 de 1926, Plata sobre gelatina, Cortesía Archivo General de la Nación

OCÓN

RETRATO DE NOVIA EN TRAJE DE BODA, México, ca. 1920, Plata sobre gelatina, Fototeca Antica/Colección Jorge Carretero Madrid

ANA LORENA OCHOA

Los caminos de Juan, Jalisco, México, 1998, Plata sobre gelatina. Colección Autora

YOSHUA OKON

Patrulla, México, D.F., 2000, Impresión cromógena, Colección Autor

JOHN O'LEARY

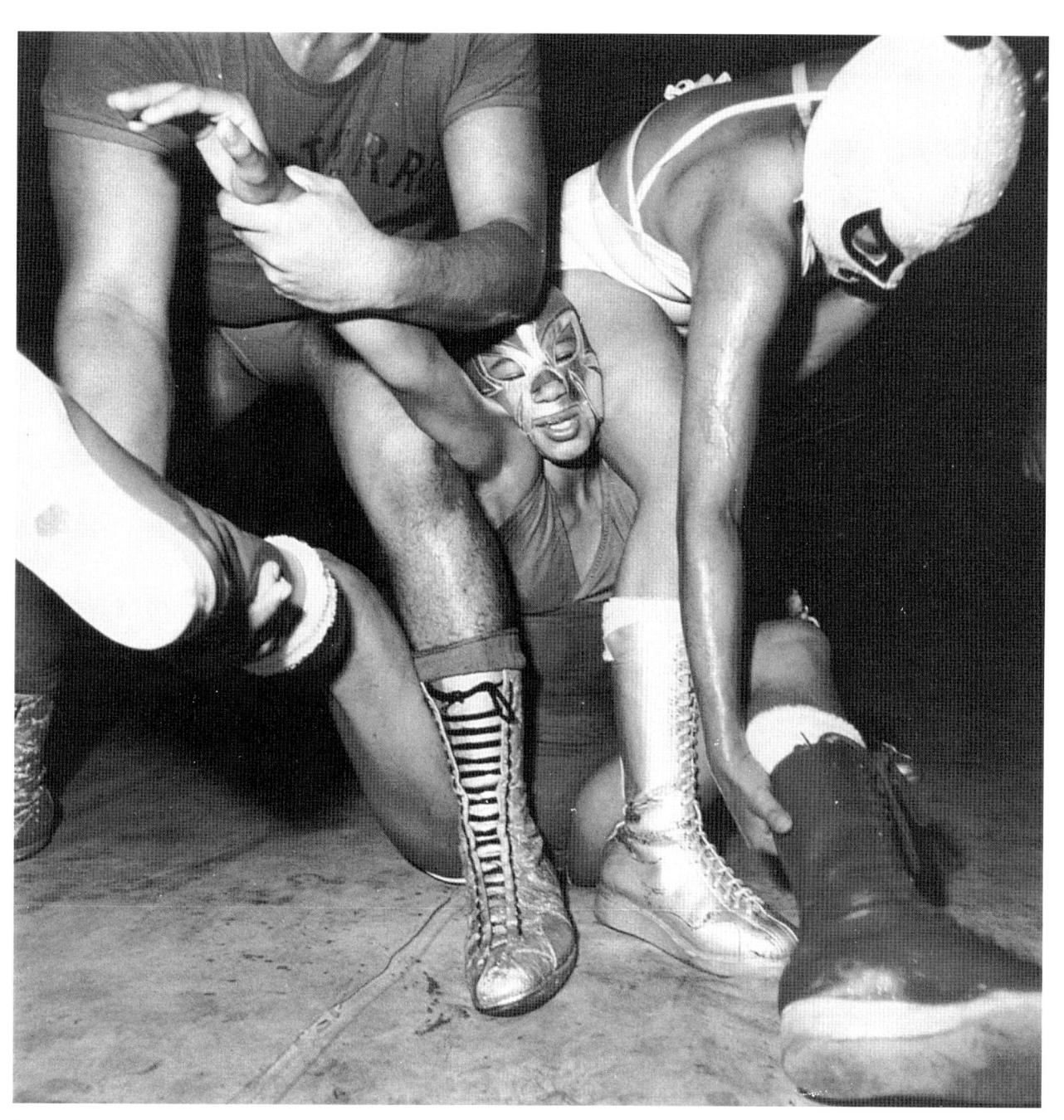

De la serie de la lucha libre, Puebla, 1980, Plata sobre gelatina. Colección Autor/Consejo Mexicano de Fotografía, A. C.

HILDEGART OLOARTE

DE LA SERIE PRIMER ENSAYO PARA EL BULTO, México, 1996, Plata sobre gelatina, Cascografía, Colección Autora

FRANCISCO OLVERA

De la serie Érase una..., México, D.F., 1996, Plata sobre gelatina, Colección Autor/ *La Jornada*

ORDAZ

Porfirio Díaz, México, ca. 1910, Plata sobre gelatina, Colección Shanti Lesur

MANUEL J. OROZCO

Retrato de joven de pie (núm. de inv. 452·69), Zacatecas, ca. 1864, Albúmina, © CONACULTA-INAH-SINAFO-Fototeca Nacional

ARTURO ORTEGA

BLUE DEMON Y BLACK SHADOW, México, 1955, Plata sobre gelatina, Colección Autor

FERNANDO ORTEGA

LET ME INTRODUCE MYSELF, Londres, Inglaterra, 2000, Plata sobre gelatina, Colección Autor

LUIS FELIPE ORTEGA

Sin título, México, D.F., 1998-2000, Duratrans, Colección Autor

RAÚL ORTEGA

SUBCOMANDANTE I. MARCOS, Chiapas, 1995, Plata sobre gelatina, Colección Autor

PABLO ORTIZ MONASTERIO

VOLANDO BAJO, México, D.F., 1986, Plata sobre gelatina, Colección Autor

ESTANISLAO ORTIZ

Uno o el principio, México, D.F., 1995, Plata sobre gelatina. Colección Autor

MARTÍN ORTIZ

LETICIA, México, D.F., 1917, Plata sobre gelatina, Colección José Antonio Rodríguez

RUBÉN ORTIZ

El Castillo de la Impureza/Quijotes gringos, Guadalajara, Jalisco/Las Vegas, 1998, Fujiflex SG, Colección Autor

CARL B. OSBORN

Vista parcial de Monterrey, Nuevo León, 1909, Plata sobre gelatina. Cortesía Archivo General de la Nación

OSORIO

Retrato niña, Mérida, Yucatán, ca. 1960, Plata sobre gelatina iluminada, Colección Graciela Iturbide

OSORNO BARONA

Sin título, México, D.F., ca. 1963, Fotografía/Cromolitografía, Placa Javier Hinojosa.
© Colección Galas de México, S.A., Cortesía Museo Soumaya.

JOSÉ MARÍA PACHECO

Retrato Antonio P. Coria (núm. de inv. 452170), León, Guanajuato, ca. 1879, © conaculta-inah-sinafo-Fototeca Nacional

MARCO ANTONIO PACHECO

ÁRBOL DE VIDA, México, 1997, Plata sobre gelatina, Colección Autor

CONRADO PALACIOS

Retrato de niño muerto, Tuxtla Gutiérrez, Chiapas, 1923, Plata sobre gelatina iluminada, Fototeca Antica/Colección Jorge Carretero Madrid

FRANCISCO C. PALENCIA

Núm. 36 Muelle construido por la Compañía Palmer Sullivan, Manzanillo, 1882, Albúmina, Fototeca Antica/Colección Jorge Carretero Madrid

ESTUDIO PARAMOUNT

Retrato, Av. Juárez 30, México, D.F., ca. 1920, Plata sobre gelatina, Colección Matías Rocha

TATIANA PARCERO

Nuevo Mundo #2, Buenos Aires, Argentina, 1998-2000, Acetato y fotografía a color tipo c, Colección Autora

NORA PAREYÓN

AZÚCAR QUEMADA, México, 1995, Plata sobre gelatina, Colección Autora

ADOLOFO PATIÑO
(ADOLFOTÓGRAFO)

ARTIST-ART, México, 1979, Plata sobre gelatina, Colección Gustavo Prado

RUBÉN PAX

El santo de su devoción, México, D.F., 1985, Plata sobre gelatina, Colección Autor

D. F. DE LA PEÑA

Escenas callejeras (5), Tlacotalpan, Veracruz, 1907, Plata sobre gelatina, Cortesía Archivo General de la Nación

GUILLERMO PEÑAFIEL

ENTRADA AL COLEGIO MILITAR, México, ca. 1910, Plata sobre gelatina, Fototeca Antica/Colección Jorge Carretero Madrid

MANUEL PEÑAFIEL

Los últimos zapatista, héroes olvidados, Anenecuilco, Morelos, 1998, Impresión cromógena, Colección Autor

AGUSTÍN PÉRAIRE

L. SUÁREZ. Fotografía de la Concordia, San José el Real. México, ca. 1865, Carte de visite, albúmina, Fototeca Antica/Colección Jorge Carretero Madrid

ADOLFO PÉREZ BUTRÓN

In cubus, México, D.F., 1995, Impresión cromógena, Colección Autor

MANUEL PÉREZ THOUS

Cadáveres incinerados en Balbuena. Decena Trágica (1), México, D.F. 1913,
Plata sobre gelatina. Cortesía Archivo General de la Nación

JOSÉ RAÚL PÉREZ

Tarót chilango (13 la muerte), México, 1995-1996, Impresión digital, Colección Autor

LUIS PÉREZ

Retrato de niña con jícara. María E. Ajuria, México, 1905, Plata sobre gelatina, Fototeca Antica/Colección Jorge Carretero Madrid

PETER PFERSICK

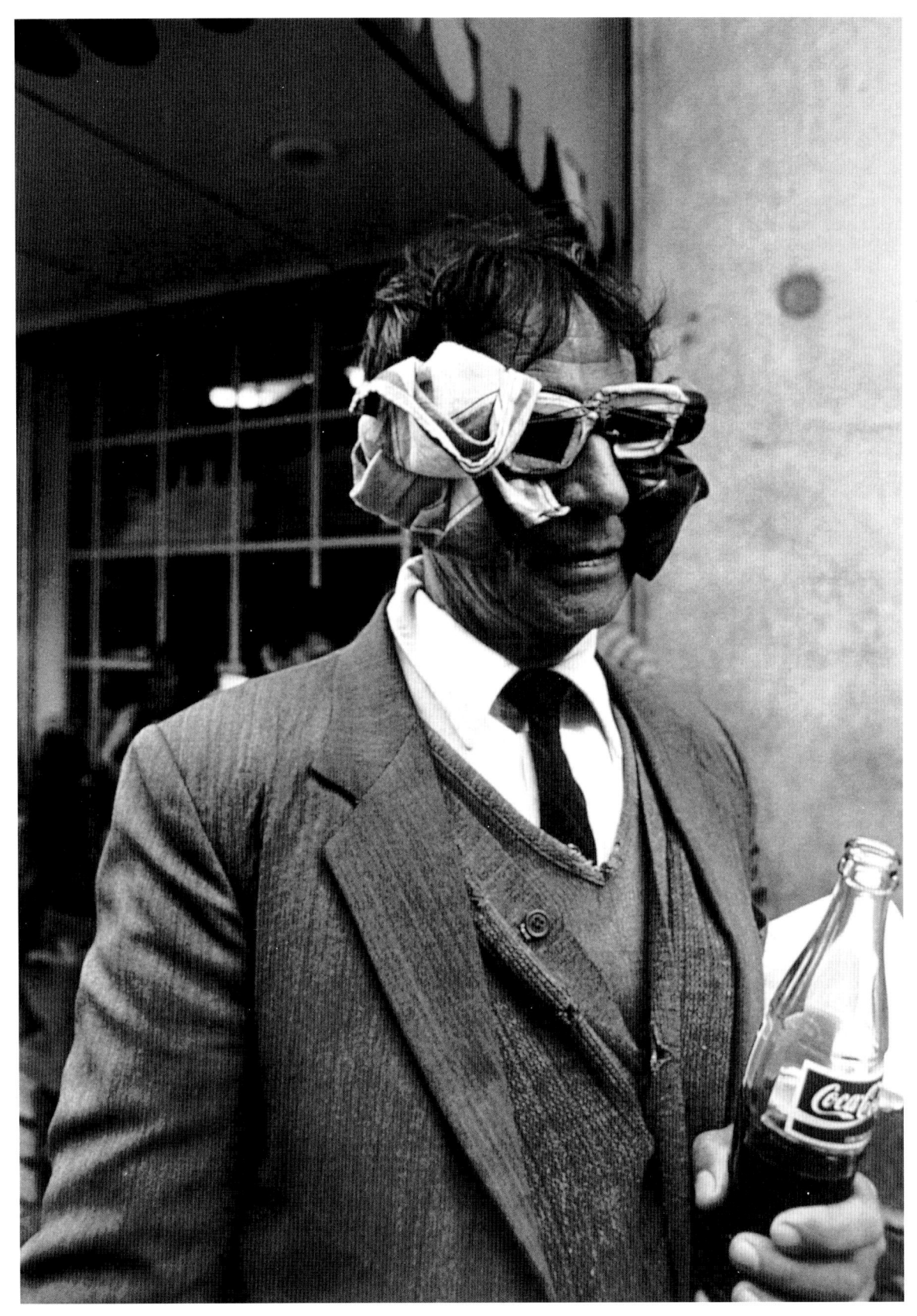

Cokeman, México, 1992, Plata sobre gelatina, Colección Autor

SILVIA PLACHY

Sin título, San Miguel de Allende, 1990. Plata sobre gelatina, Colección Autora

ALEJANDRA PLATT

De la serie Concaak, Sonora, Sonora, 1994. Plata sobre gelatina, Colección Autora

BERNARD PLOSSU

Ciudad de México, México, D.F., 1966. Plata sobre gelatina. Colección Autor

AMBRA POLIDORI

BOSNIA THE NAKED BEAUTY, Sarajevo, 1997, Fotografía digitalizada, Colección Autora

ELODIA PORTAL

Retrato, México, D.F., ca. 1955. Transparencia a color. © Colección Galas de México, S.A., Cortesía Museo Soumaya

GUSTAVO PRADO

Aurora Boreal, Fotoestudio Martínez Caballero, México, 1995, Plata sobre gelatina con negativo retocado a mano, Colección Autor

MILITAR CON ESPADA (NÚM. DE INV. 452174). México, ca. 1870. © CONACULTA-INAH-SINAFO-Fototeca Nacional

PROF. HAUSSLER

Dolores Suárez, 2a. de Plateros 9, México, 1892 Cabinet card. Fototeca Antica/Colección Jorge Carretero Madrid

JAVIER RAMÍREZ LIMÓN

Desierto de Altar, Sonora, 2000, Color, Colección Autor

ERNESTO RAMÍREZ

SIN TÍTULO, Aguascalientes de Oventic, Chiapas, 1996, Plata sobre gelatina, Colección Autor

JOSÉ LUIS RAMÍREZ

Arturo Ripstein, Tlaxcala, 1997, Color, Colección Autor

CARLOS RAMOS

MOVILIZACIÓN, México, 1999, Plata sobre gelatina, Colección Autor/*La Jornada*

UN VOLCÁN EN COLIMA (48), Colima, México, 1909, Plata sobre gelatina, Cortesía Archivo General de la Nación

MANUEL RAMOS

Naturalezas muertas con muchachos vivos, México, D.F., ca. 1914, Plata sobre gelatina, Cortesía Carmen Ramírez

RAMÓN RAMOS

PLAZA PÚBLICA, Oaxaca, Oaxaca, ca. 1880-1890, Albúmina, Colección Matías Rocha

ROGELIO RANGEL

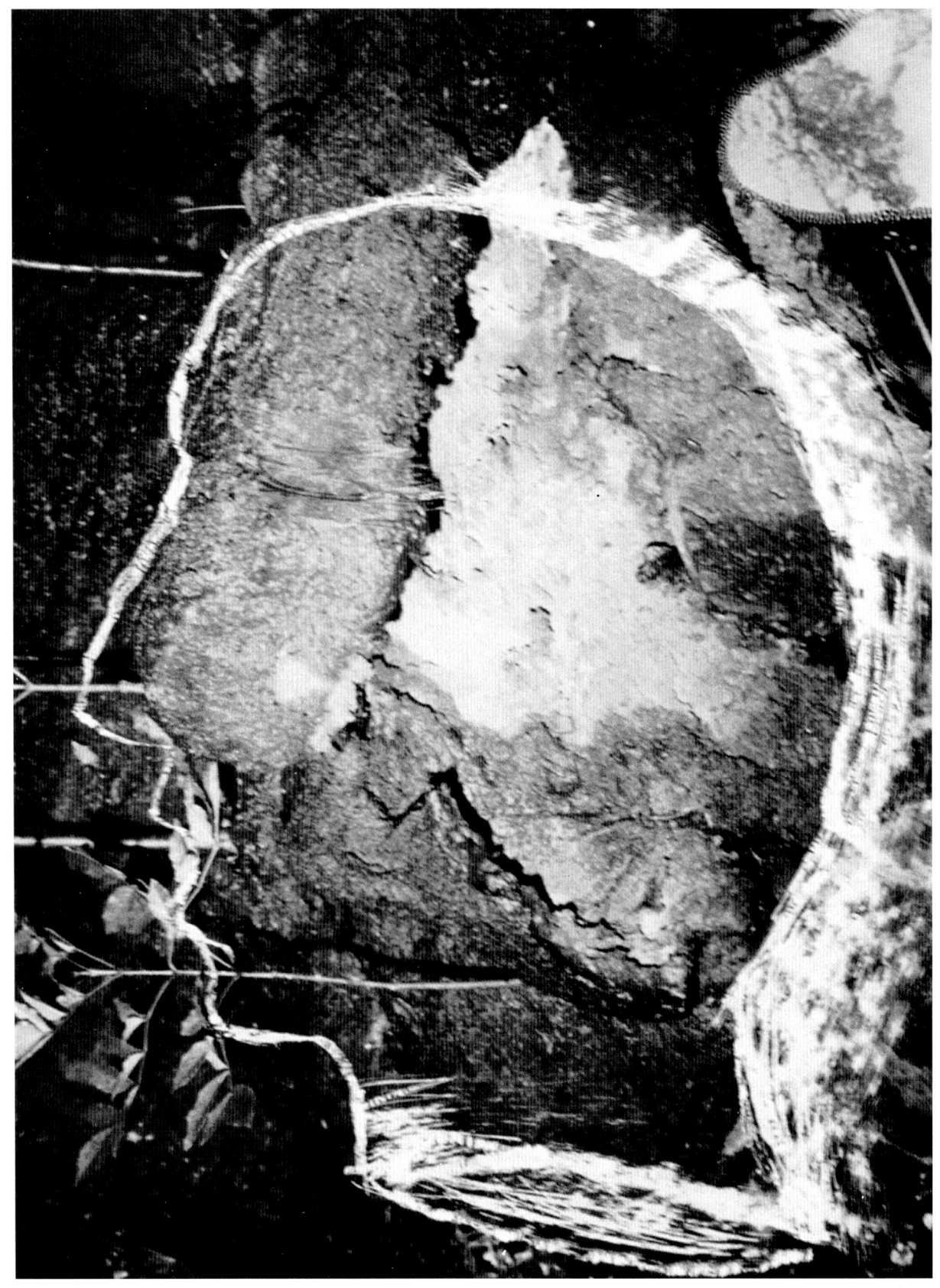

Sin título, México, D.F., 1994, Polaroid, Colección Autor

HENRY RAVELL

RETRATO DEL NIÑO FRIEDRICH EDUARD PHILIPP COLLIGNON, Portal de Agustinos 8, Guadalajara, México, 1891, Carte de visite, albúmina, Fototeca Antica/Colección Jorge Carretero Madrid

JOSEPH RENAU

POEMA TROPICAL, 1960. Fotomontaje, Cortesía Manuel García

CURANDERA DE OJITLÁN, OAXACA, México, 1948, Plata sobre gelatina, Colección Autor

ANTONIO REYNOSO

LA GORDA, Coyoacán, México, D.F., 1962, Plata sobre gelatina, Archivo Antonio Reynoso

RETRATO DE NIÑA, Saltillo, México, ca. 1900, Cabinet card, albúmina iluminada, Fototeca Antica/Colección Jorge Carretero Madrid

CARLA RIPPEY

El mundo flotante II, México, D.F., 1999, Transparencia, Colección Autora

CARLOS RITCHIE

Luisa Varela, 2a. Calle de la Compañía núm. 275, Veracruz, 1870, Carte de visite, albúmina, Fototeca Antica/Colección Jorge Carretero Madrid

160 AÑOS DE FOTOGRAFÍA EN MÉXICO | 511

ROBERTO RIVAS LAINEZ

Silvia Rivas Castilla, Gómez Palacio, Durango, 1947. Foto retocada en color. Colección Silvia Rivas Castilla

V. RIVERA MELO

MERCADO EN CONSTRUCCIÓN (6), Veracruz, Veracruz, 1914, Plata sobre gelatina, Cortesía Archivo General de la Nación

R. R. RIVERA

OTRA VISTA DE LA PLAZA, Colima, ca. 1900, Plata sobre gelatina, Fototeca Antica/Colección Jorge Carretero Madrid

CARLOS RIVERO

Retrato de niños, Guevara núm. 5, Puebla, ca. 1920, Plata sobre gelatina, Fototeca Antica/Colección Jorge Carretero Madrid

MANUEL RIZO

Manuel RIZO, Fotógrafo.

Retrato de dama, Calle de las Cruces núm. 2, Puebla, México, ca. 1870, Carte de visite, albúmina, Fototeca Antica/Colección Jorge Carretero Madrid

GUILLERMO ROBLES CALLEJO

ARTISTAS DEL CIRCO BEAS, Puebla, 1920, Positivo estereoscópico en vidrio, Fototeca Antica/Colección Jorge Carretero Madrid

PATRICIO ROBLES GIL

Jaguar, Bosque tropical de Quintana Roo, enero 2001, 35mm, Colección Autor

ROCHA Y FERNÁNDEZ

MANUEL LIZAOLA. POETA Y ESCRITOR JALISCIENCE, México, 1872, Carte de visite, albúmina, Fototeca Antica/Colección Jorge Carretero Madrid

MANUEL ROCHA

De la serie Fuera de lugar, Tailandia, 1999, Transparencia a color, Colección Autor

MAURICIO ROCHA

Sin título, Playa Ventura, Guerrero, 1986, Plata sobre gelatina, Colección Autor

LA ROCHESTER

GRUPO DE VOLUNTARIOS DEL ESTADO DE COAHUILA, DURANTE LA CAMPAÑA CONTRA EL OROZQUISMO. REVOLUCIÓN (33), Coahuila, México, 1912, Plata sobre gelatina, Cortesía Archivo General de la Nación

I. RODRÍGUEZ ÁVALOS

Retrato, México, ca. 1915, Plata sobre gelatina virada a sepia. Colección Matías Rocha

DUILIO RODRÍGUEZ

DE LA SERIE LOS MADRAZOS..., México, D.F., 1996, Plata sobre gelatina, Colección Autor/LA JORNADA

JOSÉ ÁNGEL RODRÍGUEZ

MUJER SEMBRADA, Chiapas, 1989. Plata sobre gelatina. Colección Autor

MIGUEL RODRÍGUEZ

Niño José Gabriel, México, 1884, Carte de visite, albúmina, Fototeca Antica/Colección Jorge Carretero Madrid

XAVIER RODRÍGUEZ

Castillos y Caballeros (políptico), México, D.F., 2000, Fotografía-tipografía, Colección Autor

YGNACIO RODRÍGUEZ

Retrato de familia, Independencia 12, Puebla, México, ca. 1905, Albúmina, Fototeca Antica/Colección Jorge Carretero Madrid

FAMILIA GRANJAS, Oaxaca, 1894, Albúmina, Colección Matías Rocha

FRANCISCO ROMERO

Fiesta de estudiantes de la Universidad Nacional de México, México, D.F., ca. 1920, Plata sobre gelatina, Colección Matías Rocha

GUILLERMO ROSAS

Combatientes de la República Arabe Saharaui Democrática, Sahara Occidental, 1980.
Plata sobre gelatina, Colección Fernando del Moral

MARIANA ROSENBERG

LA CABRA, San Luis Potosí, 1994, Plata sobre gelatina, Colección Autora

DANIELA ROSELL

Sin título, de la serie Ricas y Famosas, México, D.F., 1999, Impresión fotográfica, c-print, Colección Autora

ROUSSET Y MAGAÑA

Sr. D. Francisco I. Madero. (2), México, D.F., 1911, Plata sobre gelatina, Cortesía Archivo General de la Nación

JUAN RULFO

Sin título, México, ca. 1950, Plata sobre gelatina, Colección Fundación Juan Rulfo

ESTUDIO SAAVEDRA

Retrato de personaje no identificado, Oaxaca, ca. 1900, Albúmina, Colección Matías Rocha

SALAS ARGÜELLES

Retrato, Oaxaca, 1896, Albúmina, Colección Matías Rocha

ARMANDO SALAS PORTUGAL

EL FARO, estado de Yucatán, México, 1947, plata sobre gelatina. © Olga Peralta Rochín

RETRATO DE PERSONAJE NO IDENTIFICADO, Oaxaca, ca. 1900, Impresión iluminada, Colección Matías Rocha

CECILIA SALCEDO

Sin título, Oaxaca, 1998, Plata sobre gelatina, Blanqueado y entonado parcial, Colección Autora

SEBASTIÃO SALGADO

Invocando al dios de los mixes, México, 1980, Plata sobre gelatina, Colección Autor

HERMANOS SALMERÓN

Emiliano Zapata en el estudio de Amando Salmerón en la calle Rayón 101, Chilapa, Guerrero, 1914, Plata sobre gelatina, Colección Aarón e Iris Salmerón

JESÚS SÁNCHEZ URIBE

El corazón de Durandarte, México, D.F., 1988, Plata sobre gelatina, Colección Autor

JESÚS SANDOVAL

FIESTA DE FANTASÍA, Monterrey, Nuevo León, 1917, Gelatina bromuro, Colección Fondo Carlos Pérez Maldonado, Fototeca de Nuevo León/Consejo para la Cultura de Nuevo León

JOAQUÍN SANTAMARÍA

Carnicería, Veracruz, ca. 1924, F.J.S./29-negativo/placa, Colección Archivo General del estado de Veracruz

MARÍA SANTIBÁÑEZ

CARMEN, México, ca. 1920, Plata sobre gelatina. Fototeca Antica/Colección Jorge Carretero Madrid

MARUCH SÁNTIZ

Los niños no saben comer patas de pollo, Chiapas, 1994, Plata sobre gelatina.
Colección Archivo Fotográfico Indígena, San Cristobal de las Casas

FERDINANDO SCIANNA

Modelo Antonella Trolta, Oaxaca, 1989, Plata sobre gelatina, Colección Autor

HERMANOS SCIANDRA

Sin título, Portal de Mercaderes núm. 7, México, D.F., ca. 1885, Albúmina, Colección Carlos Monsiváis

WINFIELD SCOTT

Acueducto de Puebla (1), México, ca. 1909. Plata sobre gelatina, Cortesía Archivo General de la Nación

BOB SCHALKWIJK

El fotógrafo, Valle de Bravo, México, 1960, Kodachrome, Colección Autor

PAVKA SEGURA

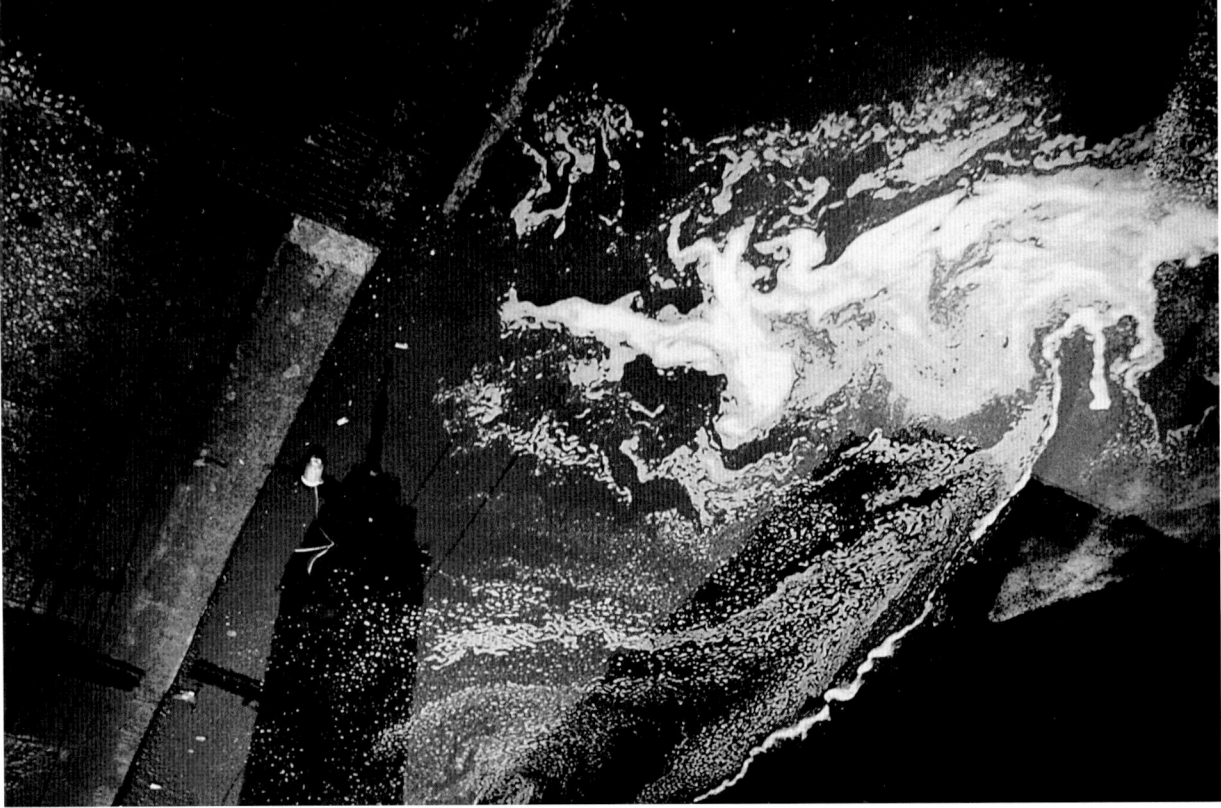

Díptico, México, 1996, Plata sobre gelatina, Colección Autor

552 | 160 AÑOS DE FOTOGRAFÍA EN MÉXICO

NINÓN SEVILLA (NÚM. DE INV. 327738), México, 1950. © CONACULTA-INAH-SINAFO-Fototeca Nacional

SAÚL SERRANO

Renacimiento, México, 1999, Alteración polaroid sx-70, Colección Autor

ANTONIO SERVÍN

Niña Ana Luisa, Portal de Mercaderes. México, ca. 1875, Carte de visite, albúmina, Fototeca Antica/Colección Jorge Carretero Madrid

HERMANOS SCHLATTMAN

RETRATO DE HOMBRE MAYOR, Espíritu Santo núm. 1, México, ca. 1896, Paladio/platino, Colección Matías Rocha

FOTÓGRAFO SILVA

SR. GENERAL PLUTARCO ELÍAS CALLES (1), México, 1926, Plata sobre gelatina, Cortesía Archivo General de la Nación

OTTO SIRGO

Flor de roca, El Chico, Hidalgo, 1991, Plata sobre gelatina, Colección Autor

PEDRO SLIM

Retrato de David, México, D.F., 2001, C-print, Colección Autor

MELANIE SMITH

Sea Port Village, San Diego. Estados Unidos, 1997, C-print, Colección Autora

GENARO SOLER Y CA.

Niño Adolfo […] y Varela, Galería Artística, Oaxaca, 1a. de Armenta y López 4, 1885, Carte de visite, albúmina.
Fototeca Antica/Colección Jorge Carretero Madrid

GUILLERMO SOLOGUREN

SACERDOTE ORINANDO, México, Plata sobre gelatina, Colección Autor/*La Jornada*

ROSALIND SOLOMON

Woman showing her Breast, México, 1986, Impresiones RC, Colección Autora

CARLOS SOMONTE

EL ROTO, México, D.F., 1989, Plata sobre gelatina, Colección Autor

SOSA Y GÓMEZ

Boda, México, D.F., 1934, Gelatina de impresión directa, Colección Shanti Lesur

JULIO SOSA

Nina Castilla de Rivas y su hija Silvia Rivas Castilla, Torreón, Coahuila, 1943,
Plata sobre gelatina virado al sepia, Colección Silvia Rivas Castilla

ESTUDIO SANTA MARÍA DE LA RIVERA

Boda, México, ca. 1910, Plata sobre gelatina, Colección Matías Rocha

FREDERICK STARR

Chicauaxtla (núm. de inv. 465418), México, © CONACULTA-INAH-SINAFO-Fototeca Nacional

RETRATO DE FAMILIA, Especialista en Kodak, Ciudad de México, ca. 1915, Plata sobre gelatina, Colección Matías Rocha

RAÚL STOLKINER RES

Templo totonaco, Zempoala, Veracruz, México, 1999, Gelatina de plata sobre papel entonada al selenio, Colección Autor

PAUL STRAND

Retrato de Carolina Amor, México, 1933, Plata sobre gelatina, Colección Carlos Fournier Amor. © 2003 Aperture Foundation Inc., Paul Strand Archive

GERARDO SUTER

El animal de las sorpresas, México, 1987, Plata sobre gelatina, Colección Autor

MARCELA TABOADA

Bats, Guererros de Oaxaca, Oaxaca, 1999, Plata sobre gelatina, Colección Autora

MARIANO TAGLE

Pasaje del Ayuntamiento, Ciudad de Puebla, 1909/Daños causados por el incendio del teatro Guerrero al Pasaje del Ayuntamiento, Ciudad de Puebla, Aristotipias/estereoscópicas. Fundación Cultural Televisa/Fototeca Antica/Colección Jorge Carretero Madrid

TALLERES DE PLUMAS Y POSTIZOS

Aspecto de la estatua de Carlos IV en el mitin de apoyo al Sr. Madero a su llegada a la Cd. de México (2), México, ca. 1910, Plata sobre gelatina, Cortesía Archivo General de la Nación

SERGIO TOLEDANO

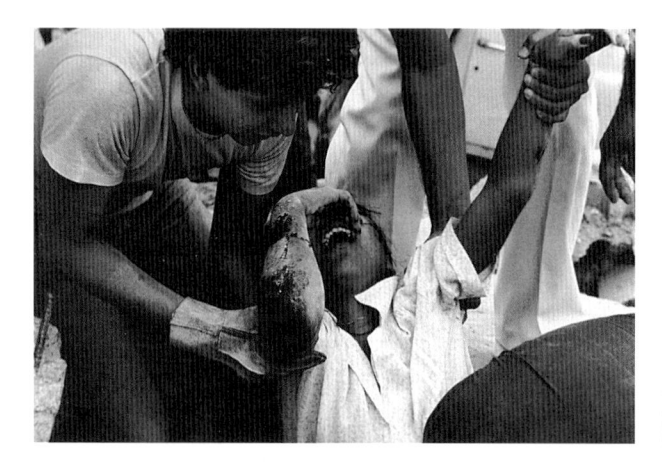

Víctimas, México, D.F., 1985, Plata sobre gelatina, Colección Autor

576 | 160 AÑOS DE FOTOGRAFÍA EN MÉXICO

DIEGO TOLEDO

SUERTE ROJA, México, D.F., 2000, Impresión protter/caja de luz, Colección Autor

FRANCISCO TOLEDO

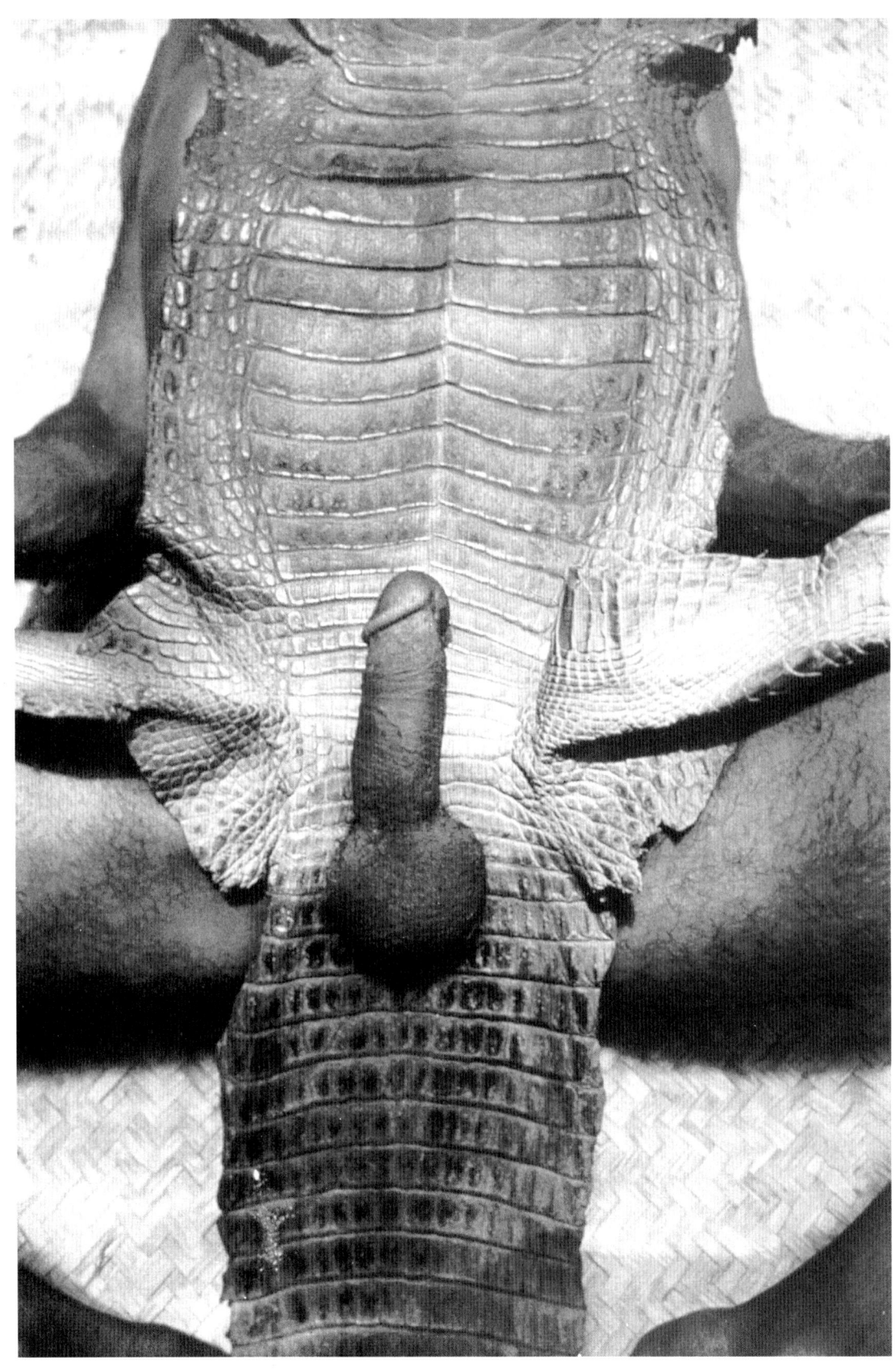

Hombre cocodrilo, Oaxaca, 1996, Plata sobre gelatina, Colección Autor

LAUREANA TOLEDO

PATRONES MIGRATORIOS, México, 1998-1999, Fotografía a color intervenida, Colección Autora

ÁNGELES TORREJÓN

Sin título, del ensayo Imágenes de la realidad, Selva de Chiapas, 1994, Plata sobre gelatina, Colección Autora

FELIPE TORRES

Retrato, Oaxaca, febrero de 1913, Albúmina, Colección Matías Rocha

HERMANOS TORRES

Niño marinerito con conejo, México, ca. 1890, Cabinet card, Fototeca Antica/Colección Jorge Carretero Madrid

ENRIQUE TORRESAGATÓN

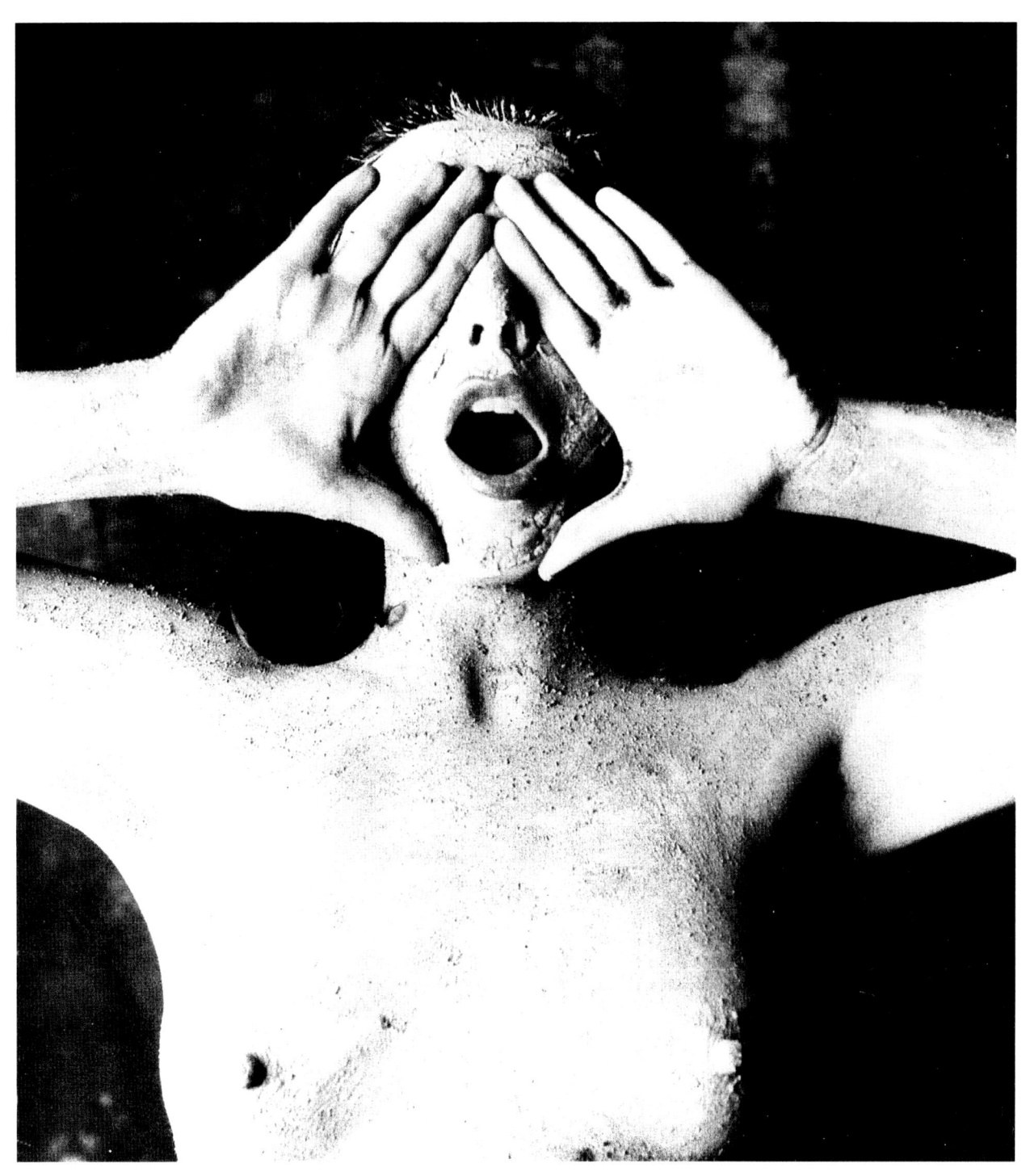

De la serie Máscaras I, Cuernavaca, Morelos, 1994. Plata sobre gelatina. Colección Autor

TOSTADO

Rodolfo Gaona en traje de luces (1), México, 1911, Plata sobre gelatina, Cortesía Archivo General de la Nación

ALBERTO TOVALÍN AHUMADA

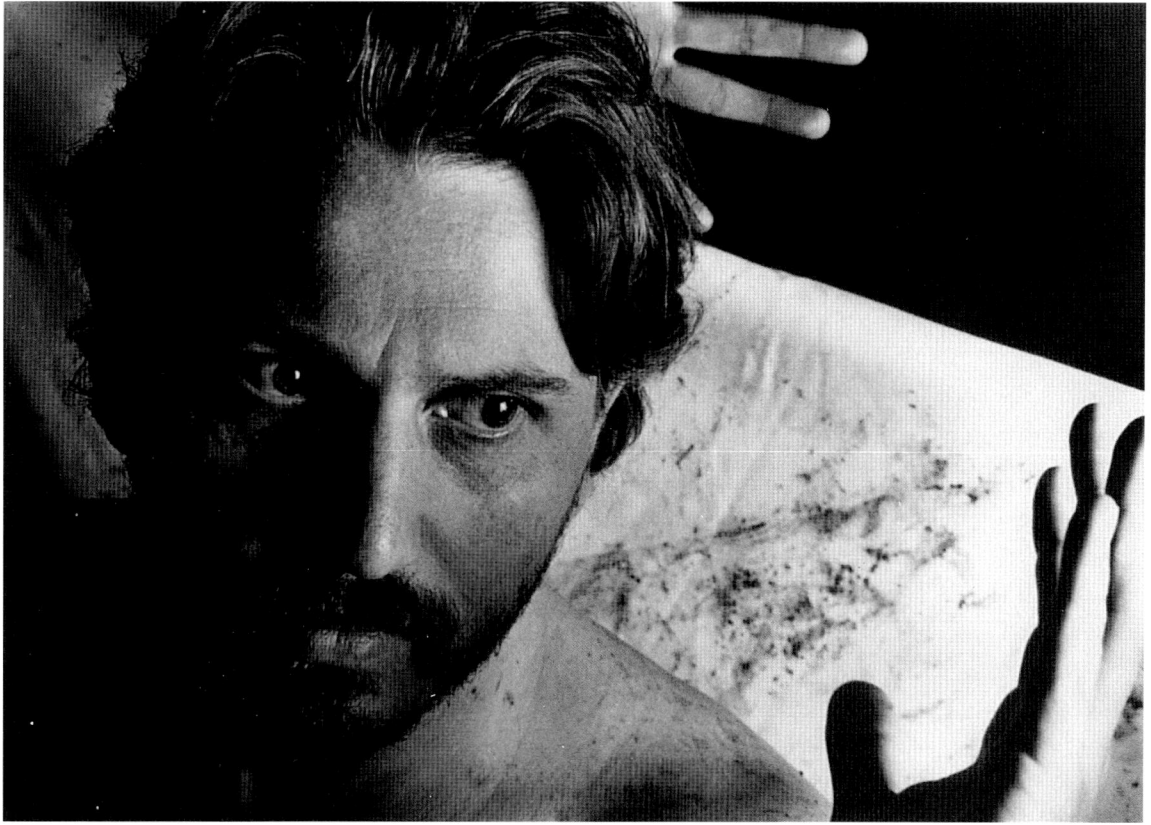

GERARDO SUTER, Cuernavaca, Morelos, 1996, Plata sobre gelatina, Colección Autor

CARLOS S. TOVAR

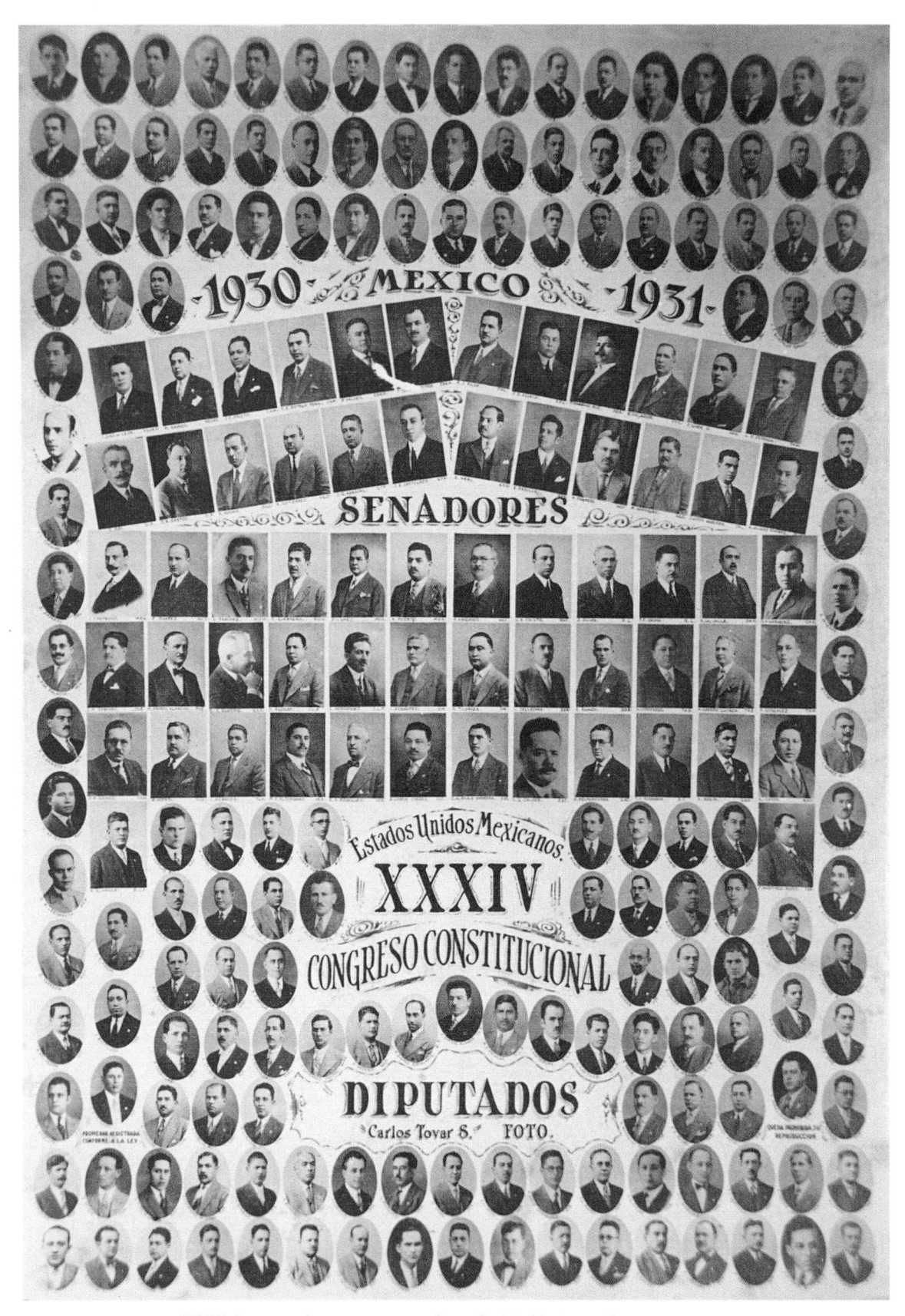

Senadores y diputados del XXXIV Congreso Constitucional 1930-1931 (2). México, 1931.
Plata sobre gelatina. Cortesía Archivo General de la Nación

ARTHUR TRESS

SOLDIERS AT TRAIN STATION/SOLDADOS EN LA ESTACIÓN DEL TREN, México, D.F., 1964, Plata sobre gelatina, Colección Autor

NICOLÁS TRIEDO

De la serie Máscaras I, Huaynamota, Nayarit, 1999, Ektacrome, Colección Autor

ANTONIO TUROK

ECLIPSE SOLAR, Ocosingo, Chiapas, 1991, Plata sobre gelatina. Colección Autor

PEDRO TZONTÉMOC

SEMANA SANTA, Jerusalem, 1997, Plata sobre gelatina, Colección Autor

590 | 160 AÑOS DE FOTOGRAFÍA EN MÉXICO

E. UNDA

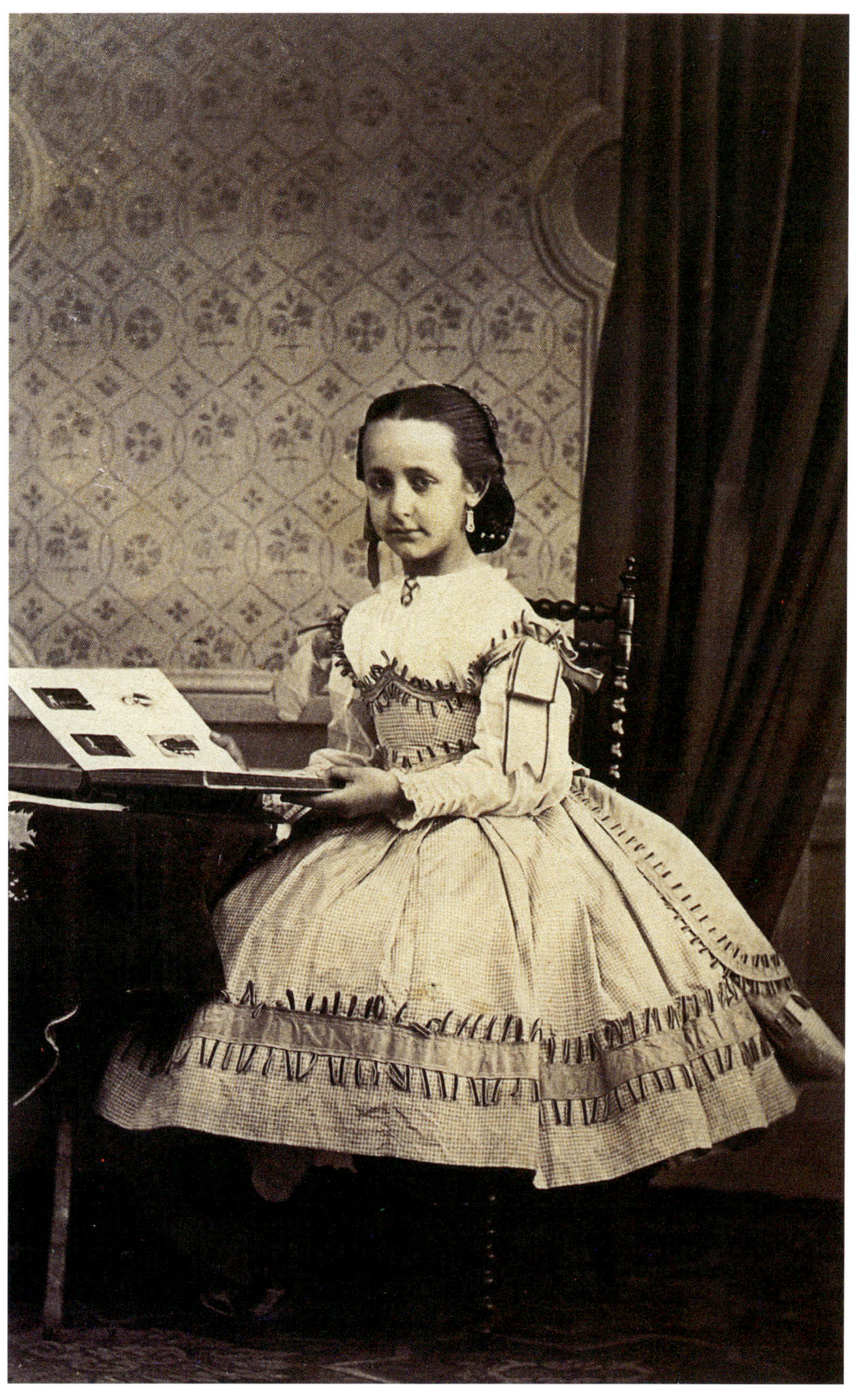

Niña (núm. de inv. 452226), México, ca. 1865. © CONACULTA-INAH-SINAFO-Fototeca Nacional

F. C. URIBE

Niño con uniforme de cadete de la Escuela Naval (1), México, 1914, Plata sobre gelatina, Cortesía Archivo General de la Nación

ELOY VALTIERRA

El niño del futbol, México, D.F., 1994, Plata sobre gelatina, Colección Autor

PEDRO VALTIERRA

Protesta minera, Pachuca, Hidalgo, 1985, Plata sobre gelatina, Colección Autor

RODOLFO VALTIERRA

Sin título, Nueva York, 2000, Plata sobre gelatina, Colección Autor

ABEL VALLADARES

Minerva González Lozano, Fernando del Moral Ramírez y Abel Valladares, Gráficas Valladares, Torreón, Coahuila, ca. 1950, Plata sobre gelatina, Colección Del Moral González

FOTO VALLEJO

SIN TÍTULO, México, D.F., ca. 1915. Plata sobre gelatina. Colección Shanti Lesur

HERMANOS VALLETO

Hombre con armadura, México, 1906, Colodión, Colección Matías Rocha

ED VAN DER ELSKEN

Painter Siqueiros, México, 1960. Plata sobre gelatina. © Ed van der Elsken/The Netherlands Photo Archives

WILFRED VANDENHOVE

Sin título, Plaza Francisco Zarco, México, 1999, Plata sobre gelatina, Colección Autor

EUGENIA VARGAS

Sin título, México, 1993. C-print, Colección Autora

JUAN D. VASALLO

Cervecería Moctezuma S. A. (2), Orizaba, Veracruz, 1909, Plata sobre gelatina, Cortesía Archivo General de la Nación

M. VÁZQUEZ

Retrato de Guadalupe Frías, México, 1905, Aristotipia, Colección Fundación Cultural Televisa

RODRIGO VÁZQUEZ

Watusi, La Habana, Cuba, 1999, Plata sobre gelatina, Colección Autor

HÉCTOR VELASCO FACIO

Palacio de cristal, México, D.F., 15 de enero de 2001, Transparencia color, Colección Autor

J. M. VELASCO

Retrato de familia De la Parra, México, ca. 1895. Cabinet card. Fototeca Antica/Colección Jorge Carretero Madrid

F. VÉLEZ PONCE

AQUILES SERDÁN, Puebla, Puebla, noviembre 18 de 1910, Albúmina, Cortesía Archivo General de la Nación

YVONNE VENEGAS

DE LA SERIE RETRATOS DE TIJUANA, Tijuana, Baja California, México, 1992, Plata sobre gelatina, Colección Autora

CÉSAR VERA

Rimas, 1986. Plata sobre gelatina, Colección INBA-SEP

PIERRE VERGER

SIN TÍTULO, Oaxaca, México, 1936, Plata sobre gelatina, Colección Fundación Pierre Verger

IRMA VILLALOBOS

Ecos de otra historia, México, D.F., 1995. Plata sobre gelatina manipulada, Colección Autora

ROGELIO VILLARREAL

ANDORRA, México, D.F., 1996, Plata sobre gelatina, Colección Autor

ENRIQUE VILLASEÑOR

El baño de los caballos, México, D.F., 1994. Plata sobre gelatina. Fotograma, Colección Autor

FRANCISCO VIVES

Danza de los concheros/Los concheros, 1969/1970, Fotografía/cromolitografía, Placa Javier Hinojosa,© Colección Galas de México, S.A., Cortesía Museo Soumaya

MOY VOLCOVICH

Calvo Klein, México, D.F., 1997, Inyección de tintas, Colección Autor

RENATA VON HANFFSTENGEL

Estado de México, 1976, Plata sobre gelatina, Colección Autora

CHARLES B. WAITE

MUJERES CON ZAPATOS EN LA CABEZA, México, 1904-1905, Aristotipia, Cortesía Archivo General de la Nación

EDUARDO WARNHOLTZ

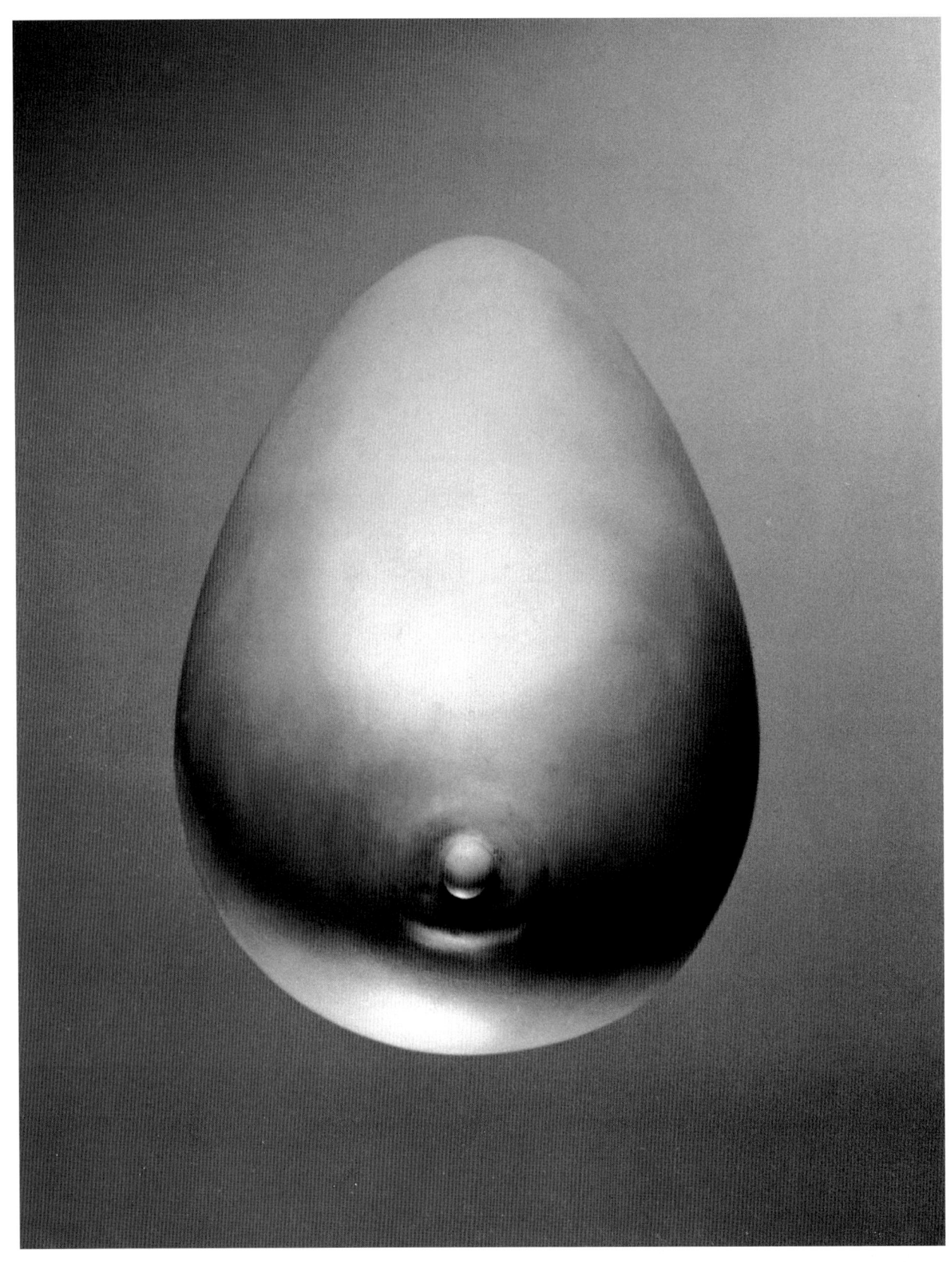

Etapa oral II, México, D.F., 1996, Plata sobre gelatina, Colección Autor

DANIEL WEINSTOCK

Sin título, de la serie Bajo el mismo cielo, México, 1994-1996, Plata sobre gelatina, Colección Autor

J. WENZIN Y CÍA.

Teniente del Batallón 1o. de N. León en el sitio de Querétaro, Gran fotografía. Esquina del palacio, San Luis Postosí, ca. 1869, Carte de visite, albúmina iluminada, Fototeca Antica/Colección Jorge Carretero Madrid.

EDWARD WESTON

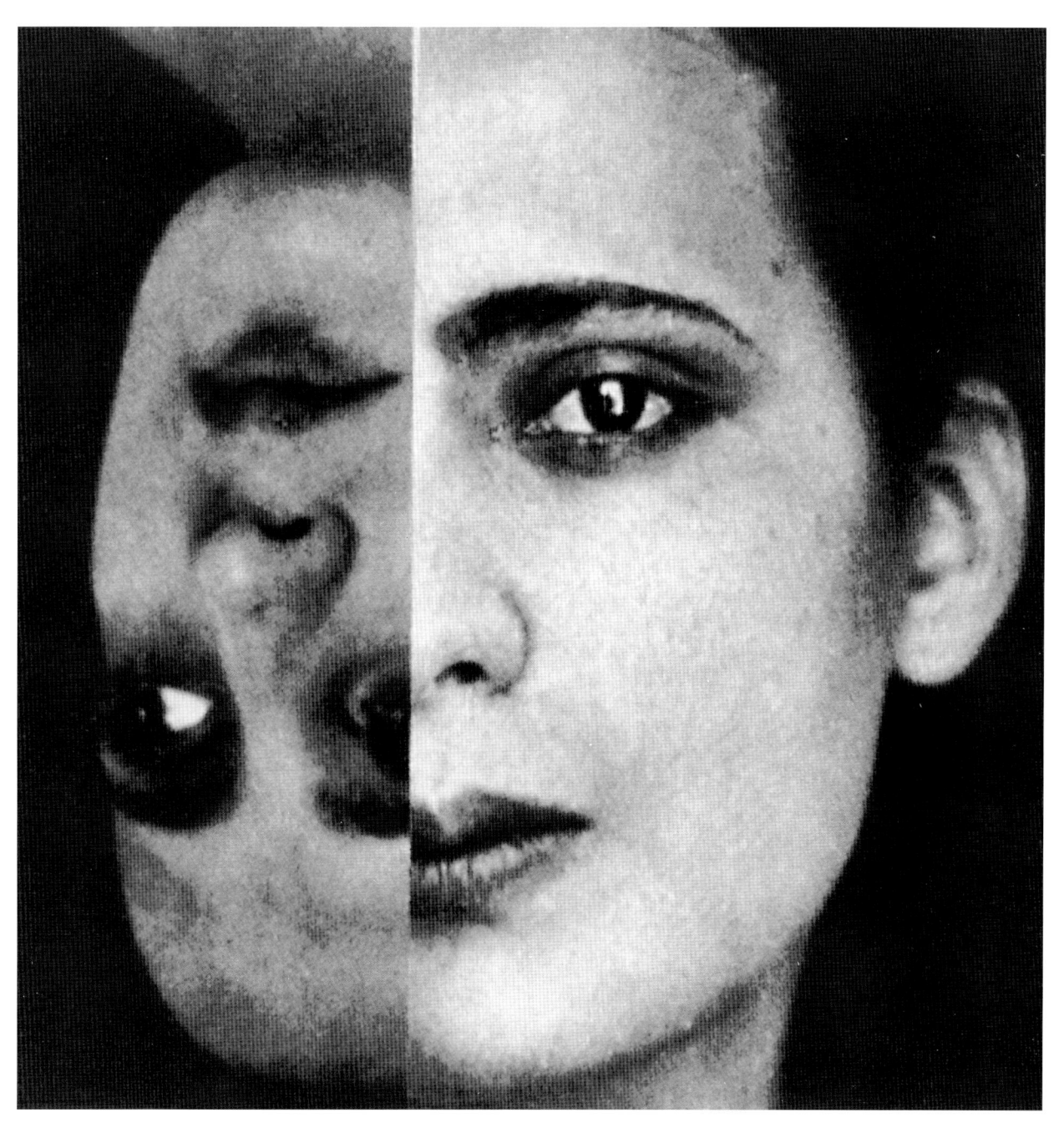

Parte del tríptico de Victoria Marín, México, 1926, Plata sobre gelatina, Colección Ava Vargas (atribuida a Edward Weston)

EDUARDO WHITE

Retrato de jovencitas, México, ca. 1900, Albúmina, Fototeca Antica/Colección Jorge Carretero Madrid

DOLORES Y ELENA REYES, 2a. de Plateros núm. 4, México, 1892, Cabinet card, Fototeca Antica/Colección Jorge Carretero Madrid

JOEL-PETER WITKIN

Tres tipos de mujer, México, 1992. Plata sobre gelatina. Colección Autor

BILL WITTLIFF

El profanador, Tula, © Wittliff Gallery of Shouthwestern & Mexican Photography, Southwest Texas State University, San Marcos, Texas

WOLFENSTEIN

PAREJA DE NIÑAS, 2a. de Plateros núm. 4, México, ca. 1900, Platino/paladio, Fototeca Antica/Colección Jorge Carretero Madrid

GEORGE D. WRIGHT

Don Porfirio Díaz (1), México, 1907, Platino/paladio, Cortesía Archivo General de la Nación

MARIANA YAMPOLSKY

Caricias, San Simón de La Laguna, 1989, Plata sobre gelatina, Colección Autora

YÁÑEZ

SOLDADERAS, Culiacán, Sinaloa, ca. 1910, Plata sobre gelatina, Colección Graciela Iturbide

MAURICIO YÁÑEZ

GRUPO DE MAESTRAS, Monterrey, Nuevo León, ca. 1920, Gelatina bromuro.
Colección Fototeca de Nuevo León/Consejo para la Cultura de Nuevo Léon

TUFIK YASBEK

SIN TÍTULO, s/f, Placa Javier Hinojosa, Fotografía, © Galas de México, S.A., Cortesía Museo Soumaya

YBÁÑEZ Y SORA

INDIA AMAMANTANDO A SU HIJO, México, 1904, Plata sobre gelatina, Cortesía Archivo General de la Nación

YBARRA Y CONTRERAS

Retrato de niña, Portal de Agustinos núm. 2, Guadalajara, ca. 1880, Carte de visite, albúmina, Fototeca Antica/Colección Jorge Carretero Madrid

VIDA YOVANOVICH

De la serie Cárcel de los sueños, México, D.F., 1987-1993, Plata sobre gelatina, Colección Autora

MICHEL ZABÉ

PRESENCIA PREHISPÁNICA: AYER Y HOY, México, 2000, Transparencia color 4x5. Colección Autor

ZÁRATE Y ARRIOLA

Ferrocarrileros que ayudaron a las tropas obregonistas a apagar los carros del convoy incendiados por los carrancistas, Algibes, Puebla, 14 de mayo de 1920, Plata sobre gelatina, Cortesía del Museo Nacional de los Ferrocarriles Mexicanos

ELIGIO ZÁRATE

Retrato de novios, Oaxaca, ca. 1950, Fotografía retocada sobre tela, Colección Alejandra Mora Velasco

MANUEL ZAVALA Y ALONSO

De hito en hito, México, D.F., 1999, Plata sobre gelatina, Colección Autor

ANDRÉS ZAVALA

Retrato, Pátzcuaro, Michoacán, ca. 1950, Plata sobre gelatina, Colección Patricia Mendoza

MATERIALES Y TÉCNICAS DE LA FOTOGRAFÍA

Las técnicas fotográficas, históricas o contemporáneas, ofrecen distintas posibilidades de expresión a los fotógrafos en tanto que definen las cualidades estéticas y visuales de cada obra. La técnica fotográfica recurrida o seleccionada, si es que existe la posibilidad de elegir, es el punto de partida para la creación de una imagen; también impone limites y métodos de trabajo al fotógrafo.

Retomando la idea de William Crawford de *sintaxis fotográfica*,[1] existe una estructura sintáctica en el "lenguaje" de la fotografía que proviene, no del fotógrafo, sino de la relación entre química —óptica— y mecánica que hace posible la fotografía. Cada fotografía es la culminación de un proceso en el que el fotografo toma decisiones y hace descubrimientos dentro de un marco tecnológico.

En la fotografía, la sintaxis es la tecnología. Es la combinación de elementos técnicos en boga. La placa o película sensible tiene uno de los roles principales en la sintaxis, pues son sus características las que determinan tanto el tiempo de exposición como la manera en que los colores son reproducidos o traducidos en valores de blanco y negro. El método de impresión introduce los elementos finales de la sintaxis; éste determina la forma que la imagen adquiere como objeto tangible y la manera en que aparecen los valores tonales registrados en el negativo.[2]

MATERIALES CONSTITUTIVOS DE LAS FOTOGRAFÍAS

Las técnicas fotográficas se distinguen, en primer lugar, por los materiales constitutivos de las imágenes resultantes, como ocurre con las imágenes blanco y negro —formadas por partículas de plata— y las imágenes a color —formadas por tintes orgánicos—. En segundo lugar, por el proceso que da origen a las imágenes, es decir, por el mecanismo o la serie de reacciones que las hacen aparecer, aun cuando los materiales constitutivos sean los mismos. Un ejemplo de lo anterior lo encontramos en las fotografías con emulsión de plata/gelatina generadas por impresión directa, y las fotografías, también con emulsión de plata/gelatina, obtenidas por revelado químico. Ambas técnicas producen impresiones constituidas por un soporte de papel[3] y un estrato de gelatina con partículas de plata metálica, pero la ausencia o bien la intervención de un agente revelador en la deposición de las partículas de plata determina características tan importantes como el contraste y la tonalidad de las imágenes resultantes.[4]

Con respecto a los materiales que constituyen la imagen que cada técnica fotográfica emplea, tampoco puede hacerse una división estricta, puesto que éstas no necesariamente se distinguen por el tipo de sustancias formadoras de imagen. La diferencia entre una técnica fotográfica y otra puede residir en el aglutinante que suspende a las partículas formadordas de imagen. Tal es el caso de las impresiones al colodión y las impresiones de gelatina, ambas elaboradas sobre un soporte de papel[5] y obtenidas por impresión directa, es decir sin la ayuda de un agente revelador.[6] Aun cuando ambas técnicas dependen de la fotosensibilidad del cloruro de plata para la formación de la imagen, las propiedades físicas y químicas de sus respectivos aglutinantes difieren por completo e impiden, por lo tanto, tratarlas de la misma manera; sea en su elaboración o en su posterior apreciación.

La diferencia entre una técnica fotográfica y otra también puede residir en el tipo de soporte que aloja a la emulsión fotosensible. Tal es el caso de los materiales negativos blanco y negro utilizados durante siglo XX, todos ellos con emulsión de plata/gelatina, cuyo soporte fue variando desde una placa de vidrio hasta una hoja flexible de poliéster, pasando por los soportes semisintéticos, también flexibles, de nitrato y de acetato de celulosa.

---

[1] Introducida en 1953 por M. W. Ivins para la descripción de grabados.
[2] Traducido de William Crawford, *The Keepers of Light, a History and Working Guide to Early Photographic Processes*, Morgan & Morgan Dobbs Ferry, Nueva York, 1979, pp. 6-7.
[3] El soporte de papel es recubierto con una capa blanca de sulfato de bario y gelatina.
[4] Las fotografías obtenidas por impresión directa, debido a la morfología semiesférica y al escaso tamaño de sus partículas de plata, muestran tonos cálidos cercanos al café-rojizo. Las imágenes obtenidas por revelado químico serán siempre más contrastadas, de tonalidades cercanas al negro neutro. Lo anterior, desde luego, sin considerar modificaciones o variables en las técnicas, como lo fue el entonado al oro practicado durante el siglo XIX en las fotografías obtenidas por impresión directa. El entonado al oro alteraba el color café-rojizo inicial tornándolo café-púrpura.
[5] Papel recubierto con una capa blanca de sulfato de bario y gelatina.
[6] Reductor desde el punto de vista químico.

De esta manera, desde el punto de vista material y estructural, las diversas técnicas fotográficas comparten materiales y pueden presentar similitudes en cualquiera de sus estratos básicos (soporte-aglutinante-sustancias formadoras de imagen).

Si estableciéramos una división de los procesos fotográficos de acuerdo con el tipo de soporte, podríamos agrupar a todos aquellos que incluyen soportes rígidos como el metal y el vidrio: *daguerrotipo, ferrotipo, ambrotipo, placa negativa al colodión y placa de gelatina sobre vidrio*. Las impresiones fotográficas sobre soporte de papel constituirían un segundo grupo: *papeles salados, albúminas, gelatinas de impresión directa, papeles al colodión (brillante o mate), gelatinas obtenidas por revelado, cianotipos, platinotipos (platino/paladio), impresiones al carbón, gomas bicromatadas, kallitipos, papeles resinados,*[7] etc. Restaría, por último, el grupo de procesos fotográficos sobre soportes plásticos, sintéticos como el poliéster o semisintéticos como el nitrato y el acetato de celulosa.

Si, en cambio, consideramos al aglutinante, o ausencia del mismo, como punto de partida para la definición de las técnicas fotográficas, agruparíamos a los procesos que carecen de aglutinante: *papeles salados, cianotipos, platinotipos (platino/paladio), y kallitipos*. Los procesos que emplean aglutinantes proteicos, independientemente del soporte y las sustancias formadoras de imagen, quedarían en un segundo grupo: *albúminas, gelatinas (color o b/n) e impresiones al carbón (gelatina bicromatada)*. Las imágenes que incluyen al colodión como aglutinante —*ambrotipos, ferrotipos, placas negativas de colodión y papeles al colodión*— formarían al tercer grupo. Restaría mencionar, como excepción, a las gomas bicromatadas, las cuales incluyen goma arábiga como aglutinante.

Las sustancias formadoras de imagen también pueden considerarse para clasificar a las técnicas fotográficas. Así pues, tendríamos los siguientes grupos de imágenes: las constituidas por partículas de plata —*papeles salados, ambrotipos, ferrotipos, placas negativas de colodión, albúminas, gelatinas de impresión directa, papeles a colodión, gelatinas obtenidas por revelado, placas de gelatina sobre vidrio, kallitipos y negativos blanco y negro sobre soportes plásticos*; el daguerrotipo, constituido por plata y una amalgama de plata/mercurio, sería una excepción dentro de este grupo—. Las imágenes formadas por partículas de metales más nobles que la plata —*platinotipos o platino/paladio,*

---

[7] En realidad, debido a la presencia de polietileno por ambas caras de la hoja, el soporte de los papeles resinados se comporta como un plástico.

y oro—[8] quedarían en un segundo grupo. Tanto las partículas de plata de las imágenes del primer grupo, como las de metales más nobles del segundo, pueden hallarse combinadas con alguno de los siguientes elementos: fierro, cobre, uranio, azufre, oro, platino o selenio.

Dentro del grupo de imágenes constituidas por tintes o colorantes orgánicos tendríamos: *fotografías a color cromogénico, proceso Kodachrome, proceso Cibachrome, autocromos, Polaroid a color*. Las imágenes formadas por pigmentos serían: *impresiones al carbón, gomas bicromatadas, bromo-aceite, proceso Fresson*. Por último, tendríamos a las imágenes constituidas por sales complejas de fierro: *cianotipos*.

MATERIALES FOTOSENSIBLES

Como se observó en el apartado anterior, las variables, respecto a materiales y formas de obtención de la imagen, son casi infinitas; entonces ¿qué es lo que tienen en común los diferentes procesos fotográficos?, ¿qué es aquello que los hace ser fotográficos?

Las imágenes fotográficas, positivas o negativas, están constituidas, o al menos lo estuvieron, por materiales que fueron fotosensibles (sensibles a la luz) en algún momento; concretamente, por productos derivados de compuestos fotosensibles. Estos productos provienen de reacciones promovidas, o a veces sólo iniciadas, por la luz.[9]

Una vez concluido el procesado fotográfico (fijado, lavado, etc.), los productos que se formaron a partir de los compuestos fotosensibles permanecen en las fotografías formando parte de la imagen, como ocurre en las fotografías blanco y negro de plata/gelatina. En otros casos, los productos generados durante la exposición no permanecen en las fotografías: sólo son intermediarios de futuras reacciones mediante las cuales se depositan las sustancias definitivas formadoras de la imagen. Un ejemplo de lo anterior lo encontramos en las imágenes al platino o platino/paladio en las que la sustancia fotosensible (oxalato férrico), una vez cumplida su misión de receptora de la exposición y "transmisora de la misma"[10] a las sales de platino o de paladio, es eliminada del soporte de papel durante el fijado de la imagen.

En la fotografía a color (proceso cromogénico), por citar otro ejemplo, son las sales de plata las que reciben la luz y se transforman[11] para dar inicio a la formación de los colorantes cian, magenta y amarillo en el interior de la emulsión. Una vez formados los colorantes en sus respectivos estratos de la emulsión, las partículas de plata depositadas durante la exposición y revelado de la imagen son eliminadas por completo en uno de los baños del procesado.

Los compuestos fotosensibles, que hacen posible la fotografía, no siempre se traducen en las sustancias formadoras de la imagen final. La fotosensiblididad de algunos materiales fotográficos depende del aglutinante y su transformación en una sus-

---

[8] Crisotipos.

[9] Las radiaciones ultravioleta, aunque estrictamente hablando se encuentran fuera del espectro luminoso, son fundamentales para el desarrollo de estas reacciones en muchas de las técnicas fotográficas. Los materiales fotográficos, de hecho, son más sensibles a la porción ultravioleta del espectro que a la región visible del mismo.

[10] Después la foto-reducción del oxatato férrico a *ferroso*, éste, a su vez, reduce a las sales de platino o de paladio.

[11] Se reducen durante el proceso de revelado de la imagen.

tancia insoluble, en el disolvente original, tras la exposición a la luz. Así pues, la fotosensibilidad de los procesos al carbón, por ejemplo, no reside en el pigmento por el cual apreciamos la imagen final, sino en la gelatina bicromatada que sirve de aglutinante a dicho pigmento. Tras la exposición de un papel preparado con gelatina bicromatada, en aquellas áreas que recibieron mayor cantidad de luz, bajo las zonas menos densas del negativo, la gelatina bicromatada se transformará en un compuesto insoluble de gelatina curtida.

Si el principio que unifica a todos los procesos fotográficos es la fotosensibilidad de cualquiera de sus componentes originales, podríamos, entonces, agruparlos genéricamente de acuerdo con el tipo de sustancia "activa", es decir, la sustancia responsable de su fotosensibilidad.

PROCESOS FOTOGRÁFICOS BASADOS EN LA FOTOSENSIBILIDAD DE LOS HALOGENUROS DE PLATA[12]

El género dominante, y por lo mismo el más desarrollado, es el de los procesos fotográficos que emplean sales de plata[13] incoloras como sustancia fotosensible, y sus consecuentes depósitos opacos de plata metálica como partículas formadoras de imagen.

La combinación de la plata con cualquiera de los elemento del grupo VII (halógenos) da lugar a la formación de una sal incolora de escasa estabilidad. Dependiendo del elemento halógeno involucrado (cloro, bromo o iodo) se obtendrán las siguientes sales fotosensibles: *cloruro de plata, bromuro de plata y ioduro de plata* respectivamente.[14]

Las sales fotosensibles de plata se mantienen como tales en tanto permanezcan en la oscuridad o bajo luz inactínica.[15] Al exponerse a la luz actínica,[16] los compuestos de halogenuro de plata sufren una descomposición[17] de la que resultan plata, por un lado, y halógeno, por el otro. Juntas, las partículas de plata son lo suficientemente grandes para absorber la luz y constituir opacidad; éstas dan lugar a la imagen. El halógeno (cloro, bromo o iodo) resultante de la exposición y, por lo tanto aún próxi-

---

[12] Compuesto formado por plata y cualquier elemento halógeno (cloro, bromo o iodo).
[13] Halogenuros de plata (AgCl, AgBr, y AgI).

[14] Su fotosensibilidad va en aumento de acuerdo con el orden en que aparecen, de manera que el cloruro de plata es la sal menos fotosensible de las tres, mientras que el ioduro de plata es la de mayor sensibilidad. También es posible formar sales de plata combinadas con dos o más halógenos.
[15] Luz roja o luz amarilla, a las cuales las sales de plata no son sensibles.
[16] Luz blanca, luz azul, radiación ultravioleta.
[17] Foto-reducción del ion Ag^+ a Ag^0.

mo a las partículas de plata recién formadas, debe ser retirado de la emulsión para evitar su recombinación con las mismas y la consecuente reformación del halogenuro de plata fotosensible que implicaría la desaparición de la imagen. Normalmente esto ocurre en cualquiera de los baños del procesado fotográfico o bien es captado por la gelatina de la emulsión.

Las partículas de plata, discernibles únicamente a una ampliación mayor a cinco mil veces su tamaño, dan lugar a una imagen blanco y negro de tono continuo. De hallarse en superficie, en gran cantidad y de manera compacta y uniforme, las partículas de plata formarían una imagen de apariencia plateada. Éstas, debido a su tamaño, morfología y distribución dentro del aglutinante, o sobre el soporte de papel, son capaces de absorber todas las longitudes de onda del espectro visible, de manera que constituyen diferentes tonalidades de blanco y negro. La escala tonal de una imagen corresponde, físicamente, a cantidades variables de partículas de plata dentro del aglutinante.

Sin embargo, y ésta es una de las particularidades de la fotografía a base de sales de plata, las partículas no siempre producen imágenes blanco y negro en tonos neutros. Dependiendo de su tamaño y morfología, las partículas de plata pueden dar lugar a tonalidades que van desde el gris neutro hasta el café, café-púrpura o rojo ladrillo. Ello sin considerar la gran variedad de tonos que los virados o los entonados de las fotografías blanco y negro pueden producir.

En general, entre menor sea el tamaño de las partículas de plata, mayor será su tendencia a producir imágenes de tonos cálidos, rojizos o cafés. A la inversa, a medida que el tamaño de la partícula se incrementa, y su morfología pierde regularidad, las imágenes resultantes mostrarán tonos cada vez mas fríos, azulosos o neutros.[18]

La tonalidad, el contraste y la definición de las imágenes constituidas por partículas de plata pueden ser controladas y modificadas por el fotógrafo mediante técnicas (de exposición, de revelado o de entonado) que alteran el tamaño, la morfología e incluso la composición de las partículas de plata. Esto fue reconocido desde los primeros años de la fotografía y representa una de las grandes ventajas de las técnicas que utilizan sales de plata. A pesar de que estas técnicas han sido empleadas durante mucho tiempo, sus posibilidades no se han agotado y aún encierran misterios por descubrir y prácticas por experimentar.

---

[18] Las partículas de plata pequeñas dan lugar a imágenes de tonos cálidos debido a que sólo son capaces de absorber las longitudes de onda más cortas, correspondientes a la luz azul y verde, del espectro visible. En tanto que no absorben las longitudes de onda más largas del espectro visible, correspondientes a la luz roja y la amarilla, las partículas pequeñas reflejan estos colores.

Hasta ahora se ha hecho referencia a los compuestos fotosensibles de halogenuro de plata y sus consecuentes depósitos microscópicos de plata. Dejaríamos de lado, sin embargo, un hecho fundamental para la fotografía si no habláramos de la sustancia fijadora de la imagen. El descubrimiento del agente fijador *hypo*, por Sir John Herschel en 1839, fue tan importante para el desarrollo de la fotografía como la presentación misma de los primeros procesos fotográficos. La fotosensibilidad de las sales de plata había sido estudiada desde el siglo XVIII,[19] mas no así la manera de detener el proceso de ennegrecimiento y de eliminar del sustrato las sales, aun fotosensibles, no expuestas a la luz. Como vemos, sin la introducción de la sustancia fijadora, la fotografía a base de sales de plata sólo hubiera trascendido como un fenómeno de interés científico.

El primer procedimiento práctico para mantener, mas no para fijar, las imágenes recién formadas consistió en su "estabilización"[20] en soluciones saturadas de cloruro de sodio (sal común) o de compuestos que incluyeran cualquiera de los otros dos halógenos: bromo o iodo. De esta manera, los halogenuros de plata no expuestos y que por lo tanto no debieran reaccionar, más bien debieran ser eliminados del sustrato, eran mantenidos como tales al quedar rodeados por el halógeno (cloro, bromo o iodo). La suma de cualquiera de estos elementos prevenía el ennegrecimiento total de la superficie sensibilizada, debido a la formación de partículas de plata, al recombinarse con las mismas para formar, nuevamente, halogenuro de plata. Aunque esta "estabilización" no puede ser mantenida indefinidamente, en la actualidad todavía sobreviven imágenes producidas de esta forma durante los primeros años de la fotografía.

De hecho, cuando la técnica del daguerrotipo fue presentada en agosto de 1839, entre sus procedimientos no estaba incluido el fijado de la imagen en tiosulfato de sodio (*hypo*), sino su "estabilización" en agua con sal (cloruro de sodio).

El fijado convierte de manera selectiva a los halogenuros de plata no expuestos, y que por tanto no formarán parte de la imagen, en compuestos solubles en agua, susceptibles de ser removidos mediante un lavado final. Si los halogenuros de plata, por naturaleza, fueran solubles en agua no habría necesidad de utilizar un fijador; bastaría con enjuagar la imagen en agua corriente después de la exposición y el revelado.

El tiosulfato de sodio que hoy día utilizamos para fijar las imágenes blanco y negro es, en esencia, igual al de Herschel. El fijador rápido moderno —tiosulfato de amonio—, por su parte, es un compuesto similar al anterior, cuya acción sobre los halogenuros de plata no expuestos también consiste en la formación de iones complejos solubles en agua.[21]

Cabe anotar que el fijador tiosulfato de sodio, en sí, no remueve las sales de plata no expuestas, sólo las transforma en compuestos solubles susceptibles de ser removidos mediante un lavado. El lavado final, por lo tanto, de no realizarse adecuadamente, provocará la permanencia tanto del tiosulfato como de los halogenuros de plata no expuestos en la estruc-

---

[19] El primer estudio científico fue realizado por Carl Wilhelm Scheele (1777), quien observó el ennegrecimiento de cloruro de plata y después comprobó que se había transformado en plata metálica.

[20] Detener el proceso de foto-reducción de los iones de plata que no fueron expuestos y que, por lo tanto, no forman parte de la imagen, aunque éstos no son eliminados como ocurre en el fijado y lavado de las fotografías.

[21] Ion complejo monoargento ditiosulfato soluble en agua.

tura de las fotografías. Estas sustancias darán lugar a manchas insolubles —de color café-amarillento— derivadas del tiosulfato de plata.

DAGUERROTIPO

A pesar de su antigüedad, y de haber sido la primera en anunciarse, la técnica del daguerrotipo no termina de sorprendernos. El soporte de plata pulida sobre el que aparece la fina imagen tanto en positivo como en negativo, dependiendo de la superficie reflejada y del ángulo de iluminación, es sólo una de las peculiaridades del daguerrotipo.

Desde el punto de vista técnico, el daguerrotipo se distingue del resto de los procesos fotográficos debido a que tanto la imagen como el fondo de la misma están constituidos por el mismo elemento: plata. La imagen es perceptible debido al distinto comportamiento que las áreas pulidas y las áreas despulidas del la placa ejercen sobre de la luz reflejada. No es un cambio de color o una escala tonal lo que nuestro ojo percibe. El daguerrotipo es visible debido a un fenómeno de superficie: a la diferencia entre la reflexión especular de la luz en las áreas pulidas de la placa, correspondientes a las zonas oscuras de la imagen,[22] y la reflexión difusa de la luz promovida por las áreas despulidas de la misma. Estas últimas son percibidas como blancos o zonas claras de la imagen.

A diferencia de otras técnicas que utilizan sales de plata, el daguerrotipo no parte de cristales de halogenuro de plata suspendidos en un aglutinante o dispersos sobre un soporte de papel. El proceso del daguerrotipo inicia con una placa pulida de plata pura o bien depositada sobre una hoja de cobre. El correcto pulido de la placa es esencial para la obtención de imágenes contrastadas; de él depende que la reflexión de la luz en las áreas pulidas de la imagen, correspondientes a las zonas oscuras de la misma, sea verdaderamente especular. Un pulido deficiente

---

[22] Para su correcta apreciación, la imagen daguerreana debe hallarse frente a una superficie de color negro.

provocará reflexiones difusas de luz en estas zonas, perturbando la lectura de la imagen.

La fotosensibilización de la placa daguerreana ocurre dentro de una caja saturada con vapores de iodo.[23] La apariencia dorada que adquiere la superficie de la placa es señal de la completa transformación de la plata en ioduro de plata fotosensible.

La imagen daguerreana no aparece durante la exposición de la placa sensibilizada en la cámara; requiere de la participación de un agente revelador[24] (vapores de mercurio en este caso) que continúe la transformación de los halogenuros de plata expuestos a la luz en partículas de plata metálica. Estas partículas, debido a su irregularidad, constituyen las áreas despulidas blancas de la imagen. El mercurio, además de promover la transformación de los halogenuros de plata expuestos, se deposita sobre los mismos formando una amalgama de plata-mercurio. Después de fijar la imagen en una solución de tiosulfato de sodio, el daguerrotipo debe ser sometido a un baño de cloruro de oro que garantice la permanencia de la imagen y brinde a ésta resistencia física. La deposición de oro sobre la placa también mejora el contraste de la imagen.

CALOTIPO, PAPEL SALADO Y PAPEL ALBUMINADO

Las primeras imágenes en papeles fueron producidas a partir de negativos con soporte de papel[25] llamados *calotipos*, siguiendo la técnica que Fox Talbot introdujo de manera casi simultánea a la presentación del daguerrotipo.

El calotipo y su correspondiente impresión positiva en papel salado representan el origen del proceso fotográfico negativo-positivo que conocemos hoy día. Los valores tonales y la lateralidad de la escena fotografiada, los cuales aparecían invertidos en el negativo, podían ser reproducidos correctamente mediante la exposición a la luz de otro papel sensibilizado bajo el negativo. Fox Talbot también descubrió la posibilidad de crear una

---

[23] También se utilizó bromo para formar, además del ioduro de plata, bromuro de plata fotosensible.

[24] El mercurio actúa como reductor de los iones de plata.

[25] Después de generar la imagen, el soporte de papel del calotipo era encerado para aumentar su translucidez.

imagen latente, después de exponer brevemente el papel sensibilizado en la cámara, la cual podía hacerse visible con la ayuda de un agente revelador. Sin la participación de un agente revelador, que transformara a los halogenuros de plata expuestos en plata metálica, los tiempos de exposición del calotipo serían impracticables.

La sustancia que Fox Talbot utilizó para revelar los calotipos (pirogalol o ácido gálico) tiene una estructura similar a la de la *hydroquinona* de los reveladores modernos. El revelador de Talbot, sin embargo, contenía nitrato de plata para agregar a las partículas de plata recién formadas iones de plata libres disueltos en el revelador. De esta manera la imagen quedaba constituida por plata originaria del baño sensibilizador y plata proveniente del revelador.

Además de la intervención de un agente revelador en la formación de la imagen, el proceso del calotipo se distingue de su correspondiente positivo papel salado por el tipo de halogenuro de plata fotosensible que emplea. El calotipo hace uso del ioduro de plata, por ser éste la sal más fotosensible, mientras que el papel salado requiere del cloruro de plata. Ambas técnicas, sin embargo, precisan de la formación de los halogenuros de plata mediante dos pasos u operaciones distintas: 1) el "salado" del papel, con una solución que aporte el ion halogenuro y 2) la sensibilización del mismo, en el baño de nitrato de plata, que provea los iones de plata.

El papel puede permanecer "salado" por un tiempo indefinido; la sensibilización, en cambio, debe realizarse el día en que éste será expuesto.

El papel albuminado, introducido en 1850 por Louis Desire Blanquart Evrard, fue el proceso de impresión dominante durante el siglo XIX. Éste se asemeja al del papel salado en tanto que el cloruro de plata fotosensible también se forma dentro de la capa de albúmina, en este caso, poco antes de exponerlo a la luz del sol bajo el negativo. El "salado" del papel de albúmina ocurre durante el recubrimiento de la hoja con esta capa proteica; es decir, la sal (cloruro de sodio o amonio), que aportará el elemento halógeno para formar el cloruro de plata fotosensible, se halla disuelta en el coloide de albúmina. Al igual que el papel salado, el papel albuminado requiere de la "activación" de la superficie, en un baño sensibilizador de nitrato de plata, antes de exponerlo a la luz.

Tanto en el papel salado como en el de albúmina, la imagen aparece por impresión directa, es decir, sin la ayuda de un agente revelador. La transformación de las sales de plata expuestas en partículas de plata metálica ocurre únicamente por efecto de la luz actínica. Este método de obtención de imágenes da lugar a la formación de partículas de plata muy pequeñas, semiesféricas, denominadas partículas de plata fotolítica. Gracias al tratamiento con cloruro que ambos tipos de imágenes recibían, las albúminas y papeles salados mostraban tonalidades café-púrpura en lugar del café-rojizo característico de las imágenes obtenidas por impresión directa.

EL PROCESO AL COLODIÓN HÚMEDO Y SUS DERIVADOS:
PLACAS NEGATIVAS, AMBROTIPOS Y FERROTIPOS

El proceso al colodión húmedo, presentado en 1851 por F.S. Archer, revolucionó las técnicas fotográficas disponibles hasta ese momento, al permitir la obtención de placas negativas sobre soportes de vidrio. El negativo sobre papel, utilizado en la técnica precedente *calotipo*, no permitía obtener impresiones definidas o detalladas. Aunque durante la década de 1840 se produjeron imágenes sobre vidrio con diversos aglutinantes orgánicos,[26] éstos no mostraron resultados satisfactorios, o al menos no tan favorables como el colodión.[27]

El nombre de esta técnica fotográfica deriva de la manera en que la capa de colodión debe hallarse durante todos los procedimientos involucrados en la obtención de la imagen: sensibilización, exposición, revelado y fijado de la misma. Después de la completa evaporación de los disolventes, utilizados para la aplicación del colodión sobre el vidrio, la capa de colodión se vuelve impermeable al agua y por lo tanto a cualquiera de los líquidos del procesado.

La técnica al colodión húmedo tiene similitudes con la del papel salado y la del papel albuminado en tanto que los halogenuros de plata fotosensibles no se encuentran, de antemano, suspendidos en el aglutinante. Es preciso formarlos *in situ* en la capa de colodión, momentos antes de hacer la toma fotográfica. Al igual que la albúmina "salada" con la que se prepara el papel albuminado, el colodión contiene únicamente al halógeno —en forma de ioduro de postasio en este caso— que dará lugar al halogenuro de plata fotosensible. La formación de este último ocurre en el baño sensibilizador de nitrato de plata, dentro del cual se introduce la placa de vidrio, recubierta con el colodión "salado", antes de hacer la toma.

Normalmente, después de su exposición dentro de la cámara, los negativos al colodión húmedo eran revelados en una solución de sulfato ferroso y luego fijados en cianuro de potasio o en tiosulfato de sodio. El sulfato ferroso[28] actúa, al igual que otros reveladores, transformando los halogenuros de plata expuestos en microdepósitos de plata metálica. El cianuro de potasio,[29] por su parte, es un poderoso disolvente de los halogenuros de plata no expuestos. Debido a la vulnerabilidad de los negativos al colodión, a sufrir deterioros físicos y químicos, éstos eran barnizados con resina dammar o sandáraca.[30]

Las versiones en positivo de la técnica al colodión húmedo —el ambrotipo y el ferrotipo— aparecieron en 1854 y 1856 respectivamente, cuando los fotógrafos notaron que las placas subexpuestas de colodión, al observarse por reflexión sobre un fondo negro, aparecían como imágenes positivas. Aunque el ambrotipo y el ferrotipo utilizan soportes distintos (vidrio el primero y lámina de fierro laqueada el segundo), ambos procesos se basan en el mismo principio para obtener un positivo directo. Las áreas claras o blancas de la imagen están constituidas por el recubrimiento de

---

[26] En 1847, Abel Niépce de Saint-Victor, primo del colaborador de Daguerre, utilizó la albúmina como aglutinante en la elaboración de imágenes sobre vidrio.

[27] Resina semisintética, con la apariencia de un barniz transparente, formada por nitrato de celulosa disuelto en éter y alcohol. Su composición es muy similar a la de la *piroxilina*.

[28] El sulfato ferroso cambia a sulfato férrico para reducir a los iones de plata.

[29] Compuesto altamente venenoso.

[30] Mark Osterman, *The Wet-Collodion Process: a manual*, George Eastman House 1997, p. 23.

plata/colodión (de color café cremoso) resultante de la exposición y del procesado de la placa. Las zonas oscuras de la imagen son, simplemente, el color de la pintura negra del respaldo o soporte que se transparenta a través de la capa de colodión.

IMÁGENES POSITIVAS CON EMULSIÓN DE GELATINA-CLORURO Y COLODIÓN-CLORURO OBTENIDAS POR IMPRESIÓN DIRECTA[31]

Estos procesos de impresión aparecieron a finales de la década de 1880 y fueron populares hasta los años veintes del siglo XX.[32] Dada sus ventajas técnicas, como la introducción de las emulsiones preparadas de antemano por el fabricante, y la producción industrial de estos papeles, el proceso del papel albuminado fue desapareciendo hasta caer en completo desuso a principios del siglo XX.

El nombre de estas técnicas fotográficas proviene de la existencia de una verdadera emulsión de halogenuros de plata fotosensibles en cualquiera de los dos aglutinantes (colodión o gelatina). Los papeles al colodión o gelatina de impresión directa podían adquirirse, al igual que los materiales modernos, previamente sensibilizados, es decir, listos para usarse. Las sales de plata fotosensibles se hallaban emulsionadas en el aglutinante de manera que su preparación en dos pasos (salado y sensibilizado) ya no era necesaria. Los conocimientos técnicos y la experiencia que los fotógrafos habían adquirido a lo largo de medio siglo de práctica dejaron de ser necesarios al iniciarse la era industrial de la fotografía.

Los términos gelatina-cloruro y colodión-cloruro se refieren tanto al aglutinante que estas técnicas emplean como al tipo de halogenuro de plata fotosensible —cloruro de plata— que contienen. El cloruro de plata es una sal poco sensible que requiere

---

[31] Estos procesos también se conocieron como aristotipias; Luis Nadeau, *Encyclopedia of Printing, Photographic and Photomechanical Processes*, Nadeau 1994, p. 36.

[32] James M. Reilly, *Care and Identification of 19th-Century Photographic Prints*, Kodak Publication, núm. G-2S, 1986, p. 11.

de largas exposiciones bajo fuentes luminosas intensas para ennegrecerse. Las técnicas de impresión directa,[33] debido a los extensos tiempos de exposición que suponen, normalmente incluyen el cloruro de plata como sustancia fotosensible.

La tonalidad de las imágenes al colodión[34] y gelatina de impresión directa (café-rojizo y café-púrpura) es muy similar a la de los papeles de albúmina. Esto se debe a que la práctica de entonar las fotografías con cloruro de oro se extendió a todas la técnicas de impresión directa. Las áreas blancas de los papeles al colodión y gelatina, sin embargo, son más "luminosas", debido al estrato compacto de pigmento blanco (sulfato de bario y gelatina) que separa al aglutinante de colodión o de gelatina de soporte de papel.

IMÁGENES CON EMULSIÓN DE GELATINA OBTENIDAS POR REVELADO

Independientemente del soporte fotográfico sobre el cual hayan sido aplicadas (vidrio, papel, plásticos transparentes o papel resinado),[35] las emulsiones de halogenuros de plata en gelatina —de revelado— guardan similitudes respecto a la forma de obtención de la imagen y las cualidades estéticas de la misma.

La introducción de la gelatina[36] como aglutinante de las partículas de plata, durante la década de 1880, revolucionó las técnicas fotográficas existentes. Las cualidades físicas y químicas de la gelatina la convirtieron en la sustancia emulsionante y aglutinante por excelencia de los materiales fotográficos. Además de mantener verdaderamente emulsionados a los halogenuros de plata fotosensibles —insolubles por naturaleza—, la gelatina aumenta la sensibilidad de estas sales de manera significativa.

Durante la exposición y el revelado de la imagen, la gelatina actúa como receptora de los halógenos libres, provenientes de los halogenuros de plata expuestos, que pudieran recombinarse con las partículas de plata recién formadas. De hecho, la participación del agente revelador soluble en agua es posible gracias a la higroscopicidad[37] de la emulsión de gelatina; su permeabilidad facilita el acceso de las soluciones del procesado en el interior de la misma.

Respecto a los halogenuros de plata fotosensibles, emulsionados en la gelatina, el ioduro de plata, debido a su alta sensibilidad, se utiliza para preparar materiales negativos; el cloruro de plata, por su escasa sensibilidad, sólo estará presente en papeles fotográficos lentos; el bromuro de plata se emplea tanto para emulsiones negativas como para emulsiones positivas.

Las imágenes obtenidas por exposición y revelado están constituidas por partículas de plata irregulares, de diez a cien veces mayores que las partículas de la imágenes obtenidas por impresión directa. De ahí que la tonalidad de estas imágenes sea siempre cercana al negro-neutro. El contraste de las fotografías *de revelado* también será siempre mayor al de cualquier imagen *de impresión directa*.

PROCESOS A COLOR

La fotografía a color como la conocemos hoy en día nació en 1935 con la introducción de la película Kodachrome de *Eastman Kodak*, basada en un proceso sustractivo de color. El primer proceso comercial, anterior a la película Kodachrome, fue el *autocromo*, presentado por Louis Lumière en 1904.[38]

El autocromo utilizaba un sistema aditivo de color en el que la imagen monocroma, de plata/gelatina sobre vidrio, era formada a través de pequeñísimos filtros verdes, rojos y violetas. Esta capa de microfiltros, colocada entre el soporte de vidrio y la

---

[33] La imagen se imprime al sol, o bajo fuentes ricas en UV, en contacto con el negativo.

[34] Se refiere a las impresiones al colodión brillante. Las impresiones al colodión mate, debido a su entonado al oro/platino, muestran tonos neutros cercanos al negro-verdoso.

[35] Antes de aplicar la emulsión fotosensible, el soporte de papel es recubierto, por ambas caras, con polietileno. El polietileno de la cara anterior lleva el pigmento blanco de titanio.

[36] Polímero proteico derivado de la colágena.

---

[37] Capacidad para absorber agua.

[38] Klaus B. Hendriks, *Fundamentals of Photograph Conservation: A Study Guide*, Lugus Publications, Canadá, 1991, p. 148.

emulsión pancromática[39] de gelatina se elaboraba con gránulos de almidón de papa teñidos de los colores mencionados. Los espacios microscópicos que quedaban entre los gránulos teñidos eran bloqueados con pigmento negro de carbón. De esta manera, los halogenuros de plata fotosensibles de la emulsión de gelatina sólo reaccionarían a la luz del color correspondiente al microfiltro colocado frente a cada uno de ellos. La imagen de plata resultante era sometida a un proceso de reversión, en el que las áreas transparentes de la misma adquirirían opacidad (por deposición de partículas de plata) y las zonas oscuras eran blanqueadas mediante la eliminación de la plata que se había formado previamente.

Al observar la imagen por transmisión, las zonas que originalmente recibieron la luz a través de los microfiltros de color, y que ahora son transparentes debido al proceso reversible, permitirán el paso de la luz del color que el filtro frente a ellas permita.

Existieron otros procesos con sistemas aditivos de color, similares al del autocromo, como el *dufay*, el *finlay* y el *duplex*, pero éstos pronto fueron reemplazados comercialmente por los procesos a color con sistemas sustractivos que hoy día conocemos.

De los procesos sustractivos el más común es el de *color cromogénico*. Este tipo de materiales fotográficos están constituidos por tres emulsiones de halogenuros de plata en gelatina, sensibles cada una de ellas a un color distinto de luz: roja, verde y azul. Cada una de estas emulsiones contiene un compuesto llamado acoplador, el cual es capaz de formar un tinte del color complementario al de la luz que recibió, en el sitio en el que los halogenuros de plata se transformaron en plata metálica. De hecho, los colorantes resultan de la unión del acoplador, presente en cada emulsión, con los productos o residuos del revelador que reaccionó para formar plata metálica.

Una vez formados los tres colorantes, cian, magenta y amarillo, que darán lugar a la imagen, las partículas de plata son eliminadas de tres emulsiones. Estas partículas, en la fotografía a color, sólo funcionan como señaladoras del sitio en el que deberán formarse los colorantes. Los acopladores restantes, aquellos que no formaron colorantes, permanecen en la emulsión y con el tiempo pueden generar manchas en la imagen.[40]

El proceso *kodachrome* también requiere de acopladores para la formación de los colorantes pero, a diferencia del anterior, éstos no van incluidos en la emulsión. Los acopladores del proceso *kodachrome* se encuentran en tres distintos reveladores que formarán los colorantes cian, amarillo y magenta.

El proceso *cibachrome* —basado en la destrucción de tintes— se distingue del proceso cromogénico en tanto que los tintes amarillo, magenta y cian se encuentran presentes, de antemano, en las tres emulsiones fotosensibles. Éstas también contienen halogenuros de plata. Durante la exposición y el revelado de las imágenes *cibachrome* los tintes son blanqueados o destruidos de manera proporcional a la deposición de partículas de plata. Al igual que en el proceso de color cromogénico, las partículas de plata son eliminadas de la emulsión.

María Fernanda Valverde Valdés

---

[39] Emulsión de halogenuros de plata/gelatina sensibilizada a todos los colores del espectro visible.

[40] J.M. Sturge, V. Walworth, A. Shepp (editor), *Imaging Processes and Materials-Neblette's eighth edition*, Van Nostrand Reinhold, 1989. p. 119.

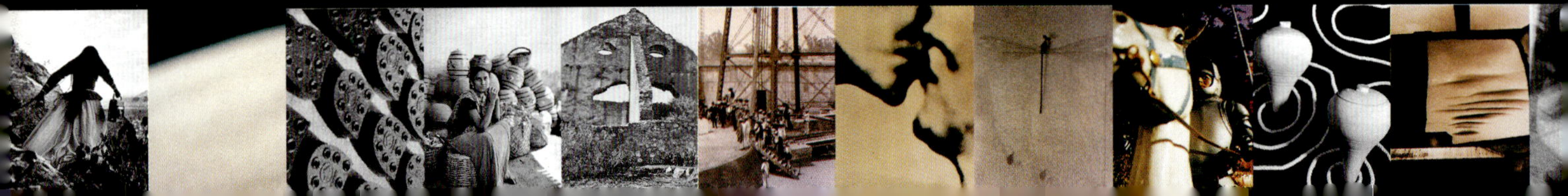

BIOGRAFÍAS Y BIBLIOGRAFÍA

FUENTES:

A.C./ Alejandro Castellanos
A.C.M./ Alfonso Cortés MacManus
A.G.N./ Archivo General de la Nación
A.J.G./ Archivo Juan Guzmán
A.F.C.S.C./ Archivo Fotográfico Ciudad de San Cristóbal
A.F.I./ Archivo Fotográfico Indígena de San Cristóbal de las Casas
A.S.C./ Academia de San Carlos
A.V./ Ava Vargas
C.D.S./ Centro de Documentación del Sistema Nacional de Fototecas
C. K./ Cristina Kahlo
C.R./ Carmen Ramirez
C.V.R./ Covadonga Vélez Rocha
E.P.A./ Elena Poniatowska Amor
E.F.T./ Estela Fátima Treviño
F.D.M./ Fernando del Moral González
F.T./ Fundación Televisa
G.A.P./ Gutierre Aceves Piña
G.F./ Guilherme Fracomel
G.F.F./ Gabriel Figueroa Flores
G.I./ Graciela Iturbide
J.A.R./ José Antonio Rodríguez
J.C.M./ Jorge Carretero Madrid
J.M.C.V./ José Manuel Crispin Viera
J.O./ James Oles
M.J.S./ Martha Jarquín Sánchez
M.F./ Marianne Fulton
M.F.M./ Museo Franz Mayer
M.G./ Manuel García
M.S./ Museo Soumaya
N.H./ Nora Horna
P.M./ Patricia Mendoza
R.L.C./ Revista Luna Córnea núm. 16
R.V./ René Verdugo
R.R./ Regina Reynoso
S.L./ Shanti Lesur
U.A.D.Y./ Universidad Autónoma de Yucatán

NOTAS
Las semblanzas que no tienen fuente y ubican tiempo y periodo de trabajo fueron realizadas por E.F.T. y M.J.S.
Las semblanzas de los autores contemporáneos fueron realizadas a partir de la información proporcionada por ellos mismos.

BIOGRAFÍAS

BUEN ABAD. Su obra se desarrolló a principios del siglo XX en la Academia de San Carlos de la Ciudad de México y muestra el ambiente de esta institución por esa época. [p. 55]

ABADIANO Y PÉREZ. Es la firma compuesta por Juan D. Abadiano, un ambrotipista tardío, y el fotógrafo Pérez. Abrieron un estudio en 1862 en la calle Espíritu Santo núm. 1, en la Ciudad de México. (Casanova y Debroise; 1989, 54).

ABBAS. Irán, 1944. Estudió Comunicación en Inglaterra. En 1968 fue fotógrafo en los Juegos Olímpicos en México. Después viajó extensamente por África, el sudeste de Asia, el Medio Oriente, Latinoamérica y Europa del Este, trabajando como fotógrafo independiente. En 1983 se convirtió en miembro de la Agencia Magnum. Entre 1983 y 1987 viajó a la República Mexicana, donde realizó un trabajo fotográfico materializado en su libro *Regreso a México: Viajes más allá de la máscara*, con introducción de Carlos Fuentes. Abbas ha continuado fotografiando el resurgimiento del Islam en el mundo, interpretándolo más como ideología que como religión. Fue expulsado de su país natal por su visión crítica de la revolución. [p. 56]

JESÚS H. ABITIA. Su nombre completo es Jesús Hermenegildo Abitia Garcés. Mexicano. Fotógrafo de estudio y de exteriores, y camarógrafo pionero del cine documental y de ficción. Se le atribuyen actividades de fotógrafo ambulante en Chihuahua alrededor de 1900. Se estableció en Hermosillo, Sonora, donde estuvo activo hasta 1910. Nació en Batuchic, Chihuahua, el 13 de abril de 1881 y murió en México, D.F., el 8 de diciembre de 1960. Su trabajo más conocido es el que realizó en imágenes fijas y en movimiento, de 1913 a 1925, desde la campaña militar de su amigo Álvaro Obregón, durante la Revolución Constitucionalista, del que fue partidario. Para 1920 era distribuidor directo de la Eastman Kodak Company en México, y poco después estableció unos estudios cinematográficos en Paseo de la Reforma, en la Ciudad de México, que tuvo por algunos años. Su archivo fílmico se destruyó en un incendio en 1947, pero su archivo fotográfico fue conservado por su hijo Jesús Abitia Pedrozo. F/F.D.M. [p. 57]

THEDA ACHA. De 1989 a 1993 estudió la licenciatura en Ciencias y Técnicas de la Información en la Universidad del Nuevo Mundo, en el Estado de México. Entre 1993 y 1994 estudió fotografía profesional en GRIS ART, Barcelona, España. Ha sido asistente de los fotógrafos Gabriel Figueroa Flores, Manolo Laguillo y Laura González. En 1995 participó en la Bienal Nacional de Fotografía del Centro de la Imagen. En 1997 presentó en el Museo de Antropología de la Ciudad de México el fotorreportaje *Imagen y voz de los niños y niñas de México*. Ha participado en varias exposiciones colectivas en México, Puerto Rico, Uruguay, Argentina e Italia. [p. 58]

RAFAEL ADAMS TEJEDA. Su estudio se localizó en la Avenida Juárez núm. 24, en la Ciudad de México, alrededor de los años treinta. F/E.F.T. [p. 59]

BESS ADAMS. Estados Unidos, 1887. Fue una estudiosa de las artes escénicas, lo que la llevó a formar un grupo de teatro conocido como Mexican Theatrical Players of Padua Hills, al parecer con integrantes y temas de origen mexicano. Su interés en el país la llevó a escribir el libro *Mexico Notes in the Margin* publicado en Boston en 1937. En él, sin créditos específicos, incluye fotografías de Kenneth Forbes, quien la acompañó en su viaje a México, y, al parecer, algunas tomadas por ella misma. F/J.A.R. [p. 60]

ADRIANI. Activo en la calle 5 de Mayo en la Ciudad de México, alrededor de 1916. F/E.F.T. [p. 61]

SILVANA AGOSTONI. México, D.F., 1968. Obtuvo la maestría en Fotografía y Medios Alternativos en la School of Visual Arts de Nueva York. Ha sido seleccionada en dos ocasiones para el Encuentro Nacional de Arte Joven, emisiones XVII y XVIII, así como en la Octava Bienal de Fotografía en 1997. Ha expuesto individual y colectivamente en Querétaro, Ciudad de México, Cuernavaca, Nueva York y Madrid. Parte de su trabajo ha sido publicado en el catálogo del New York Digital Salon (MIT Press, 1997) y en el catálogo de Fotoseptiembre (Centro de la Imagen, 1996). [p. 62]

ESTUDIO AGUILAR. Activo alrededor de 1920. [p. 63]

JOSÉ MARÍA AGUILAR. Existen doce imágenes de este fotógrafo en el Archivo General de la Nación. En su obra aparecen vistas panorámicas; avenidas y calles; jardines, parques y plazas de la ciudad de Zacatecas. Fechadas en 1908. F/A.G.N. [p. 64]

LUIS AGUILAR. México, D.F., 1970. Estudió en la Escuela Nacional de Artes Plásticas de la Universidad Nacional Autónoma de México, en la Facultad de Arquitectura de la Universidad Iberoamericana y en la Escuela Activa de Fotografía. Ha trabajado en fotografía publicitaria, en foto-fija y en proyectos independientes. Sobresale su interés por el desierto, en particular, la localidad de Real de Catorce, al norte de México. Expuso individualmente en la galería KIN, en la Ciudad de México, en 1996, la muestra *Luz y Fuerza*; en el Museo de Arte Contemporáneo de la ciudad de Morelia, Michoacán, en 1997, y en la muestra *Las Voces del Desierto: Tierra, Agua, Fuego, Aire*. De manera colectiva ha participado en exhibiciones en Tijuana, Hannover, Florida, París, Praga, Nápoles, Londres, Aberdeen, Santiago de Chile y Madrid. [p. 65]

ITZEL AGUILERA. Chihuahua, Chihuahua, 1971. En 1994 obtuvo la licenciatura en la Escuela Superior de Comunicación Gráfica de la ciudad de Chihuahua. Actualmente estudia el doctorado Prácticas Estéticas e Imagen Técnica en la Facultad de Bellas Artes de la Universidad de Barcelona, con el apoyo de una beca del Programa de Apoyo para Estudios en el Extranjero del Fondo Nacional para la Cultura y las Artes de México. Ha desarrollado un extenso proyecto fotográfico acerca de las comunidades menonitas del estado de Chihuahua, mismo que ha expuesto constantemente en exhibiciones individuales y colectivas. Fue merecedora de la beca del programa de Fomento a Proyectos y Coinversiones Culturales del FONCA en su emisión 1994 y del Programa Jóvenes Creadores en el año 1997. [p. 66]

AGUIRRE Y RAMOS. Activo en Chihuahua, México, alrededor de 1900. [p. 67]

ALICIA AHUMADA. Santo Tomás, Chihuahua. 1956. Fotógrafa autodidacta, trabajó durante diez años en la Fototeca Sinafo-INAH, en el fondo del Archivo Casasola. Desde 1985 es fotógrafa independiente, experta en técnicas de impresión paladio-platino. Ha participado en seis exposiciones individuales y doce colectivas en México, Cuba y Estados Unidos. Sus 20 publicaciones incluyen catálogos, libros, calendarios, carteles, etc. En 1990 obtuvo la Beca de Creadores Intelectuales del FONCA, con la que realizó el ensayo fotográfico *Caras del Norte*. En 1994 obtuvo la Beca Creadores con Trayectoria, con la que realizó el ensayo *Vada, la cultura del maguey en el Valle del Mezquital*. [p. 68]

RAFAEL A. ALATRISTE. Activo en la Calle del Puente de Ovando núm. 9, Puebla. alrededor de 1865. [p. 69]

J. ALBISUA. Existe una imagen de este fotógrafo en el Archivo General de la Nación, que es un retrato de León Trotski, realizado en la Ciudad de México en 1944. F/A.G.N. [p. 70]

MONSERRAT ALBORES GLEASON. México, D.F., 1974. Licenciada en Letras Hispánicas, Artes Plásticas e Historia del Arte por diferentes universidades. Fundadora y directora de la Galería Acceso A, México D.F. Ha expuesto de manera individual y colectiva desde 1997. En 1998 participó en el XIX Encuentro Nacional de Arte Joven, Casa de la Cultura de Aguascalientes, dentro del marco del Festival Fotoseptiembre. Fue seleccionada por el proyecto *Diálogo 2* en la Novena Bienal Internacional de Fotografía, Centro de la Imagen, México, D.F., en 1999. [p. 71]

ÁNGEL ALCALÁ MENDIZÁBAL. México, D.F., 1974. Estudió Diseño Gráfico en la Escuela de Diseño del INBA cursando talleres de fotografía, grabado, pintura y serigrafía. También realizó estudios de chamanismo con Carlos León, del Institute for Ontology Research and Development of Canada. Cuenta con nueve exposiciones individuales, entre las que destaca *Asalto y Salto*, en la Galería Códice de la Escuela de Diseño de Bellas Artes, en 1994, y ocho exposiciones colectivas en la Ciudad de México. Ha publicado sus fotografías en las revistas *Fotozoom*, *Sacbé* y *Pulse International*, así como en el periódico *Reforma*, entre otros. Además ha realizado tres portadas para libros del INI. [p. 72]

BENJAMÍN ALCÁNTARA. México, D.F., 1969. Estudió la licenciatura en Ciencias de la Comunicación en la UNAM. En 1996 recibió una beca del FONCA para realizar una serie de retratos titulada *Espejos*. Ha cursado diplomados y participado en diversos talleres de fotografía en México y Estados Unidos. Cuenta con más de quince exposiciones colectivas y dos individuales en diferentes recintos del país. Fotógrafo independiente desde 1994, ha participado constantemente en producciones de televisión para el Grupo Argos, Televisión Azteca y Televisa, así como en cinco largometrajes y en diversas campañas comerciales para agencias de publicidad. Sus fotografías han sido publicadas en las revistas *Viceversa*, *6 Toros 6*, *Expansión*, *Vuelo*, *Elle* y *Paula*, entre otras. [p. 73]

LORENA ALCARAZ MINOR. México, D.F., 1964. Estudió la licenciatura en Ciencias de la Comunicación en la Universidad Intercontinental y ha participado en diferentes talleres fotográficos con maestros como Oweena Fogarty, Salvador Lutteroth y Enrique Bostelmann. Fotógrafa de la Coordinación de Difusión Cultural de la UNAM, de la Orquesta Sinfónica del Estado de México, de la Orquesta Filarmónica de la UNAM, del Palacio de Bellas Artes, del XXI Festival Internacional Cervantino (1991) y del Festival Cultural de Sinaloa (1991 y 1992). Ha reproducido obra para los catálogos de diversos artistas, entre otros: Felipe Ehrenberg, Magali Lara, Miguel Castro Leñero, Francisco Zúñiga, Javier Esqueda, Sebastián. Sus fotografías han aparecido en las revistas *Vogue* y *Escénica*, y en otras publicaciones de la UNAM. En 1992 expuso en la galería Claroscuro, y en 1991 y 1993 en la galería Expositum. [p. 74]

MAURICIO ALEJO. México, D.F., 1969. Estudió la licenciatura en Ciencias de la Comunicación en la Universidad Intercontinental. Su obra ha sido expuesta colectivamente en ARCO, Madrid, FIAC, París, e individualmente en Fotofest 2000, Houston, y en la galería OMR, México, D.F. Obtuvo la Beca de Apoyo a Jóvenes Creadores del FONCA en su emisión 1996-1997, y la Beca Fulbright-García Robles para estudios de posgrado en la New York University en el año 2000. Fue seleccionado en las bienales de fotografía en 1995, 1997 y 1999. Ganador de los premios de adquisición del Encuentro Nacional de Arte Joven en 1997 y 1998, y de la I Bienal Internacional de Puerto Rico en 1998; obtuvo mención honorífica en el Gran Premio Omnilife, México, 1999. [p. 75]

M. ALMANZA. Existen seis imágenes de este fotógrafo en el Archivo General de la Nación. En su obra se encuentra una serie de tarjetas postales con niños que desempeñan personajes glamorosos. [p. 76]

LOURDES ALMEIDA. México D.F., 1952. En 1972 estudió fotografía en Florencia, Italia. Tiene amplia experiencia asistiendo e impartiendo cursos en el área del retrato, polaroid, etc. Desde 1978 trabaja como fotógrafa profesional en diferentes instituciones culturales de México y el extranjero. Cuenta con más de cuarenta exposiciones individuales en México (1981-1995) y recientemente en The Mexican Center of Atlanta, Texas University, El Paso, y el Museo del Barrio, Nueva York, EU, 1995. Sus exposiciones colectivas suman más de cien en diversos países del mundo. Entre sus premios cabe mencionar: 1992 Beca para Creadores Intelectuales FONCA, México. Premio de Selección en el 54 Salón Internacional de Fotografía de Japón. Su trabajo ha aparecido en alrededor de treinta publicaciones de México y el extranjero. [p. 77]

MARÍA DE LOURDES ALONSO CASTILLO. Fotógrafa desde 1983, ha participado en la elaboración de audiovisuales sobre cultura y ecología para distintas secretarías de estado, universidades, así como para la FAO, OEA y UNESCO. Recibió el premio Alas de la revista *Escala* de Aeroméxico en 1991, el premio Juan Pablos de la revista *Premier* en 1994 y el Juan Pablos por el libro *Natura Mexicana*, editado por Bancomext y el Fondo de la Plástica Mexicana, en 1994. Ha publicado numerosos libros y expuesto su obra personal en México, Cuba, Honduras, España y Estados Unidos. [p. 78]

MARILÚ ALOS. Estudió en la Escuela Activa de Fotografía, donde se tituló en 1994. Posteriormente obtuvo un diploma de Gráficas en Computadora en la Unidad de Posgrado de la Escuela de Diseño del INBA y una maestría en Fotografía por la Universidad de Syracuse, Nueva York, 2000. Ha participado en varias exhibiciones colectivas desde 1994, tales como *Women Art and Change*, en el Centro Comunitario de Wescot, 1998, y *The Fruit Show*, Galería 120, ambas en Syracuse, Nueva York; *Photography from New York* en el Osaka International Center, Japón. De sus exposiciones individuales recientes destacan: *In Bloom*, Galería 120, 1999, y *Come Play*, en la Spark Gallery, 2000, ambas en la ciudad de Syracuse, Nueva York.

HERMANOS ALVA (CARLOS, EDUARDO, GUILLERMO Y SALVADOR). Mexicanos. Fotógrafos de exteriores y camarógrafos pioneros del cine documental. Activos en el D. F., Estado de México y Chihuahua entre 1910-1916. Se desconocen fechas y lugares de nacimiento y muerte. Su trabajo más conocido es el que tiene que ver con el campo de las imágenes en movimiento, como documentalistas de las postrimerías del porfiriato, la revolución maderista y el breve periodo del gobierno constitucional de Francisco I. Madero, en el cual cubrieron las insurrecciones militares en contra de Pascual Orozco en Chihuahua, y, según el historiador Aurelio de los Reyes, también los acontecimientos de la Decena Trágica en la capital del país. Su archivo fílmico fue conservado por Edmundo Gabilondo, distribuidor y exhibidor de los Alva, cuyas películas se encuentran en la Filmoteca de la UNAM. La obra de los Alva desde 1950 se ha visto fragmentada, pues sus créditos como autores han sido suplantados con los del archivo que maneja sus imágenes en movimiento. Por lo que toca a sus fotografías, recientemente fueron descubiertas en Nuevo León unas que se refieren a reparaciones en el Instituto Científico y a una práctica de agricultura de los alumnos de la Escuela Superior para Varones, fechadas en Toluca, Estado de México, en 1916. F/F.D.M.

MANUEL ÁLVAREZ B. MARTÍNEZ. México, 1927. Trabaja profesionalmente desde 1960, su formación fotográfica es autodidacta. Ha publicado fotografías en libros y revistas nacionales y extranjeras. Es cinematógrafo submarino y documentalista. Su primera exposición fue *El paisaje de México en la plástica y la poesía*, en la Galería de Arte Contemporáneo, 1958. Posteriormente participó en exposiciones individuales y colectivas entre las que sobresalen: *Animales*, Casa del Lago, 1975; *40 obras de la fototeca*, Casa del Lago, 1977; *150 años de la fotografía*, 1989. Recientemente, dentro del marco del Festival Fotoseptiembre Internacional 2000, presentó *Lagunilla*, en la Casa Lamm. Sus fotografías se encuentran en la colección de la Fundación Televisa. [p. 79]

LOLA ÁLVAREZ BRAVO. Trabajó para el Instituto de Investigaciones Estéticas de la UNAM, el periódico *Novedades* y diversas secretarias de Estado. En los años cincuenta dirigió la Galería de Arte Contemporáneo, en Amberes 12, colonia Juárez, donde presentó la primera exhibición de Frida Kahlo. Realizó un documental sobre los frescos de Diego Rivera en Chapingo. Representó a México en la exposición fotográfica *The Family of Man*, en el Museo de Arte Moderno de Nueva York. En 1964 expuso cien retratos en el Palacio de Bellas Artes, en la que fue su primera exposición individual. Sus fotografías han sido publicadas en las revistas *La Cultura en México*, *Nexos*, *Fem*, *Zoom* y *Fotozoom*. En 1979 presentó una retrospectiva en la Alianza Francesa de Polanco. En 1980 el Fondo de Cultura Económica editó su libro de *Retratos de escritores y artistas de México*. F/F.T. [p. 80]

MANUEL ÁLVAREZ BRAVO. México, D.F., 1902-2002. En 1925, en Oaxaca, obtuvo su primer premio de fotografía. A través de su amistad con Tina Modotti tuvo la consideración y el reconocimiento de Edward Weston. En la década de los treinta trabajó cerca de los muralistas y en la revista *Mexican Folk Ways*. Presentó su primera exposición individual en 1932, en la Galería Posada. En 1935 exhibió junto con Henri Cartier-Bresson en el Palacio de Bellas Artes. Presentó sus trabajos en las principales capitales del mundo. Como investigador reunió y dio a conocer importantes colecciones fotográficas y a él se debe la creación del primer Museo de Fotografía que funcionó en México. Fue merecedor de premios tales como la Condecoración Oficial de la Orden de Artes y Letras de Francia en 1981 y el Master of Photography del ICP, Nueva York, EU, 1987. En 1997 presentó la muestra *Variaciones*, en el Centro de la Imagen, misma que reunía el trabajo realizado entre 1995 y 1997. [p. 81]

COLETTE ÁLVAREZ URBAJTEL. París. Estudió Leyes, Ciencias Políticas y Economía. Aprendió fotografía con Manuel Álvarez Bravo. Trabajó en el Fondo Editorial de la Plástica Mexicana de 1969 a 1981. Ha expuesto en México y en el extranjero en diversas ocasiones; sus fotografías han sido publicadas extensamente en libros y revistas y se encuentran en varias colecciones públicas. Comparte el manejo de la obra de Manuel Álvarez Bravo. Algunas de sus exposiciones individuales fueron *Paseos y Diversiones*, 1975; *Al aire libre*, 1989; *Imágenes de temporal*, 1991. [p. 82]

CARLOS ÁLVAREZ. México D. F., 1974. Licenciado en Ciencias de la Comunicación por la Universidad del Valle de México. Ha participado en varios talleres de fotografía en el Centro de la Imagen. Ha colaborado con muchas editoriales y publicaciones en México. En 1997 fue seleccionado en la Octava Bienal de Fotografía en el Centro de la Imagen. En 1998 dentro del marco del Festival Fotoseptiembre expuso *Deformaciones y Malformaciones*, en Caja Dos, México, D. F. [p. 83]

CELESTINO ÁLVAREZ. Fotógrafo y pintor. Activo alrededor de 1890. [p. 84]

FRANCIS ALŸS. Amberes, Bélgica. 1959. Estudió en el Institut d'Architecture de Tournai, Bélgica y en el Instituto Universitário di Archittetura di Venezia, Italia. Ha expuesto individualmente su trabajo en Quebec, Vancouver, Winnipeg, Cataluña, Nueva York, Oregon, Zurich, Bruselas, Londres, São Paulo, Guadalajara, Oaxaca y la Ciudad de México. De manera colectiva ha participado en diversas muestras en Rotterdam, Venecia, Estambul, Sidney, Caracas, Los Angeles, San Francisco, Chicago, San Diego, Melbourne y Saarema. Reside en la Ciudad de México, donde desarrolla principalmente su trabajo. [p. 85]

EMILIO AMERO. Ixtlahuaca, Estado de México, 1901-Oklahoma, EU, 1976. Entabló amistad con el pintor Rufino Tamayo en su infancia. Como litógrafo, fue ampliamente reconocido, colaborando con Diego Rivera, J.C. Orozco y otros. Tras un viaje a Estados Unidos en 1925, regresó a México y estableció un taller de litografía en la Escuela Nacional de Artes, en el que aprenderían la técnica destacados artistas como Carlos Mérida. Asimismo tuvo una fructífera carrera en talleres litográficos en Estados Unidos. Expuso su obra fotográfica en la galería Julian Levy de Nueva York en varias ocasiones. (Ayala, 2000.) [p. 86]

AMOR J. Y ESCANDÓN. Activo alrededor de 1866. F/J.C.M. [p. 87]

ARCHIVO ANAYA. Activo en Tlaxiaco, Oaxaca, alrededor de 1934. [p. 88]

LAURA ANDERSON. México, D.F., 1958. Realizó estudios de pintura y dibujo en varios talleres de la Ciudad de México, de grabado y escultura en la Escola de Artes Visuais do Rio de Janeiro, Brasil. Ha participado en trece exposiciones individuales, tanto en México como en el extranjero. Ha obtenido premios de adquisición en la I Bienal Nacional José Clemente Orozco en 1991, en la Sección de Dibujo del Salón Nacional de Artes Plásticas en 1981; en 1986 y en 1990 se hizo acreedora a una mención honorífica en la IV Bienal Nacional de Estampa y Dibujo Diego Rivera, Guanajuato. Seleccionada en la VI Bienal de Fotografía, México D.F., Centro de la Imagen. Su obra se encuentra en las siguientes colecciones: Galería Ramis Barquet, Centro de Arte Vitro, ambas en Monterrey, N.L. México; The Metropolitan Museum of Art, en Nueva York; Instituto Nacional de Bellas Artes, México; Universidad Autónoma Metropolitana, México; y Fundación Bozano-Simonsen, Rio de Janeiro, Brasil, entre otras. [p. 89]

MANUEL L. ANDRADE. Existen cuatro imágenes de este fotógrafo en el Archivo General de la Nación. En su obra se encuentran escenas de la Revolución Mexicana y el general Tapia y sus combatientes. Todas las imágenes están fechadas en el año 1911. F/A.G.N. [p. 90]

YOLANDA ANDRADE. Villahermosa, Tabasco, 1950. De 1976 a 1977 asistió al Visual Studies Workshop en Rochester Nueva York, EU. Desde 1977 trabaja como fotógrafa fija en producciones cinematográficas, así como para diversas publicaciones periódicas. Ha impartido talleres de fotografía en varias ciudades mexicanas. Ha realizado numerosas exposiciones individuales en la República Mexicana y con Mariana Yampolsky; en 1995 expuso en el SK Josefsberg Studio de Portland, Oregon, y en 1996 en la Gallery of Contemporary Photography de Santa Mónica California, EU. Desde 1978 participa en exposiciones colectivas en México, Canadá, Estados Unidos, Europa y Australia. En 1994 fue becaria de la Fundación Guggenheim de Nueva York, EU. Su obra figura en colecciones públicas de México, Estados Unidos, Cuba y Japón. [p. 91]

ANÍBAL ANGULO. La Paz, Baja California, 1943. Se especializó en Artes Plásticas en la Escuela Normal Superior de la Ciudad de México. Fue uno de los primeros fotógrafos admitidos como miembros del Salón de la Plástica Mexicana en 1976. Fundador del Puesto de Arte Contemporáneo en 1978. Presidente del Consejo Mexicano de Fotografía en 1978. Ha desarrollado múltiples proyectos fotográficos en Holanda, Inglaterra, Francia, Israel, Japón, Panamá, Escocia, Puerto Rico, Hawai, Brasil y la India. Obtuvo el primer lugar en la Bienal de Fotografía del INBA en 1980 y fue jurado del Premio de Fotografía Casa de las Américas en 1983. Ha sido fotógrafo y editor de fotografía en revistas de diferentes temáticas: *Eros*, *Caballero*, *Eclipse*, *Audacia*, *Claudia*, del suplemento *La Onda* del periódico *Novedades*, de la *Revista de Bellas Artes*, *Automundo*, *Siete*, *Acero y Sociedad* y *Cuadernos de la Cineteca*, entre otras publicaciones. [p. 92]

ANTOLÍN. Activo en Victoria núm. 4, Puebla alrededor de 1910. F/J.C.M. [p. 93]

ENRIQUE ARCE. Guadalajara, Jalisco, 1954. En 1978 asiste al Primer Coloquio Latinoamericano de Fotografía. Entre algunas de sus exposiciones se encuentran: *Primer Coloquio Latinoamericano de Fotografía*, en el Museo de Arte Moderno, 1978; *Dos fotógrafos*, en la Sala Roger Cornillón en Arles, Francia, 1979; *Invierno*, Galería Clave, Guadalajara, en 1983; Galería Magritte, Guadalajara, en 1985; Galería Alejandro Gallo, en Guadalajara, en 1989; *500 Años Latinoamérica*, Dinamarca, en 1992, Feria Internacional del Libro de Guadalajara 1992 y 1993, en la Capilla Loreto de la Biblioteca Iberoamericana Octavio Paz, Guadalajara, 1994; y la Primera Exposición Mensual Individual en Guadalajara, Country Club, en 1995. [p. 94]

CHARLES W. ARCHER. Activo en Guadalajara, Jalisco. alrededor de 1920. F/G.I. [p. 95]

ARCHIVO FOTOGRÁFICO DE LA CIUDAD DE SAN CRISTÓBAL, CHIAPAS. Se forma durante los años de 1991 hasta 1996. A la creación de dicho fondo contribuyó de manera determinante el rescate del archivo Flores-Morales y el Archivo Escolar La enseñanza, así como la realización de la convocatoria pública La retina del tiempo en 1993. El fondo hoy contiene aproximadamente 20 300 imágenes, desde 1850 hasta los años setenta del siglo XX, todo parcialmente trabajado y en proceso de identificación y conservación. Cuenta con una colección única de retratos de trabajadores indígenas para las fincas cafetaleras chiapanecas, surgida de las labores del extinto Puesto Sanitario de San Cristóbal, así como una amplia gama de tarjetas postales. Entre sus colecciones encontramos las siguientes: Colección Flores Morales; Colección La enseñanza; Colección La retina del Tiempo.

ARCHIVO FOTOGRÁFICO INDÍGENA. Iniciado por Carlota Duarte en 1992 como Proyecto Fotográfico de Chiapas, ha desarrollado una actividad intensa en el registro de las costumbres y las tradiciones de los habitantes del sureste de México por ellos mismos. El Archivo Fotográfico Indígena (AFI) es un proyecto artístico *por* y *para* fotógrafos indígenas en Chiapas. Ha sido la actividad principal del Proyecto Fotográfico de Chiapas desde 1995, cuando se estableció en CIESAS Sureste. Su intención única de no imponer estándares visuales y su compromiso de crear y mantener una colección de fotografías han animado la participación de más de doscientos indígenas, hombres y mujeres de varios grupos étnicos. Gracias al apoyo de la Fundación Ford, AFI ha podido desarrollar tres áreas principales de actividad: capacitación, colección y difusión. Algunas de las exhibiciones que ha realizado son *Indigenous Photographers in Chiapas*, en 1994, Harvard University; *Our Indigenous Culture of Highland Chiapas*, 1995, Chicago; *Somos Mujeres Indígenas de Chamula, Chiapas*, 1996, San Cristóbal de las Casas; *Visión Indígena de Chiapas*, 1997, San Antonio; *Campo Visual*, 1998, la Haya, y *Maruch Sántiz Gómez: Creencias*, 1998, México, D.F. Sus integrantes han participado en distintas exposiciones colectivas, como la Bienal de Johhanesburgo en 1995, el Festival de Arte de Reikiavik en 1998 y la Bienal de Liverpool, en 1999. Han publicado los libros *Creencias de nuestros antepasados*, de Maruch Sántiz (1998); *Camaristas, fotógrafos Mayas de Chiapas*, obra colectiva (1998), y el catálogo *Visiones: Gertrude Blom y fotógrafos Mayas (2000)*. F/A.F.I.

PATRICIA ARIDJIS. Licenciada en Ciencias de la Comunicación por la Universidad Autónoma Metropolitana. Entre 1983 y 1984 estudió fotografía en la Escuela Activa de Fotografía, México, D.F. Trabaja como fotógrafa, laboratorista, profesora, coordinadora de fotografía en la revista *Mira*, así como reportera y guionista de radio y televisión. Publica sus fotografías en revistas como *México Desconocido* y *Cuartoscuro*, además de diarios como *La Jornada*, *Reforma* y *El País*. Presentó las exposiciones individuales *Trampa de Luz* en 1990, y *De oficios y beneficios* en 1991. En 1994 obtuvo el segundo lugar en el Concurso de Fotografía Antropológica de la ENAH y la mención honorífica en la Bienal de Fotoperiodismo. También en 1994 obtuvo la Beca para Jóvenes Creadores del FONCA. Entre sus proyectos fotográficos más consistentes se encuentran las fiestas de bodas. [p. 96]

LORENZO ARMENDÁRIZ. San Luis Potosí, 1961. Ha obtenido múltiples premios y reconocimientos, principalmente por su trabajo en el área de la fotografía documental sobre pueblos indígenas. Ha sido fotógrafo y jefe del Archivo Fotográfico del Instituto Nacional Indigenista (1986-1995) y colaborador de diversas revistas: *Escala*, *Vuelo*, *México Desconocido*, *Cultura Norte*, *Cultura Sur*, *Sacbé*, *Gaceta*, *Mundo plus*, *México Indígena*, *Memoranda* y *Mundo Maya*. Fue profesor de los talleres de Fotorreportaje I y II en el Ateneo Mexicano de Fotografía. Fue acreedor del Premio Estímulo de Creación Artística, otorgado por la Séptima Bienal de Fotografía, Centro de la Imagen. [p. 97]

ARRIAGA. Existen siete imágenes de este fotógrafo en el Archivo General de la Nación. En su obra se encuentra el tema de la Revolución Mexicana, cuando Madero instala su campamento en Ciudad Juárez. F/A.G.N. [p. 98]

J. ARRIAGA. Existen siete imágenes de este fotógrafo en el Archivo General de la Nación. En su obra se encuentran fotografías de estudio realizadas a la artista Lydia Rostow, en el año 1908. F/A.G.N. [p. 99]

JOSÉ P. ARRIAGA. Existen dos imágenes de este fotógrafo en el Archivo General de la Nación. En su obra se encuentran fotografías de estudio realizadas al artista Manuel Ugarte en 1912. F/A.G.N. [p. 100]

PATRICIA ARRIAGA. Estudió Ciencias de la Comunicación en la Universidad Iberoamericana y Fotografía en el Parsons School of Design de Nueva York, EU. Es fotógrafa y productora de televisión. Ha sido consultora de arte, cultura y comunicación masiva para la Organización de Naciones Unidas, UNESCO, Instituto de Transnacionales e Instituto para América Latina. Su trabajo ha sido expuesto en México, Estados Unidos y Portugal. [p. 101]

ARTES Y LETRAS, S.A. Existen tres imágenes bajo esta firma en el Archivo General de la Nación, que son postales históricas fechadas en 1909. F/A.G.N. [p. 102]

DAISY ASCHER. México, D.F. Estudió fotografía en la Universidad Anáhuac, en el Club Fotográfico de México y algunos recintos en Estados Unidos. Asimismo, ha ejercido la docencia fotográfica en la escuela que funda con su propio nombre. En 1994 expuso su obra de manera individual en la galería Praxis. Sus fotografías han sido publicadas en más de una decena de libros de diversos temas sociales y culturales. Uno de ellos es *100 Retratos de Daisy Ascher* (1981). Ha prestado sus servicios fotográficos a la Presidencia de la República en los dos recientes periodos, así como a la candidatura de Luis Donaldo Colosio. [p. 103]

FRANÇOIS AUBERT. Francia, 1829. Asistió a la Ecole des Beaux Arts en Lyon, donde estudió con el pintor realista Hyppolite Flandin. En 1854 viajó a la Ciudad de México, donde conoció al fotógrafo Jules Amiel, de quien aprendió técnica fotográfica. De 1864 a 1869 retrató al emperador Maximiliano y su corte, así como el paisaje mexicano y acontecimientos notables en la Ciudad de México. En 1867 presenció el arresto y ejecución de Maximiliano, hechos de los que tomó una serie de imágenes de las ropas que vestía perforadas y manchadas de sangre, así como del cadáver depositado en el ataúd. Poco después abandonó México para seguir su labor fotográfica en Argelia. [p. 104]

IGNACIO AVILÉS. 1920-1940. Recientemente el Archivo General de la Nación adquirió quince mil vistas estereoscópicas y un estereoscopio de la familia Avilés. Estas vistas comprenden una considerable cantidad de fotografías de lugares, edificios y eventos de la Ciudad de México: Teatro Nacional, Alameda, Xochimilco, Chapultepec, vistas aéreas de la ciudad, Palacio Legislativo, Churubusco, Hipódromo, desfiles, carreras de autos, ferias, fiestas populares, etc., así como de múltiples lugares de la República, Estados Unidos, Europa, Asia y África y vistas de la familia Avilés. F/A.G.N [p. 105]

AZTEC STORE. Existen diecisiete imágenes bajo esta firma en el Archivo General de la Nación: vistas panorámicas, iglesias, viviendas, mercados, escuelas, edificios públicos, fiestas, puentes, avenidas y calles, jardines, parques y plazas de Ciudad Juárez realizadas en los años 1907, 1908 y 1910. F/A.G.N. [p. 106]

BALVANERA T. E HIJO. Ciudad de México, alrededor de 1890 [p. 107]

NATALIA BAQUEDANO. Querétaro, Querétaro, 1872-1936. Es la primera fotógrafa profesional de quien se tiene noticia en México. Fue alumna y maestra de la Academia de San Carlos, y más tarde propietaria de un estudio fotográfico en el centro de la Ciudad de México. Dentro de su obra destacan las imágenes que tomó de su hermana Clemencia, algunas de ellas decoradas al óleo por ella misma. Antecesora de Tina Modotti, la figura de Baquedano resalta por ser una mujer independiente en un ambiente socio-cultural adverso, así como por sus logros y aportes en el campo de la fotografía. F/S.L. [p. 108]

ODETTE BARAJAS. Mexicali, Baja California. 1964. Estudió la licenciatura en Administración de Empresas y la especialización en Recursos Humanos en su natal Mexicali. A partir de 1986 recibe numerosos cursos de especialización fotográfica en dicha ciudad. Actualmente cursa la licenciatura en Educación Artística. Ha presentado nueve exposiciones individuales en diversos recintos del estado de Baja California, así como en la Galería Dos Damas, y Steppling Gallery (ambas en San Diego, California); Universidad de Nuevo León; y Centro Nacional de las Artes, en México, D.F. Entre las distinciones que ha recibido figuran la Beca Jóvenes Creadores (1995) y la selección en Master Class World Press Photo Foundation (1998). Ha publicado extensamente en revistas estatales y participado en numerosas conferencias sobre fotografía. [p. 109]

JUAN B. BARNEY. Activo en Durango, Durango, alrededor de 1895. F/J.C.M. [p. 110]

AGUSTÍN BARRAZA. Activo en Calle Tacuba 8, Zacatecas, alrededor de 1880-1885. F/J.C.M. [p. 111]

BARREIRO Y PIEDRAS. Activos en Portería de Sta. Clara núm. 8, Puebla, alrededor de 1895. F/J.C.M. [p. 112]

R. BARREIRO. Activo en Independencia núm. 12, Puebla, alrededor de 1890. F/J.C.M. [p. 113]

C.H. BARRIERE. Activo en su estudio llamado Fotografía Artística en Portal de Washington núm. 2, Guadalajara, Jalisco, alrededor de 1881. Obtuvo 18 medallas de primera clase en distintas exposiciones. F/J.C.M. [p. 114]

LAURA BARRÓN. México D.F., 1966. Estudió Artes Visuales en la Escuela Nacional de Artes Plásticas de 1988 a 1992, y el diplomado técnico en Fotografía del Columbia College Panamericano. Ha realizado seis exposiciones individuales en México y una en Venezuela. Entre las colectivas recientes destacan las de 1999: *10 Mexican Photographers*, en Dubois Gallery, Leigh University, Pennsylvania, EU; *Laura Barrón-Dick Averns*, en The Other Gallery, Banff Centre for the Arts, Canada; *Looking at the 90s*, Fotofest International, Houston, Texas, EU. En 1999, es una de las ganadoras del Premio Estímulo a la Creación Artística en la Octava Bienal de Fotografía en el Centro de la Imagen, y obtiene una beca de residencia en el Banff Centre for the Arts de Canadá y el Premio de Adquisición Omnilife, en el Salón de Octubre de Guadalajara. Sus fotografías han sido publicadas en *Tierra Adentro*, *Artes de México*, *Poliéster*, *Cuartoscuro* y otras revistas. [p. 115]

OSWALDO BARRUECOS. Existen doce imágenes de este fotógrafo en el Archivo General de la Nación. En su obra se encuentran vistas panorámicas, puentes, caminos, vías y calzadas, haciendas y plantaciones; estaciones del ferrocarril de Orizaba, Veracruz, fechadas en 1926. F/A.G.N. [p. 116]

GABRIEL BÁTIZ. México, D.F., 1965. Estudió Diseño Gráfico en la Escuela Nacional de Artes Plásticas de la UNAM de 1984 a 1986. Posteriormente obtuvo la Beca del Ministerio de Relaciones Exteriores para la licenciatura en Artes en la Academia de Bellas Artes de Varsovia. Ha participado en varias exposiciones colectivas desde 1985, tales como: *Pintura*, en la Galería GA+MA de Varsovia, 1991; *Antigüedades del Siglo 22*, en el Centro de la Imagen y *Sangre de mi sangre*, en el Centro de la Imagen, en 1994; UMMAGUMMA *Especies de Indeterminación*, en Guadalajara; *La Liga de la Injusticia*, en la Panadería, ambas de 1995. Del mismo modo, realizó la muestra individual *Pintura-Fotografía-Dibujo*, en el Ex-convento del Desierto de los Leones, 1994. En 1999 obtuvo la Beca Jóvenes Creadores del FONCA. [p. 117]

LORENZO BECERRIL. Se instaló como fotógrafo en Puebla alrededor de 1860. En 1873, realizó su más famosa serie de imágenes de individuos al aire libre en diversos parajes. Las más conocidas de este trabajo son las realizadas en Tehuantepec. En esta región realizó un peculiar retrato de una tehuana con el rostro oculto tras las pencas. (Debroise, 1993.) [p. 118]

GABRIEL BENÍTEZ. Activo en Puebla, Puebla, alrededor de 1900. F/J.C.M. [p. 119]

XIMENA BERECOCHEA. México, D.F., 1968. Estudió Letras Hispánicas en la UNAM, y realizó estudios de fotografía en México, España e Inglaterra. Ha expuesto y publicado en México y el extranjero. Su trabajo fue seleccionado para la muestra de fotógrafos mexicanos de Fotofest 98; obtuvo la Mención Honorífica en la Novena Bienal Internacional de Fotografía del Centro de la Imagen. Fue becaria del FONCA en 1995 y 1998 en el programa de Jóvenes Creadores. Asimismo recibió la beca de Intercambio México-Canadá, con la cual realizó un proyecto fotográfico en el Banff Centre for the Arts de Canadá en 2001. [p. 120]

CANNON BERNÁLDEZ. México, 1974. Estudió fotografía en la escuela Nacho López. Se inició como fotógrafa de prensa en la agencia Graph Press. Ha publicado en diversos periódicos y revistas nacionales. Asistente de producción de noticias en la agencia norteamericana Associated Press e impresora personal del fotógrafo Pedro Valtierra para la exposición y libro *Zacatecas*. Ha cursado diversos talleres en el Centro de la Imagen, entre los cuales destacan: Del fotoperiodismo a la representación, con la fotodocumentalista Susan Meiselas, así como Taller de historia de la fotografía mexicana, con el maestro José Antonio Rodríguez, entre otros. Fue seleccionada en la Tercera Bienal de Fotoperiodismo por el ensayo *Las Mercedes* efectuada en el Centro de la Imagen en mayo de 1999. Actualmente es asistente editorial y fotógrafa de la revista *Alquimia*, del Sistema Nacional de Fototecas del INAH. Ha sido merecedora de la Beca Jóvenes Creadores del FONCA 2000-2001. [p. 121]

C. S. BETTS. Conocido también como Charles G. Betts, J.S. Betts o Bets. Daguerrotipista y miniaturista norteamericano. Llegó a México en 1846 y en 1847 siguió a las tropas del general Winfield Scott, desde Veracruz hasta Puebla y la Ciudad de México, donde instaló un estudio en sociedad con Antonio L. Cosmes de Cosío. Permanece en el país hasta 1848. (Casanova y Debroise; 1989: 60.) F/A.G.N.

LÁZARO BLANCO. Ciudad Juárez, Chihuahua, 1938. De 1958 a 1963 estudió la carrera de Física Experimental en la UNAM. En 1967 realizó estudios de didáctica de la Ciencia en Michigan, EU y montó sus primeras exposiciones fotográficas en el Club Fotográfico de México y Michigan State University, EU. A partir de esas fechas imparte y asiste a numerosos cursos en el área de las ciencias naturales en México y Estados Unidos. En 1977 fundó el Consejo Mexicano de Fotografía. Desde entonces participa en numerosas exposiciones fotográficas y realiza trabajos de museografía. Expone individualmente desde 1967 en México, Estados Unidos e Italia, donde también figura su obra en colecciones públicas. [p. 122]

VICTORIA BLASCO. México, D.F., 1954. Entre 1971 y 1975 realizó estudios técnicos de arquitectura de interiores, diseño y pintura. En 1967 entró al Taller de Fotografía de la Casa del Lago, UNAM. Ha participado en diversas publicaciones como *Hecho en Latinoamérica I y II* (CMF); *7 Portafolios Mexicanos* (UNAM); y *Aspectos de la Fotografía en México* (Federación Editorial Mexicana), entre otras, así como en varios catálogos. Entre sus exposiciones cabe mencionar: I Muestra de la Fotografía Latinoamericana Contemporánea, Museo de Arte Moderno; *Mostra de Fotografía*, FUNARTE, Brasil; *Re-tratos*, Consejo Mexicano de Fotografía; *II Muestra de la Fotografía Latinoamericana Contemporánea*, Palacio de Bellas Artes, sólo por mencionar algunas. En 1980 fue premiada en la I Bienal de Fotografía y en 1984 obtuvo mención honorífica en la III Bienal de Fotografía. En 1985 suspendió su producción fotográfica para dedicarse al estudio de la historia de la fotografía, así como a la conservación de la misma. Ha colaborado en instituciones como el Museo J. Paul Getty, Los Angeles; el Centro Cultural de Arte Contemporáneo, México, y el Museo de Arte Moderno, Nueva York. [p. 123]

ADRIÁN BODEK. México, D.F., 1953. En 1973 estudió fotografía creativa con Harold Feinstein en Nueva York, EU. Entre 1974 y 1975 estudió en el Centro Universitario de Estudios Cinematográficos de la UNAM. También ha recibido e impartido varios cursos en el Consejo Mexicano de Fotografía. De 1981 a 2000 realizó veinte exposiciones individuales en la República Mexicana y Canadá. De modo colectivo, se ha presentado en México, Colombia, Taiwán, Canadá y Francia. Su obra figura en colecciones públicas de México, Alemania, Brasil y Canadá, así como en publicaciones principalmente en la República Mexicana. [p. 124]

JAIME BOITES. México, D.F., 1964. Estudió la licenciatura en Ciencias de la Comunicación en la UNAM. Asistió a numerosos cursos de especialización fotográfica en el Centro de la Imagen. Ha presentado exposiciones individuales en el Hipódromo de las Américas (dentro de Fotoseptiembre) y en las estaciones del metro Pino Suárez, Zapata y Guerrero. Ha figurado en seis colectivas en la Ciudad de México. Ha recibido distinciones en la Segunda Bienal de Fotoperiodismo Mexicano y en el Concurso Iberoamericano de Fotografía en La Habana, Cuba. Ha colaborado con las Agencias AP, Reuters, PAL y Graph Press, y publicado sus fotografías en medios como *La Jornada*, *Reforma*, *Milenio* y *Etcétera*. [p. 125]

IÑAKI BONILLAS. México, D.F., 1981. Estudió en la Escuela de Fotografía Nacho López. A los trece años asistió el taller de escenografías Máquina 501. De 1995 a 1997 fue asistente en el estudio fotográfico de Carlos Somonte. En 1998 participó en el Festival Fotoseptiembre con la muestra *Dos obras sonoras* en Tower Records, México, D.F. En 1999 formó parte del Salón de Invitados de Guillermo Santamarina en la Novena Bienal Internacional de Fotografía en el Centro de la Imagen. Ha participado en numerosas exposiciones, entre las que sobresalen *Foto apertura*, *La BF.15*, Monterrey, México; *Made in México Made in Venezuela*, Art Metropole, Toronto, Canadá; *Punto Ciego Art and Idea*, México; *Segundo Festival Internacional de Arte Sonoro*, Acceso A, México D.F.; *Antes y Después de Kraftwerk*, Ex Teresa Arte Actual, México, D.F.; *CTRL + C/CTRL + V*, Museo de Arte Contemporáneo Carrillo Gil, México, D.F.

ENRIQUE BORDES MANGEL. Ciudad de México, 1922. Estudia en la Academia de San Carlos con los maestros Manuel y Dolores Álvarez Bravo y con el fotógrafo venezolano Ricardo Razetti. Se especializó en fotografía comercial e industrial en Nueva York. Publica sus reportajes y fotografías en revistas y periódicos, entre ellos *Mañana* y *Excélsior*. También ha trabajado para instituciones gubernamentales como la Secretaría de Bienes Nacionales (1953-1958) o el Instituto de Restauración de Bellas Artes (1955). Ha publicado sus fotografías en libros como *Haciendas de México*, *Las más bellas plazas del mundo*, *Canto a la tierra* y *El poder de la imagen, la imagen del poder*. Ha participado en un sinnúmero de exposiciones individuales y colectivas en México y el extranjero. Entre los premios que ha obtenido destacan el Nacional de Periodismo Agustín Víctor Casasola (1958-1959) y el internacional Novosti Interpress Photo de 1966. [p. 126]

ENRIQUE BOSTELMANN. Guadalajara, Jalisco, 1939. En 1958 recibió una beca de tres años para estudiar fotografía en Munich, Alemania. En 1960 comenzó a trabajar como fotógrafo profesional. Ha sido miembro del Consejo Mexicano de Fotografía, así como jurado en diversos certámenes fotográficos de México, EU y Cuba. Entre sus numerosas exposiciones individuales destacan las realizadas recientemente en el Art Institute of Dallas, Texas, EU (1997), en el Centro Cultural de Tijuana (1996) y en la Ciudad de Lotz, Polonia (1994). Su obra se encuentra en colecciones públicas de París, Francia, Albuquerque, Chicago y Arizona, EU, y México, D.F., así como en varias colecciones privadas y publicaciones en México y el extranjero. [p. 127]

EDOUARD BOUBAT. Francia, 1923. Comenzó a trabajar como impresor de fotograbado en París, estableciéndose hasta 1945. En 1946 tomó sus primeras imágenes y en esa misma ciudad fue fotógrafo de la revista *Réalités* por poco más de quince años. Después viajó extensamente por el mundo trabajando como fotógrafo independiente. Entre los premios obtenidos por su obra cabe mencionar: Kodak Prize, 1947; Grand Prix National de la Photographie, París, 1984 y el Hasselblad Foundation Prize en 1988. Visitó México en 1978 y 1980 como parte de sus giras fotográficas por el mundo. (Naggar y Ritchin, 1996, 292.)

KATYA BRAILOVSKY. Realizó estudios de Filosofía y Letras en el Sarah Lawrence College de Nueva York, EU (1986-1990). Asimismo, en 1988 obtuvo un diploma en Filología Hispánica de la Universidad de Salamanca, España. Entre 1992 y 1994 realizó el diplomado en Fotografía Periodística y Documental del International Center of Photography de Nueva York, EU. Ha trabajado para Notimex, Magnum y el Centro de la Imagen. Realizó una exposición individual en la Galería del Aire del Aeropuerto de México, D.F., en 1996. Ganadora del Premio Estímulo a la Creación Artística en la Novena Bienal Internacional de Fotografía en 1999. [p. 128]

ARNO BREHME. México, D. F., 1914-1990. Es hijo del célebre fotógrafo Hugo Brehme, quien desde muy joven lo envió a estudiar a Munich, Alemania. Sus primeros trabajos fotográficos en color fueron publicados en México en el boletín *Agfa* en 1934. A su regreso a México se dedicó de lleno a la fotografía al lado de su padre. Sus trabajos sobre el Paricutín (fotografiado por Brehme entre 1943 y 1947) fueron publicados en la revista alemana *Atlantis*, la que le dedicó un extenso espacio en su número de septiembre de 1948. Uno de sus más notables logros fue su exposición *El arte fotográfico de Arno Brehme*, en el Palacio de Bellas Artes en julio de 1963, en donde mostró sus trabajos experimentales, que se adelantaron a las vanguardias de finales del siglo XX. F/J.A.R. [p. 129].

HUGO BREHME. Eisenach, Alemania, 1882-México, D.F., 1954. Comenzó sus estudios fotográficos cerca de Weimar, en 1898. Dos años más tarde participó en la expedición fotográfica de George Wegner en África. En 1908 se estableció en México, D.F., donde realizó significativas fotografías durante la Revolución Mexicana. Desde entonces, basado en sus estudios del Centro de la Imagen, realizó y publicó fotografías sobre México en revistas e importantes libros de geografía, antropología, viajes y fotografía. Su carrera retratando aspectos del país es ampliamente reconocida en todo el mundo. En 1923 sus fotografías fueron publicadas en el libro titulado *México pintoresco*. Entre otros galardones, en 1929 obtuvo, junto con Tina Modotti, Manuel Álvarez Bravo y Pedro Guerra, el premio en la Exposición Iberoamericana de Sevilla. (Naggar y Ritchin, 1996, 292.) [p. 130]

A. BRIQUET. Fotógrafo viajero activo alrededor de 1896-1900. F/J.C.M. [p. 131].

REVA BROOKS. Toronto, Canadá, 1913. Fotógrafa documental que llegó a México en 1947, se interesaba en capturar a la sociedad mexicana, a niños y a mujeres. Su obra ha sido expuesta en Anglo Mexican Institute, México; Witte Museum, San Antonio, Texas; Family of Man Museum of Modern Art, Nueva York; Dartmouth College, Hanover; New Bibliotheque Nationale, París, 1961; Grands Photographes de Notre Temps, Versalles, 1962; Expo Montreal 1967. Ha publicado en *Aperture, U.S*; *Camera Annual, Canadian Art Modern Photography*, *Family of Man*, *Réalités Point du Vu*, *Dárt & Image*, *Mexico by Kate Simon*.

ANTON BRUEHL. Australia, 1900. Realizó estudios de ingeniería eléctrica y durante la primera etapa de su vida profesional se dedicó a esta disciplina. En 1919 emigró a Estados Unidos y comenzó a interesarse en la fotografía para dedicarse de lleno a esta actividad a partir de 1925, después de realizar estudios en la Clarence H. White School of Photography. En estas fechas publicó constantemente en las revistas *Vogue*, *House and Garden* y *Vanity Fair*. En 1933 viajó a México, donde realizó una serie de fotografías sobre el pueblo y el paisaje mexicano, trabajo que posteriormente formaría parte de su libro *Photographs of Mexico*. (Naggar y Ritchin, 1996, 293.) [p. 132]

STEFAN BRÜGGEMANN. México, D.F., 1975. Desde 1994 ha participado en numerosas exposiciones tanto individuales como colectivas en México y en el extranjero, entre las que sobresalen *I have to find before my eyes do*, Stefan Haupt Gallery, Berlín Alemania, 1994; *Tercera Bienal Monterrey*, México 1996; *Specific Contextual Actions*, Galería Cruce, Madrid, España, 1997; *Documentos Art Deposit*, Expoarte, Guadalajara, México, 1997; *Parking Lot*, Museo de Arte Contemporáneo Carrillo Gil, México, D.F., 1998; *Opening Museum of Installation*, Londres, Inglaterra, 1998; *Myself and my Surroundings*, Museum of Fine Arts, Montreal, Canadá, 1999; *Segundo Festival de Arte Sonoro*, Ex Teresa Arte Actual, México, 2000; *Demostration Room, Cada Ideal*, Museo Alejandro Otero, Caracas, Venezuela, 2000. [p. 133]

EL BUEN TONO. Existen veinte imágenes bajo esta firma en el Archivo General de la Nación. Se encuentran fotos realizadas para la propaganda de la famosa empresa cigarrera con eslogan y artistas de la época como Alicia Ortiz, Estela Montellano, Celia Montalván, Catalina Barrena, Nenette Noriega, Lupe Vélez, Enrique Torrel, Issa Marcué, Celia Padilla, María Teresa Montoya, Emma Duval, María Caballé, Teté Tapia, Héléne, Marcué y Delia Magaña, realizadas alrededor del año 1920. F.A.G.N. [p. 134]

BURGESS. Alctivo alrededor de 1870. F/J.C.M. [p. 135]

DANTE BUSQUETS. México, D.F. 1969. Entre 1989 y 1990 realiza estudios en la Escuela Activa de Fotografía de México. En 1992 obtiene el Bachelor of Fine Arts in Photography del San Francisco Art Institute, EU. Ha realizado varios cursos de fotografía y fotoperiodismo. Desde 1993 trabaja como corresponsal para la agencia fotográfica internacional Liaison Agency Inc. Ha montado dos exposiciones individuales en la Ciudad de México y participado en más de quince colectivas en la República Mexicana y Estados Unidos. Su obra ha sido publicada en *National Geographic*, *L.A Weekly*, *The Houston Chronicler*. Asimismo ha colaborado en diarios y revistas nacionales como *Milenio* y *Proceso*. [p. 136]

FRANCISCO BUSTAMANTE. Su estudio se llamó Fotografía Americana, ubicado en la Calle de la Independencia núm. 2, Antigua de la Carnicería, Puebla, en el que estuvo activo alrededor de 1895. F/J.C.M. [p. 137]

JOSÉ ANTONIO BUSTAMANTE. México, D.F., 1893. Trabajando en Aguascalientes conoció a un grupo de fotógrafos ambulantes con los que se inició en la actividad fotográfica. Empezó retratando soldados, más tarde enferma y guarda cama por un mes, lo que le hizo perder el trabajo realizado. Sin embargo, continuó laborando con la cámara como medio de subsistencia, viajando entre Torreón, San Luis Potosí y Zacatecas, durante diez años. En 1928 decidió quedarse a vivir en Fresnillo, donde conoció a su esposa. En esta ciudad fundó El Gran Lente, tienda de material y estudio fotográfico. [p. 138]

BUSTAMANTE L. Y CÍA. Existen ochenta y tres imágenes de este fotógrafo en el Archivo General de la Nación y en su obra se encuentran vistas panorámicas; viviendas, vías y calzadas; avenidas y calles; jardines, parques y plazas de la ciudad de Zacatecas. Su obra fue realizada en el año 1908. F/A.G.N. [p. 139]

E. ANTONIO CABALLERO RODRÍGUEZ. México, D.F., 1940. Ha realizado estudios de fotografía periodística, cinematográfica, publicitaria y científica. Tiene una amplia experiencia profesional y ha publicado en revistas de moda y espectáculos. Pertenece a diversas asociaciones de periodistas y fotógrafos. Autor de la célebre fotografía de la actriz Marilyn Monroe en su conferencia de prensa en el Hotel Continental Hilton de la Ciudad de México en 1962. [p. 140]

ADRIANA CALATAYUD. México, D.F., 1967. Es licenciada en Comunicación Gráfica por la Escuela Nacional de Artes Plásticas de la UNAM. Además, entre 1995 y 1996, estudió gráfica digital, instalación interactiva y arte robótica en el Centro Multimedia del CNA. Cuenta con una exposición individual titulada *Animal*, en el metro Tacuba de la Ciudad de México. En 1995-1996 expuso dentro de la Séptima Bienal de Fotografía en México, Oaxaca, Guadalajara y Monterrey. Cuenta además con una docena de exposiciones colectivas en México, China y Polonia. [p. 141]

SYLVIA CALATAYUD. 1966. Obtuvo en 1987 la licenciatura en Diseño de la Comunicación por la UAM Azcapotzalco. Estudió en la Escuela Activa de Fotografía de 1983 a 1985. Durante los noventa, recibió varios cursos de impresión, fotorreportaje y análisis de la imagen. Ha participado en diez exposiciones colectivas en la República Mexicana y recientemente en la Expo-Hannover 2000. Sus fotografías han aparecido en las revistas *Mira*, *Macrópolis*, *Proceso*, *Viceversa*, *Expansión*, *Hojarasca*, *Newsweek*, etc. Del mismo modo ha publicado en periódicos tales como *LA Times*, *New York Times*, *El País* y algunos libros de fotoperiodismo en México. En 1995 recibió la Beca para Jóvenes Creadores del FONCA. Además obtuvo galardones en la Primera Bienal de Fotoperiodismo y el Concurso Nacional de Fotografía Ecológica en 1992. [p. 142]

CALDERÓN Y CÍA. Activo en Santo Domingo núm. 2, en la Ciudad de México, alrededor de 1880. F/J.C.M. [p. 143]

M. CALDERÓN. Activo en Puebla, alrededor de 1920. F/J.C.M. [p. 144]

MIGUEL CALDERÓN. México D. F., 1971. Cuenta con estudios de pintura, serigrafía, escultura y fotografía en Cambridge y Baltimore, EU. Asimismo, estudió en la Temple University y en La Sapienza Universidad de Roma. En 1994 obtuvo un BFA en el San Francisco Institute, con especialización en Cine y Video Experimental. Actualmente forma parte del comité directivo del espacio de artistas La Panadería, en la Ciudad de México, donde también ha expuesto su trabajo. Cuenta con más de una docena de videos y películas de media duración. Entre sus exposiciones colectivas destaca *Así está la cosa*, en el Centro Cultural Arte Contemporáneo, 1997. Se ha escrito sobre su trabajo extensamente en la revista *Poliéster*. Ha expuesto en dos ocasiones de modo individual en la Andrea Rossen Gallery de Nueva York, EU. [p. 145]

MICHAEL CALDERWOOD. Guilford, Reino Unido, 1952. Se graduó como historiador en la Universidad de Cambridge y emprendió un viaje a Latinoamérica en 1973. Su primera parada fue México, donde ha permanecido durante 26 años. Fotógrafo profesional y autor de numerosos libros ilustrados sobre México, tales como *México visto desde las alturas*, *La gran Ciudad de México*, *Tierra fértil*, *Tequila, tradición y destino* y *Mosaico mexicano*. [p. 146]

HARRY CALLAHAN. Estados Unidos, 1912. Ingeniero de profesión, comenzó a interesarse en la fotografía en 1938. Sin estudios formales en la materia, en 1946 fue profesor de fotografía del Instituto de Tecnología de Illinois y director del departamento de esa misma profesión en la Escuela de Diseño de Rhode Island. Cuenta con un gran número de premios y reconocimientos. Dentro de sus publicaciones destacan *The Multiple Image: Photographs by Harry Callahan* (1961); *Harry Callahan: 1941-1980* (1980); *Harry Callahan: New Color Photographs 1978-1987* (1990). (Naggar y Ritchin, 1996, 293.)

LORENA CAMPBELL. México D.F., 1964. Es licenciada en Comunicación por la Universidad Iberoamericana. En 1987 obtuvo un diploma en Fotografía de la misma universidad y en 1994 uno en fotorreportaje y documental del International Center of Photography de Nueva York, EU. En el área académica, ha trabajado en las Universidades Latinoamericana y Anáhuac del Sur, de la Ciudad de México. En 1993 obtuvo la Beca de Jóvenes Creadores del FONCA. Ha publicado su trabajo en las revistas *Sacbé*, *Lápiz* (España) y *Luna Córnea*, entre otras. [p. 147]

CAMPOS Y TORRE. Activo alrededor de 1900-1910. F/J.C.M. [p. 148]

LAURA CANO. Estudió en la Escuela Nacional de Maestros (1981-1985) y en la ENEP Iztacala (1986). Además tomó talleres de fotografía, fotorreportaje y análisis de mensajes en el Consejo Mexicano de Fotografía, en el International Center of Photography y en el Instituto Latinoamericano de Comunicación Educativa, respectivamente. Ha publicado sus fotografías en *The New York Times*, *Time Magazine*, *LA Times*, *Siempre*, *Activa*, *La Jornada*, etc. Recibió preseas en el Concurso de Fotografía Antropológica en los años 1987, 1988 y 1994. Asimismo, mereció la Beca de Jóvenes Creadores del FONCA en 1994. Cuenta con exposiciones individuales en Colgate University de Hamilton, Nueva York, EU (1992), en la Escuela Nacional de Maestros (1986) y en el Papalote Museo del Niño. Ha participado en una docena de exposiciones colectivas en México y Estados Unidos. [p. 149]

ENRIQUE CANTÚ. México D.F. 1963. Recibió cursos de pintura en la Casa del Lago, México, D.F., en 1976. Entre 1984 y 1989 estudió fotografía y diseño en el Colegio Americano de Fotografía y en la Escuela de Diseño del INBA, respectivamente. En 1989 obtuvo la Beca de Jóvenes Creadores del FONCA. Ha sido miembro fundador de diversos colectivos artísticos, tales como: Salon des Aztecas, Renacimiento Tenochtitlán, Grupo Neoestridentista Mexicano y Vulcano, entre otros. Desde 1986 participa en numerosas exposiciones colectivas en la Ciudad de México y en el interior de la República Mexicana, Estados Unidos y Europa. Entre éstas destacan: *21 Millions*, realizada en Londres Inglaterra, Nápoles, Italia y República Checa. [p. 150]

CORNELL CAPA. Hungría, 1918. En 1936 se mudó a París, donde trabajó como impresor fotográfico para su hermano, el afamado fotógrafo Robert Capa. En 1937 emigró a Estados Unidos, donde se naturalizó cambiando su nombre original, Kornel Friedman, al de Cornell Capa. Comenzó a trabajar para la Agencia Pix y la revista *Life* (1937-1941). Durante la Segunda Guerra Mundial trabajó en la Unidad de Inteligencia Fotográfica. A su término, regresó como fotógrafo de *Life*. En 1954, se incorporó a la agencia Magnum, de la que fue su presidente de 1956 a 1959. En 1958 creó la Fundación Robert Capa/David Seymour, y de 1966 a 1974 fue director de la Werner Bishof, Robert Capa y David Seymour Memorial Fund en Nueva York. En 1974, fundó el International Center for Photography, del cual fue director por varios años (Naggar y Ritchin, 1996, 293.) [p. 151]

ROBERT CAPA. Hungría, 1913. Al naturalizarse estadounidense, abandonó el nombre de Andre Friedman. Estudió Ciencia Política en Berlín y comenzó a interesarse en la fotografía en 1930. En 1933 se trasladó a París y trabajó como periodista y fotógrafo independiente. Su carrera como uno de los fotoperiodistas más importante del siglo se forjó siempre muy cerca del peligro. Entre sus trabajos más conocidos se encuentran: *La Guerra Civil Española*, *La invasión japonesa a China*, y sus imágenes de la Segunda Guerra Mundial (como corresponsal de la revista *Life*). En 1940, comisionado por esta misma revista viajó a México para cubrir las elecciones. En 1947 fue cofundador de la agencia Magnum, de la cual fue presidente de 1948 a 1954. Murió trabajando como corresponsal de guerra para *Life* en Indochina (Naggar y Ritchin, 1996, 294.) [p. 152]

J. CARBAJAL. Activo en San Luis Potosí, San Luis Potosí, alrededor de 1920. [p. 153]

LEANDRO CARBO. Activo alrededor de 1870. F/J.C.M. [p. 154]

VÍCTOR ALEJANDRO CARMONA FLORES. Mexicano. De acuerdo con el trabajo histórico de Arturo Berrueto González en su *Diccionario Biográfico de Coahuila* (Consejo Editorial del Gobierno del Estado, Saltillo, 1999), Carmona Flores, quien fue también relojero y comerciante, "nació en Saltillo, el 7 de marzo de 1890. Su afición por la fotografía lo llevó a abrir un negocio de venta de artículos fotográficos, revelado e impresión: Foto Alejandro V. Carmona. Captó fotográficamente paisajes, edificios y calles, material con el que logró la edición de una colección en tamaño miniatura que se conoció como *Álbum Saltillo en el Bolsillo*. Dejó un legado de 315 fotografías de gran contenido histórico y cultural, colección llamada Saltillo Antiguo; su obra puede verse en diferentes lugares y edificios públicos. De 1921 a 1950 fue fotógrafo oficial del Gobierno del Estado". F/F.D.M.

E. CARRASCO. Existen siete imágenes con el tema de la fiesta brava en el Archivo General de la Nación, obra realizada en el año 1912. F/A.G.N.

G. CARRASCO. Existen dos imágenes de retratos de toreros en el Archivo General de la Nación, fechadas en 1913. F/A.G.N.

ALBERTO CARRILLO CEDILLO. Mexicano. De acuerdo con el trabajo histórico de Arturo Berrueto González en su *Diccionario Biográfico de Coahuila* (Consejo Editorial del Gobierno del Estado, Saltillo, 1999), este fotógrafo fue "originario de Saltillo. Precursor de la fotografía comercial, social y política en Coahuila. Participó en la Revolución Mexicana como reportero gráfico y posteriormente estableció su estudio artístico por la calle de Allende, entre Pérez Treviño y Lerdo de Tejada. Falleció en la década de los cuarenta en un accidente aéreo, cuando desempeñaba su trabajo". F/F.D.M.

A. CARRILLO. Existe una imagen de un retrato de Porfirio Díaz en el Archivo General de la Nación, fechada en 1910. F/A.G.N. [p. 155]

EVARISTO G. CARRILLO. Activo en su estudio llamado Fotografía Morelos, en Toluca, México, alrededor de 1905. F/J.C.M. [p. 156]

IVÁN CARRILLO. Estudió la licenciatura en Ciencias de la Comunicación en la Facultad de Ciencias Políticas y Sociales de la UNAM. Concluyó el programa de estudios de la Escuela Activa de Fotografía y cursó talleres en el Centro de Capacitación Kodak, en los Talleres de Coyoacán y en el Centro de la Imagen. Colaboró en el Periódico *Reforma* como coordinador del acervo fotográfico. Durante los últimos años se ha desempeñado como fotógrafo independiente para varias casas editoriales. Ha participado en exposiciones colectivas en la Universidad Iberoamericana, el Hotel Camino Real, los Talleres de Coyoacán y Fotoseptiembre 2000. Ha colaborado en la curaduría de exposiciones fotográficas y como articulista y fotógrafo en diversos libros y revistas. Exhibió en el Pabellón Mexicano de la Feria de Hanoover 2000. [p. 157]

MANUEL CARRILLO. Se inicia como fotógrafo a los 49 años de edad. Realiza su primera exposición en 1958, a partir de la cual continúa exhibiendo hasta sumar más de 300 exposiciones por 22 países. En 1975 se retira por motivos de salud después de treinta años como fotógrafo. Falleció a los 83 años. La Universidad de Texas, en el Paso, adquirió en 1990 parte de su colección, la cual consta de 14 000 fotografías. Entre sus libros se encuentran: *Manuel Carrillo, fotografías de México*, por Juan E. Salinas, 1987, y *Manuel Carrillo, portafolio de 15 fotografías*, Galería Gilbert, Chicago, 1981; algunas de las revistas que publicaron su obra fueron *Fotozoom, Artes Visuales y Fotoguía*. [p. 158]

HENRI CARTIER-BRESSON. Francia, 1908. Estudió pintura y literatura en Francia e Inglaterra. En 1931 comenzó su carrera como fotógrafo. En 1934 residió un año en México en una expedición etnográfica. En 1935 trabajó como fotógrafo independiente y estudió cine con Paul Strand. En 1936 fue asistente de dirección del cineasta Jean Renoir y posteriormente realizó un documental sobre España. En 1940 fue prisionero de guerra en Alemania; escapó en 1943 y trabajó para las unidades fotográficas clandestinas francesas. Sus imágenes sobre la Francia de la posguerra son de los más célebres trabajos de fotoperiodismo del siglo xx. En 1946 fue cofundador de la agencia Magnum. Su muy celebrado trabajo abarcó fotografías de la India, Pakistán, China, Japón, la exUnión Soviética, sudeste de Asia, Cuba y Canadá. En 1960, una vez más, visitó México con fines fotográficos (Naggar y Ritchin, 1996, 294.) [p. 159]

TOMÁS CASADEMUNT. Barcelona, España, 1967. Actualmente es corresponsal en México para la agencia COVER de España y para la IMPAC VISUAL de Nueva York. Ha realizado múltiples fotorreportajes en Centroamérica. Trabaja también como fotógrafo comercial para varias agencias de publicidad mexicanas. Ha montado una docena de exposiciones en España y Estados Unidos. Parte de su obra está en las colecciones del Museum Fine Arts of Houston (Texas, EU) y la Fundación Cullen, Houston (Texas, EU). Autor Fotográfico del libro *Son de Cuba* (Trilce Ediciones, 1999). [p. 160]

CASANOVA. Su estudio se encontraba en la calle 2a. de San Francisco núm. 7, en la Ciudad de México, alrededor de 1885. F/J.C.M. [p. 161]

ANA CASAS. Granada, España, 1965. Vive en México desde 1974. Estudió Artes Visuales en la Escuela Nacional de Artes Plásticas de la UNAM. También cuenta con estudios de Historia en la ENAH y fotografía en la Escuela Activa de Fotografía y en la Casa de las Imágenes. Asistió el Taller de los Lunes fundado por Pedro Meyer. Trabaja como fotógrafa desde 1983. Entre 1989 y 1993 organizó talleres y exposiciones en el Círculo de Bellas Artes de Madrid, España, así como en Viena, Austria. Su obra se ha desarrollado tanto en la fotografía como en el video, cine y escritura. Ha realizado diversas exposiciones individuales en México, España, Austria y Alemania. En junio de 2000 publicó el libro *Álbum*, que contiene un trabajo fotográfico y textual en torno a las vidas de la autora y su abuela. [p. 162]

AGUSTÍN VÍCTOR CASASOLA. México, D.F., 1874-1938. Se inicia en el ambiente periodístico como tipógrafo y redactor. Hacia fines del siglo XIX comienza a tomar fotografías para ilustrar sus notas. Desde los primeros años del siglo XX se dedica de lleno a la fotografía. Es contratado por diarios nacionales como *El Tiempo* y *El Imparcial*. En 1912 funda una agencia de información gráfica que daba servicios a periódicos, revistas y otros medios gubernamentales y particulares. De esta agencia surge el afamado Archivo Casasola. Desde los años veinte dirigió el Departamento Central de Fotografía de la Nación. Desde entonces realizó un destacado trabajo de registro y colección de imágenes fotográficas de la vida social y política de la Ciudad de México. [p. 163]

JUAN CASTAÑEDA RAMÍREZ. Aguascalientes, Aguascalientes, 1942. Estudió en La Esmeralda entre 1964 y 1968, así como en el Centro de Artes Visuales de Aguascalientes de 1979 a 1980. En su labor fotográfica realizó exposiciones individuales en el Centro de Artes Visuales de Aguascalientes, 1983; en el Consejo Mexicano de Fotografía, 1985; en la Galería de la Ciudad, Aguascalientes, 1989; y en el Museo-Casa Diego Rivera, de Guanajuato, 1991. Desde 1980 ha participado en varias bienales fotográficas nacionales. En 1980 recibió el premio de la Primera Bienal de Fotografía. Además cuenta con más de cien exposiciones colectivas, veinticinco individuales y quince reconocimientos en dibujo, pintura y escultura. [p. 164]

ULISES CASTELLANOS. México, D.F., 1968. Egresado de la Carrera de Ciencias de la Comunicación de la UNAM. Estudió fotografía en la Casa de las Imágenes y en la Escuela Activa de Fotografía. Actualmente es coordinador de fotografía de las revistas *Proceso* y *SUR Proceso*. Cuenta con quince exposiciones individuales y treinta y cinco colectivas en México y el extranjero. Entre sus becas y distinciones cabe señalar las menciones honoríficas en la Bienal de Fotoperiodismo de México (1994) y su inclusión en el libro del Premio de Fotoperiodismo de Berlín, Alemania, en 1999. Con su cámara ha cubierto numerosos acontecimientos, como la entrega del Nobel a Nelson Mandela, la visita del papa Juan Pablo II a Cuba y el levantamiento del EZLN en Chiapas, y ha realizado reportajes documentales en Marruecos y Sarajevo, estos últimos en 1988. [p. 165]

GUMENSINDO CASTILLA. Mexicano. Fotógrafo de estudio. Activo en Saltillo, Coahuila, a fines del siglo XIX. Se sabe de su existencia por un anuncio en el *Anuario coahuilense* de 1866 de Esteban L. Portillo: "Fotografía de Gumensindo Castilla, 2a. calle de Santiago No. 23. Especialidad en retratos de todas clases a precios equitativos, en este gabinete se encontrará un variado surtido de vistas de los principales edificios de la capital y se tomarán las que deseen los interesados; contando para todos los trabajos fotográficos con aparatos de los mejores autores y sustancias de primera calidad/ Saltillo, Coahuila, México". F/F.D.M.

GUILLERMO CASTREJÓN. México, D.F., 1952. Estudia Arquitectura en la UNAM, posteriormente realiza estudios fotográficos de 1980 a 1984. Desde 1984 colabora en diversos medios como la revista *Fotozoom*; los periódicos *La Jornada* y *unomásuno*; agencias France Press, Reuter, MexNews y Notimex. En 1996 obtuvo la Beca de Coinversión del Fondo Nacional para la Cultura y las Artes. Ha participado en numerosas exposiciones colectivas desde 1981, algunas de las cuales son: *Exposición de ganadores del XV Concurso Nacional para Estudiantes de Artes Plásticas*, Palacio de Bellas Artes, 1981; MOFI (*Movimiento Fotográfico Independiente*), Facultad de Arquitectura en 1984, y *México, D.F.*, Instituto Voor Tropen, en Holanda, 1991. [p. 166]

JESÚS CASTRO TORRES. Activo alrededor de 1900. F/J.C.M. [p. 167]

ENRIQUE A. CERVANTES. Activo alrededor de 1928-1945. Publicó diversas monografías de arte mexicano e historia y nueve álbumes de ciudades coloniales con fotografías originales. Varios de ellos se conservan en la Fototeca Antica. F/J.C.M. [p. 168]

F. CERVANTES. Activo en la calle de Palma núm. 3, en la Ciudad de México, D.F., alrededor de 1866. F/J.C.M. [p. 169]

MÓNICA CERVANTES. México, D.F., desde 1989 se dedica al estudio y realización de la fotografía. Cuenta con nueve exposiciones individuales en México, entre las que destacan *Renacer*, Museo Universitario del Chopo, 1998, y *Cuerpos Distantes*, Galería de Rectoría de la Universidad Autónoma Metropolitana, Xochimilco. Ha presentado más de veinte exposiciones colectivas en el país. Desde 1993 imparte cursos de fotografía en diversos centros de enseñanza e instituciones culturales mexicanas. [p. 170]

CÍA. CERVECERA DE TOLUCA. Existen once imágenes bajo esta firma en el Archivo General de la Nación, en cuya obra se encuentran fotos realizadas para la propaganda de esta compañía. En el ángulo inferior derecho está escrito Pablo Viau, probablemente autor o editor; todas las obras están fechadas en 1909. F/A.G.N. [p. 171]

CÍCERO Y PÉREZ. Existen cinco imágenes de ríos, monumentos, avenidas, calles, comunicaciones y transportes del estado de Campeche en el Archivo General de la Nación, fechadas en 1910. F/A.G.N. [p. 172]

CARLOS CISNEROS. México, D.F., 1953. Ha sido profesor en el Instituto Nacional de Bellas Artes, en el Instituto Politécnico Nacional y en la Universidad Iberoamericana. Fotógrafo del periódico *La Jornada* desde 1991, ha recibido menciones honoríficas en la Primera y Tercera Bienal de Fotoperiodismo del INBA. Ha participado en diversas exposiciones individuales y colectivas. Ha publicado sus imágenes en los libros *Sublevación en Chiapas*, e *Imágenes de La Jornada*. [p. 173]

CLARKE. Activo en la calle 3a. de San Diego núm. 6, en la Ciudad de México, alrededor de 1905. F/J.C.M. [p. 174]

CLARKE, F.L. Activo en México, D.F., alrededor de 1913. [p. 175]

JORGE CLARO LEÓN. 1958. En 1993 ganó el tercer lugar y mención honorífica en el concurso 150 Años, 150 Fotos, durante la Semana Santa de Iztapalapa. En ese mismo año obtiene el primer lugar en el Concurso XIII de Fotografía Antropológica: La Vida Cotidiana en las Poblaciones Indígenas, con el ensayo *Los habitantes de Balsas*. En 1994 recibió la mención honorífica en la Primera Bienal de Fotoperiodismo. [p. 176]

LAURA COHEN. México D.F., 1956. Estudió Diseño Industrial y Fotografía en el Illinois Institute of Technology, EU, Diseño Gráfico en la Universidad Autónoma Metropolitana, Xochimilco, y la licenciatura en Fotografía en el Rhode Island School of Design, EU. En 1985, 1987 y 1992 realizó exposiciones individuales en la Galería OMR de la Ciudad de México. Desde 1979 expone en bienales y muestras fotográficas colectivas en México, Estados Unidos y Europa. Ha publicado extensamente en medios privados e institucionales de México y Estados Unidos. Su obra figura en colecciones públicas de Leigh University, Pennsylvania; Fine Arts Museum, Houston, Texas, EU; Alemania, y varias instituciones mexicanas, así como colecciones privadas en México y los Estados Unidos. [p. 177]

CARLOS CONTRERAS DE OTEYZA. México, D.F., 1951. De 1968 a la fecha ha realizado trabajos de cinematografía, fotografía comercial, dirección editorial de fotografía y portadas en diversas empresas editoriales. En 1982 y 1984 obtiene menciones honoríficas en las bienales de fotografía del INBA, así como en la de Fotografía Antropológica en 1989. Cuenta con varias decenas de exposiciones colectivas en México, Colombia, Cuba, Italia y Estados Unidos. Sus exposiciones individuales *Viva México* se han mostrado recientemente en diversos consulados mexicanos en los Estados Unidos. Sus obras figuran en las colecciones públicas del Riverside Museum de California y el Museum of Modern Art de Houston, Texas, EU, además de colecciones particulares. [p. 178]

CONTRERAS M. Y CÍA. Activo en la calle de Puente del Espíritu Santo 10, en la Ciudad de México, alrededor de 1867. F/J.C.M. [p. 179]

EGMONT CONTRERAS. México, D.F., 1975. Estudió Artes Visuales en la Escuela Nacional de Artes Plásticas de la UNAM. En esta Escuela expuso de manera individual la muestra *Avistamientos de la era espacial*, en 1998. Cuenta con otra exposición individual en la Casa de Cultura de Magdalena Contreras, de 1996. Ha participado en varias bienales fotográficas y exposiciones colectivas en México. Sus fotografías se han publicado en *Fotofórum*, *Luna Córnea*, *Reflex* y *Viceversa*. [p. 180]

VICENTE CONTRERAS. Activo en la Ciudad de Guanajuato entre los años de 1872 a 1892. F/J.C.M. [p. 181]

FERNANDO CORDERO. México, 1958. Es egresado de Cinematografía en el Centro de Capacitación Cinematográfica y cuenta con especialización en fotografía de arquitectura. En este rubro, ha trabajado para prestigiados estudios de México y el extranjero, y ha publicado en las principales revistas de arquitectura, dentro y fuera del país. Del mismo modo, realiza fotografía publicitaria para folletos y campañas. Ha publicado su trabajo en las más importantes revistas de arquitectura tanto nacionales como internacionales. [p. 182]

ADRIEN CORDIGLIA. Activo en la esquina de la 1a. calle de Plateros, entrada por Alcaicería núm. 1, en la Ciudad de México, alrededor de 1866. F/J.C.M. [p. 183]

CORRAL Y BARROSO. Activo en Alcaicería núm. 17, en la Ciudad de México, alrededor de 1880. F/J.C.M. [p. 184]

VICENTE CORTÉS SOTELO. Ciudad Juárez 1892-1966. Participó en la Revolución Mexicana y debido a que desde temprana edad se interesó en la fotografía, combinó su actividad como piloto aviador en la frontera con Estados Unidos con la de fotógrafo aéreo. Diseñó una cámara especial para tomas desde las alturas, dejando un amplio acervo de imágenes que dan cuenta de la evolución de la aviación en nuestro país, en el que se incluyen algunas de carácter histórico. Así lo evidencian sus numerosas fotografías de los escuadrones de tránsito, de las primeras patrullas y señalamientos viales. Fue autor del reglamento de tránsito llamado *Guía Cortés*. F/A.C.M [p. 185]

ANTONIO L. COSMES DE COSÍO. Daguerrotipista mexicano. Viajó a Estados Unidos donde estudió daguerrotipia y después se instaló en San José del Real núm. 5, en la Ciudad de México, en 1849. Socio de Chas S. Betts en 1847-1848. (Casanova y Debroise; 1989: 55.)

ROSA COVARRUBIAS. Los Angeles, California, 1895-México, 1970. Tuvo una exitosa carrera dancística en Estados Unidos hasta la edad de 35 años. Se casó con el artista Miguel Covarrubias con quien viajó por varios países. Su interés por la fotografía germinó en Bali, uno de los destinos que visitó con su esposo, sobre el cual publicó más tarde un libro con 112 imágenes. Posteriormente, se establecieron en México, donde cultivaron su carrera fotográfica y la amistad con las altas esferas del arte en aquellos días. [p. 186]

CHRISTA COWRIE. Hamburgo, Alemania, 1949. Radica en México desde 1963. Estudió fotografía con Lázaro Blanco e inició sus actividades como fotógrafa profesional para el diario *Excélsior* en 1975. Durante doce años realizó reportaje social y político en todo el país y el extranjero. Desde 1995 trabaja en la sección cultural del suplemento *Sábado*. Es especialista en fotografía de artes escénicas. Ha participado en más de sesenta exposiciones colectivas e individuales en lugares como el Palacio de Bellas Artes, Museo de Arte Moderno, Museo Carrillo Gil y Centro de la Imagen. En el extranjero, ha expuesto en Estados Unidos, Cuba, Canadá, Venezuela, Brasil, Italia, Francia y Alemania. En este último país ha expuesto siete veces de modo individual. Su trabajo ha sido publicado extensamente en libros en México y el extranjero. [p. 187]

P.S. COX. Existen en el Archivo General de la Nación treinta y tres imágenes de iglesias, vistas panorámicas postales, jardines, parques, plazas, avenidas, calles, actividades cotidianas, caminos, vías, niños y oficios en Colima, Amecameca, Estado de México y la Ciudad de México, además de cinco imágenes de las Grutas de Cacahuamilpa, Guerrero. Este trabajo está fechado entre 1904 y 1908. F/A.G.N. [p. 188]

ARMANDO CRISTETO. México, 1957. Ha alternado su labor de creador con las de promotor, curador y organizador de eventos fotográficos. Formó parte del proyecto Fotografía en la Calle y del grupo interdisciplinario Peyote y la Compañía. Desde 1981 forma parte del Consejo Mexicano de Fotografía. En el extranjero ha expuesto en Australia y La Habana, y en México, en el Museo de Arte Contemporáneo Carrillo Gil, en el Palacio de Bellas Artes, en la Galería del Auditorio Nacional, en la Biblioteca México y cada año, desde 1986, en el Museo Universitario del Chopo, en la muestra que organiza el Círculo Cultural Gay. [p. 189]

JOSÉ ANTONIO CROCKER. Activo en San Cristóbal de las Casas, alrededor de 1880-1890. F/A.F.C.S.C. [p. 190]

CRUCES Y CAMPA. Entre los años de 1862 y 1877, Antioco Cruces y Luis Campa retrataron a las elites mexicanas, así como a los pobres. Acompañaban a los individuos retratados con utilería que describía su identidad social. Más allá de estos objetos escénicos, la identidad individual del retratado fue un asunto que manejaron siempre dignamente y con visión. Aunque, por un lado, la alta sociedad era plenamente consciente de lo que significaba ser retratado y para ello posaban, por el otro, los pobres no tenían plena conciencia de por qué se les hacía pararse inmóviles en dichos escenarios. A estos retratos se les llamó "tipos mexicanos". Para el manejo de estas situaciones y la construcción de las imágenes, los creadores de este pionero estudio fotográfico desarrollaron una eficaz e influyente fórmula. Antioco Cruces formó una sociedad fotográfica con Luis Campa, que inició en 1862 y se prolongó alrededor de quince años; fundó uno de los gabinetes más famosos de fotografía de la Ciudad de México donde se hicieron retratar los más notables personajes de su época, como figuras de la corte de Maximiliano, la alta jerarquía eclesiástica del país y los miembros del gabinete de Porfirio Díaz. Posteriormente Cruces se trasladaría a París para estudiar y practicar la fotografía. Uno de los mayores reconocimientos lo obtuvo en la exposición Internacional de Filadelfia, a la que asistió José María Velasco, entre otros artistas. En 1882 participó en la *Exposición Continental*, que tuvo lugar en Buenos Aires y en la *Exposición de Escritores y Artistas*, celebrada en Madrid en 1885. A principios de siglo una revista especializada lo reconocería como el decano de los fotógrafos metropolitanos (Massé, 1988.) [p. 191]

MARCO ANTONIO CRUZ. Puebla, Puebla. 1957. En 1978 se inició como fotógrafo de prensa en la agencia Fotopress. Desde entonces se ha dedicado al fotoperiodismo. Actualmente es director general de la agencia Imagenlatina. Ha publicado en los principales diarios del país y algunos medios periodísticos de Estados Unidos, Francia, Inglaterra y Alemania. Ha participado en exposiciones colectivas en México y en la itinerante *Between Worlds. Contemporary Mexican Photography*, que viajó por varios países en 1992. De sus exposiciones individuales recientes, cabe mencionar las realizadas en el metro Pantitlán y Centro Médico, dentro del marco de Fotoseptiembre 1993. Entre los premios obtenidos destacan la mención honorífica en la V Bienal de Fotografía del Centro de la Imagen, y el primer lugar en el IV Concurso Nacional de Fotografía Antropológica. [p. 192]

JOSÉ CRUZ SALAZAR. Mexicano. Fotógrafo de exteriores. Activo en Coahuila, entre 1912-1914. Se desconocen fechas y lugares de nacimiento y muerte. Fotografió una parte de la campaña militar de la Revolución Constitucionalista, firmando sus imágenes como José C. Salazar. Según testimonio del general Manuel W. González en su libro *Con Carranza. Episodios de la Revolución Constitucionalista 1913-1914* (INHERM-Gobierno del Estado de Puebla, México, 1985, edición facsimilar), Salazar aparece identificado como fotógrafo con el grado de teniente, entre un grupo de militares constitucionalistas en una imagen tomada en mayo de 1913 en Monclova, Coahuila. F/F.D.M.

J. T. CUÉLLAR. Activo alrededor de 1870. [p. 193]

ROGELIO CUÉLLAR. México, D.F., 1950. Trabaja extensamente en el ramo del fotoperiodismo en publicaciones tales como *La Jornada* y *Proceso* y fotografiando artes escénicas en diversos lugares. Entre otras actividades profesionales destacan la realización de cortos y documentales, la docencia y la asesoría en comités y jurados fotográficos. Ha sido merecedor de premios y distinciones como el primer lugar en la Bienal de Fotografía de 1980. Además, obtuvo la Beca del Sistema Nacional de Creadores del CONACULTA en los periodos de 1993-1996 y 1997-2000. Desde 1970 ha participado en más de noventa exposiciones individuales y colectivas en Argentina, Alemania, Bélgica, Colombia, Cuba, Brasil, Ecuador, Estados Unidos, Israel, Italia, Inglaterra, México, Polonia, Portugal, Suiza y Yugoslavia. [p. 194]

J. CUETO. Activo alrededor de 1920. [p. 195]

MINERVA CUEVAS. México, D.F., 1975. De 1993 a 1997 estudió la licenciatura en Artes Visuales en la Escuela Nacional de Artes Plásticas de la UNAM. Fue becaria del FONCA en 1996 y acreedora a la residencia en el Banff Center for the Arts de Canadá en 1998. Es creadora del proyecto de arte y activismo social Mejor Vida Corp <www.irational.org/mvc>, el cual opera a la fecha. Entre sus exposiciones individuales destacan: *Mejor Vida Corp*, Sala 7 Museo Rufino Tamayo (2000), *MVC, El Despacho-Torre Latinoamericana* (1999), *Snowball* y *Selfdoor*, ambas en el Banff Center for the Arts (1998). Ha expuesto colectivamente en Lisson Gallery de Londres, Kunstverein de Hamburgo, Galería Kurimanzutto, Royal College of Art y Hayward Gallery de Londres Art in General de Nueva York, etc. [p. 196]

H. CUSTIN. Conocido también como Gustin. Daguerrotipista norteamericano, llegó a México en 1849. Abrió un estudio en Tacuba núm. 2, que vendió a Marcos Vallete en 1851. (Casanova y Debroise; 1989: 55.)

DESIRÉ CHARNAY. Francia, 1828-1915. En 1857 comenzó su largo viaje a Norteamérica y México. En su paso por la República Mexicana, fotografió el terremoto del 15 de diciembre de 1858 y al año siguiente retrató las ruinas mayas en Yucatán. Estas imágenes fueron publicadas en su primer trabajo sobre México en 1862. Después de volver de Estados Unidos, a la caída del gobierno de Maximiliano, Charnay fue forzado a salir de México. Esto lo llevó a recorrer Canadá, América del Sur, Australia y Java. En 1880 regresó a México y recorrió zonas arqueológicas, logrando importantes descubrimientos arqueológicos, cuyos resultados fueron publicados en 1885. Charnay fue condecorado como miembro de la Legión de Honor de Francia. Vivió la mayor parte de su vida en París. (Naggar y Ritchin, 1996, 295). [p. 197]

BLANCA CHAROLET. Chahuites, Oaxaca. 1953. Realizó estudios de fotografía entre 1967 y 1973. Entre sus trabajos en el gobierno federal destacan la Fotografía Oficial del Partido Revolucionario Institucional (1983-1985) y Fotografía Oficial de la Primera Dama (1977-1982). También ha colaborado como fotógrafa en los gobiernos de Puebla y Chiapas y en las editoriales del periódico *Excélsior*, *Revista de Revistas* y publicaciones de modas y espectáculos. Ha trabajado extensamente en el sector privado. Ha presentado casi una veintena de exposiciones individuales y otro tanto de colectivas en la República Mexicana. [p. 198]

HUMBERTO CHÁVEZ MAYOL. Ciudad de México, 1951. Realiza estudios de especialización en Fotografía en el Colegio de Artes de la Universidad de Nihon, Tokio, y en el Departamento de Ingeniería y Ciencias de la Imagen en la Universidad de Chiva, Japón. Ha expuesto en diversas exposiciones individuales y colectivas tanto en México como en el extranjero. En 1994 fue seleccionado en el intercambio de artistas México-Estados Unidos con una residencia en el Bemis Center for Contemporary Ar, Omaha, Nebraska, y en 1999 en el intercambio de artistas México-Canadá, con una residencia en Banff. Actualmente es investigador de Centro Nacional de Investigación, Documentación e Información de Artes Plásticas; coordinador y profesor del taller de fotografía y del seminario de titulación de la ENPEG La Esmeralda. Es autor de textos y artículos en libros y revistas especializadas, así como curador y promotor de la colección fotográfica Encuentros. [p. 199]

L. G. CHÁVEZ. Existen cincuenta y cinco imágenes en el Archivo General de la Nación de las inundaciones en Salamanca, Guanajuato, ocurridas en 1912. F/A.G.N.

GILBERTO CHEN. 1954. Ganador de la VI Bienal de Fotografía del INBA en 1983. Desde 1981 ha participado en decenas de exposiciones colectivas en México y el exterior. De sus diez exposiciones individuales, cabe mencionar las recientes: *Testimonio personal de una curación*, en la Galería de la Universidad de Mérida, Yucatán, y *Los antirretratos*, en la Galería Gráfica Soruco, Oaxaca. Fue miembro del grupo Six Pack de los años sesenta. Asimismo ha participado en proyectos interdisciplinarios combinando la fotografía con el *performance*, la radio y la música. Ha publicado numerosos artículos en periódicos y revistas e ilustrado libros. Del mismo modo, se ha escrito sobre su trabajo en la prensa nacional. Su obra se encuentra en colecciones públicas de México, Suecia y Estados Unidos. [p. 200]

JORGE PABLO DE AGUINACO. México, 1950. Estudió en la Escuela de Pintura y Escultura La Esmeralda (1969-1974). Fue becado por el gobierno belga para estudiar fotografía en L'Ecole Nationale d'Architecture et des Arts Visuels La Cambre en Bruselas, de 1975 a 1977. Cuenta con diversas exposiciones individuales en la Galería de Arte Mexicano, 1980, el Museo Carrillo Gil, 1983, y el Centre Culturel du Mexique en París, Francia, 1994, entre otras. En 1992 recibe la Beca Jóvenes Creadores del FONCA. Su obra ha figurado en numerosas muestras colectivas como *Other images Other realities*, Houston International Fotofes en 1990; *What's New: Mexico City*, en Chicago; *Escenarios rituales*, en la Bienal de Fotografía de Tenerife; *Figures of Construction*, en la Galería Carla Stellweg de Nueva York, todos en 1991, y recientemente participó en el Festival de Fotografía de Aberdeen. [p. 201]

JAVIER DE LA GARZA. Tampico, Tamaulipas, 1954. Pintor autodidacta, estudió Arquitectura en la UANL, Monterrey, y grabado en la ENAP, Distrito Federal, y en el Atelier 17 con S.W. Hayter, París, Francia, entre 1981 y 1982. En 1999 fue becario del Fondo Estatal para la Cultura y las Artes de Morelos, Cuernavaca. Ha presentado su obra de manera individual en el Museo de la Ciudad de México, 1979, en la Galería OMR, 1987, y en la Galería de Arte Mexicano, 2001. De manera colectiva ha participado en numerosas exposiciones entre las que sobresalen: *17 artistas de hoy en México*, Museo Rufino Tamayo, México, D.F., 1985; *Mexico today: A new view*, Diverse Works, Inc. Houston, Texas, 1987; *Pasado y presente del Centro Histórico*, Palacio de Iturbide, México, D.F., 1993. A partir de 1998 ha incorporado la fotografía como herramienta importante de trabajo. [p. 202]

OCTAVIANO DE LA MORA. Guadalajara, Jalisco, 1842. Estableció, con ayuda de su padre, un taller fotográfico en 1865, cuando tenía apenas 23 años de edad. En 1874 emprende un viaje por Estados Unidos y Europa, con el fin de ampliar sus conocimientos de fotografía. A partir de 1890 estableció su galería en la Ciudad de México e instruyó a sus hijos, quienes continuaron la profesión de su padre. F/C.D.S. [p. 203]

IRERI DE LA PEÑA. México, D.F., 1960. Cursó estudios en la Escuela Activa de Fotografía. Asimismo ha participado en múltiples cursos y talleres. Se inició como fotógrafa en 1983. Ha expuesto en veinte muestras colectivas y una individual. Obtuvo la Beca de Jóvenes Creadores; primer lugar en la categoría de Espectáculos y mención honorífica en la categoría de Vida Cotidiana en la Primera Bienal de Fotoperiodismo. Ha publicado en el periódico *La Jornada*; desde 1989 se desempeña como fotógrafa independiente. [p. 204]

JOSÉ MARÍA DE LA TORRE. Activo en la calle 2a. de San Francisco núm. 4, en la Ciudad de México, alrededor de 1870. F/J.C.M. [p. 205]

MILAGROS DE LA TORRE. Lima, Perú. Realizó estudios en el London College of Printing entre 1988 y 1991. Asimismo, ha recibido e impartido cursos fotográficos en Estados Unidos, Perú, España y México. Fue acreedora a la beca de la Rockefeller Foundation en 1995 y, en 1998, ganó los premios Internacional Romeo Martínez y Jóvenes Creadores de Iberoamérica. Su obra figura en colecciones públicas de Estados Unidos, Francia, San Marino, España, México y Argentina. Recientemente ha expuesto de modo individual en la Galería Luis Adelantado de Valencia, España (2000), Galería Ramis Barquet de Monterrey (2000) y Museo Carrillo Gil de México (1999). Entre sus exposiciones colectivas recientes, destacan las realizadas en el Centro de Arte Reina Sofía de Madrid, el Museo del Barrio de Nueva York y la Casa de América de Madrid. Reside en México desde hace aproximadamente seis años.

LOUIS DE PLANQUE. Prusia, ca. 1837; murió en 1898. Activo en Matamoros en 1865 y en Brownsville a fines de los años sesenta. Después trasladó su estudio a Indianola, Corpus Christi y Victoria, Texas. F/J.C.M. [p. 206]

ALFREDO DE STÉFANO. Monclova, Coahuila, 1961. Desde 1982 ha mostrado su obra en más de veinte exposiciones colectivas, entre las que se incluyen el VIII Encuentro Nacional de Arte Joven (1988), en Aguascalientes y en Galería del Auditorio Nacional; *Tú, yo mismo* (1990), en el Museo del Chopo, México; *Photography By Contemporary Mexican and American Artists* (1991), en el Hudson Center for Photography, Nueva York; *New Works in Process* (1992), en la Focal Point Gallery, Nueva York; *Tres del Norte* (1993) en la Galería Zona, México, D.F.; *Desnudo y tradición* (1993), en la Galería Óscar Román; en el 54º Salón Internacional de Fotografía (1994), en Tokio, Japón; *13 Fotógrafos Contemporáneos* (1994), en el Centro de la Imagen, México, D.F.; *Creación en movimiento* (1995), en el Museo Carrillo Gil, México, D.F. Además ha realizado cuatro exposiciones individuales en Saltillo, Nueva York, Monterrey y Ciudad de México. [p. 207]

MARIANA DELLEKAMP. México, D.F., 1968. Estudió en la Escuela Activa de Fotografía de la Ciudad de México de 1987 a 1989, y en el International Center of Photography de Nueva York, 1994. Recientemente ha expuesto de modo colectivo en el Museo Carrillo Gil (1999) y en Fotofest, Houston, San Antonio, Texas, Queens, Nueva York, EU (1998). Además ha participado en otras exposiciones colectivas en México, Finlandia, Austria, Dinamarca, República Checa, Inglaterra, etc. De modo individual destacan las muestras *Antropología del Cuerpo Moderno en Acceso A*, Museo Universitario de Ciencias y Artes (1999), y *Líquido Corpóreo*, en la Galería Emma Molina de Monterrey. Entre otras distinciones ha recibido la Beca Jóvenes Creadores en 1995 y 1998, así como la mención honorífica en la Bienal Internacional de Fotografía de Puerto Rico, en 1998. [p. 208]

J. DENSON COOK. Existen diecinueve imágenes en el Archivo General de la Nación con el tema de haciendas y plantaciones cafetaleras sin identificar, obra fechada en 1906. F/A.G.N. [p. 209]

FRANCISCO DÍAZ DE LEÓN. Activo en la Ciudad de México, alrededor de 1865. F/A.S.C. [p. 210]

DÍAZ, DELGADO Y GARCÍA. Formado por Enrique Díaz Reyna, Manuel García Ledesma y Enrique Delgado de la O. Además de colaborar independientemente para importantes diarios de la época, estos tres fotógrafos se encontraban trabajando para la Agencia Fotografías de Actualidad en 1924, fundada por Enrique Díaz en 1920. Se encargan de abastecer de fotografías a distintos medios, como las revistas *Todo*, *Hoy*, y, más tarde, *Así*. Hacia 1949 colaboraban con la recién fundada revista *Impacto*. Son responsables de la fundación de la Asociación Mexicana de Fotógrafos de Prensa (AMFP). De manera también paralela, Enrique Díaz funda la revista el *Mundo* y Enrique Delgado y Manuel García trabajan para *Realidades*. En 1980 y después de una intensa labor que se ramifica a otros significativos órganos, desaparece la agencia. [p. 211]

ENRIQUE DÍAZ. México, D.F., 1895-1961. En 1911 inicia su actividad fotográfica y trabaja para el periódico *El País*, año en que ingresa a las filas revolucionarias, primero como villista y después como carrancista. Posteriormente colabora en revistas nacionales. En 1920 abre su agencia Fotografías de Actualidad y en 1940 trabaja durante un año en portadas y fotorreportajes para la revista *Así*. En 1943 funda la revista *Mañana*, donde participa junto con sus socios activamente. De 1946 a mediados de los años cincuenta colabora con la *Revista de América*. En este mismo año, se funda la Asociación Mexicana de Fotógrafos de Prensa (AMFP), de la que serán socios fundadores Enrique Díaz, Enrique Delgado y Luis Zendejas. Finalmente, en 1957 trabaja para la revista *Emir*, órgano de la colonia libanesa. [p. 212]

JESÚS DÍAZ. México, 1970. Ha tomado cursos de fotografía en El Ateneo Mexicano de Fotografía, en la UAM y en la ENEP Aragón. Se inició en el fotoperiodismo en el periódico *Excélsior*. Colabora en el semanario *Época* y en el periódico *The New York Times*. [p. 213]

JOAQUÍN MARÍA DÍAZ GONZÁLEZ. Probablemente el primer daguerrotipista mexicano. Estudio en la Academia de San Carlos y abrió un estudio en Santo Domingo núm. 9 en 1844. Su segundo establecimiento estaba situado en Santo Domingo núm. 3; ahí realizaba ambrotipos de bulto, melanotipos, fotografía en papel, transparentes, ferrotipos, etc. Fotógrafo oficial de las cárceles del Distrito Federal entre 1861 y 1880 (excepto 1864-1867). (Casanova y Debroise; 1989: 55, 56).

LUCIO DÍAZ. Activo en el estudio llamado Fotografía Orizaveña (sic). Retratos instantáneos en Orizaba, Veracruz, alrededor de 1890. F/J.C.M. [p. 214]

RAMÓN DÍAZ. Activo en 2a. de Reforma núm. 3 y Reforma núm. 6 en Orizaba, Vera-Cruz (sic), México, alrededor de los años 1900-1914. F/J.C.M. [p. 215]

S. DÍEZ. Existen cuatro imágenes en el Archivo General de la Nación de jardines, parques, plazas y escenas cotidianas, del año 1909, y siete obras de escenas militares en Cuernavaca Morelos, del mismo año. F/A.G.N. [p. 216]

FRANCISCO DOISTUA. Daguerrotipista, quizás de nacionalidad española. Trabajó en Cuba desde 1841. Abrió un estudio en la 1a. calle de Santo Domingo en 1843. En 1844 se cambió a Portal de Agustinos núm. 4 y en junio se asoció con Randall W. Hoit (con quien trabajó en La Habana anteriormente); abrieron un estudio en el Hotel Iturbide de la calle San Francisco núm. 12. Fue de los primeros en presentar daguerrotipos coloreados. No hay noticias de él posteriores a 1844. (Casanova y Debroise; 1989:56).

RAFAEL DONIZ. México, D.F., 1948. Trabajó como ayudante de Manuel Álvarez Bravo de 1973 a 1976. De sus varias exposiciones individuales destacan las realizadas en la Galería Juan Martín (1983) y Museo de la Alhóndiga, Guanajuato (1984). De modo colectivo ha expuesto en la Galería Arvil, Palacio de Bellas Artes, Museo de Arte Moderno y otros recintos de México. Fuera del país ha mostrado su obra en Estados Unidos, Suecia y Cuba. Sus fotografías se han publicado en la revista *Artes Visuales, Diálogos, Creative Camera, Vies des Arts* y *Photo Vision*. [p. 217]

J. G. DREFFESE. Existen diecisiete imágenes en el Archivo General de la Nación de peregrinaciones de Querétaro, de Texcoco rumbo a la Villa de Guadalupe, y de Atzacoalco, todas fechadas en 1912. F/A.G.N. [p. 218]

CARLOTA DUARTE. Antes de crear el Proyecto Fotográfico de Chiapas en 1992 y el Archivo Fotográfico Indígena en 1995, contaba con una intensa carrera en la fotografía, su difusión y enseñanza. Prueba de ello son las numerosas exposiciones que realizó desde 1975, en casi una veintena de galerías, museos y universidades de los Estados Unidos. Asimismo, fungió como curadora y conferencista en ese país, recibiendo varias distinciones por ello y por su obra fotográfica. Desde 1992 ha hecho de la obra colectiva del Proyecto Fotográfico de Chiapas y el Archivo Fotográfico Indígena parte de su obra personal, exponiendo en México, Islandia y Holanda, entre otros lugares. Asimismo, dichas asociaciones cuentan con las publicaciones *Creencias, Camaristas y Visiones* y dos series de tarjetas postales, y han sido objeto de numerosos artículos en la prensa nacional y extranjera. [p. 219]

GERTRUDE DUBY BLOOM. Suiza, 1901. Estuvo involucrada en el Movimiento Socialista de la Juventud y así trabajó como corresponsal para periódicos socialistas (1925). Después de una agitada vida como activista política, y de haber sido deportada un par de ocasiones, en 1940, se le permite emigrar a México. Aquí trabajó como periodista independiente. Aunque nunca se consideró fotógrafa profesional, trabajó durante cuarenta años con la fotografía, capturando imágenes principalmente de la Selva Lacandona, donde realizó más de setenta expediciones. En 1950 se estableció en San Cristóbal de las Casas, Chiapas, donde documentó sus recorridos por este estado, sin preocuparse por los aspectos técnicos de la fotografía. Así se interesa por retratar el desarrollo social y los cambios de vida de la gente, especialmente de grupos mayas. En 1970 fue nombrada ciudadana honoraria de México. Sus imágenes, se encuentran en más de una docena de libros fotográficos. Falleció en 1993. (Naggar y Ritchin, 1996, 292.) [p. 220]

MARTÍN DUHALDE. Activo en San Luis Potosí, en su estudio llamado Fotografía Universal alrededor de 1875. F/J.C.M. [p. 221]

H. DUHART. Existen en el Archivo General de la Nación treinta y cuatro obras de edificios públicos de la Ciudad de México: Palacio Nacional, monumentos e institutos, así como de lagos, avenidas y calles, escuelas, museos y plazas; Puebla y su catedral, realizadas en 1912. F/A.G.N. [p. 222]

ESTUDIO E. PORTILLA. Activo en la Ciudad de México, alrededor de 1920. [p. 223]

FULVIO ECCARDI. Biólogo y fotógrafo dedicado desde hace veinticinco años a documentar, investigar y difundir la biodiversidad de México. Ha dirigido diversos documentales relacionados con la vida silvestre y el uso de los recursos naturales. Ha publicado sus fotografías en revistas mexicanas como *México Desconocido, Ciencias, Pronatura* y *Voices of Mexico*, y en publicaciones internacionales como *Oasis, Airone, BBC Wildlife, Animal Kingdom, International Wildlife, National Geographic*, etc. Asimismo, es coautor de varios libros de historia natural. Desde 1993 trabaja en un proyecto editorial sobre el café en el mundo. Actualmente es coordinador del boletín *Biodiversitas* de la Comisión Nacional para el Conocimiento y el Uso de la Biodiversidad. A lo largo de estos años ha formado un archivo fotográfico de más de 150 000 diapositivas al servicio de la difusión científica y cultural. [p. 224]

ALEJANDRA ECHEVERRÍA. México, D.F., 1975. Estudia la licenciatura en Artes Plásticas en la Esmeralda. Fue merecedora de la Beca Jóvenes Creadores del FONCA en 1999. Desde 1997 ha participado en numerosas exposiciones, entre las que sobresalen *Designata, fotografía, video y multimedia*, Galería del Edificio Central, Centro Nacional de las Artes, México, D.F., 1998; FIAC'99 Stand de la Galería Enrique Guerrero, París, Francia, y Caracas, Venezuela, 1999; Festival Microwave Hong Kong, China, 2000; Nextframe International Film Festival, Temple University, Japón, 2000; Art Chicago 2000, Galería Enrique Guerrero, Chicago Illinois, EU, 2000; CICV Pierre Schaefer; INTERFERENCES festival d'arts multimedia urbains/urban multimedia arts festival, Belfort, Francia, 2000; Exposición Colectiva Galería Enrique Guerrero, dentro del marco del Festival Arco 2001, Madrid, España, 2001, entre otras. [p. 225]

GALIA EIBENSCHUTZ. México, D.F., 1970. Estudió la licenciatura en Artes Visuales en la ENAP, UNAM. Acreedora a la Beca de Jóvenes Creadores del FONCA (1998) y primer lugar en el Tercer Concurso de Instalación en Ex-Teresa (1997). De sus exposiciones individuales destaca *Detrás del vaho*, en la Ciudad de México (1995). Cuenta con numerosas exposiciones colectivas, como *Clan. 3*, Videoproyecciones en el Foro Lindbergh del Parque México (2000); *Inapropiadamente dibujo* (1999), en el Museo de Arte Contemporáneo Carrillo Gil, y *Erógena*, en ese mismo recinto, así como en el S.M.A.K. de Gante, Bélgica, (2000); *C/O la ciudad*, en la SAW Gallery y Blackwood Gallery de Canadá. [p. 226]

PÍA ELIZONDO. México, D.F., 1963. Realizó estudios de Filosofía y Letras en la UNAM y es fotógrafa autodidacta desde 1984. Entre sus dieciséis exposiciones colectivas destacan: *Territorios singulares*, en el Canal de Isabel II Madrid, España; *En las calles*, Hammond Galleries, Ohio, EU; *Hecho en México*, Galería El Museo de Bogotá. De modo individual, destaca la muestra *Primer cuadro* (1997) y las realizadas en el Metro Tacuba (1994), en el Centro Cultural de Carmelia, Brasil (1992) y en la Galería Nacho López (1992). Su trabajo ha sido publicado en publicaciones como *La Jornada, Viceversa, Cuartoscuro* y *L'Autre Journal*. En 1994 obtuvo la Beca de Jóvenes Creadores del FONCA. [p. 227]

ELSA ESCAMILLA. Estudió en el Centro de Estudios Cinematográficos, 1971-1974. Desde esa fecha y hasta 1983 tomó numerosos cursos de técnica fotográfica en la Ciudad de México. Asimismo, ha realizado labor de docencia, asistencia a fotógrafos y otras colaboraciones en el ramo. Ha participado en aproximadamente cincuenta exposiciones individuales y colectivas en la República Mexicana y el extranjero. En 1984 obtuvo mención honorífica en el Concurso de Fotografía Antropológica del INAH y en 1996, la Beca para Creadores con Trayectoria del CONACULTA. [p. 228]

F. ESPERÓN. Activo en Balvanera 4, en la Ciudad de México, alrededor de 1900. F/J.C.M. [p. 229]

ANTONIO ESPLUGAS. Activo en la Ciudad de México, alrededor de 1900-1910. [p. 230]

AGUSTÍN ESTRADA. México, D.F., 1957. Se dedica profesionalmente a la fotografía desde 1977. Además de exponer su obra personal, su actividad en el ámbito fotográfico ha abarcado la docencia, la edición, la restauración y la elaboración de programas multimedia, fotografía de artes escénicas, reproducción de obra plástica, etc. Entre sus exposiciones individuales cabe destacar: Galería Juan Martin, 1983, *Inflorescencia*, Galería Kahlo Coronel, 1989; *Maguey Media Center*, Rice University, EU; entre sus principales colectivas recientes: *La memoria del tiempo*, Museo de Arte Moderno, 1989; *What's New Mexico City*, en el Chicago Institute of the Arts, 1990, y *México eterno*, en el Palacio de Bellas Artes, 1999. [p. 231]

ALFREDO ESTRELLA. México, D.F., 1975. Su formación fotográfica cuenta con estudios en la Escuela Nacional de Artes Gráficas y en el periódico *La Jornada*. Presentó una exposición individual en el Tianguis Cultural del Chopo (1998). Ha figurado en muestras colectivas en diversos recintos de la ciudad de México y en la Embajada Mexicana en Belice. Sus fotografías han aparecido en los diarios *La Jornada, El Financiero* y *El Día* y en las revistas *Mira, La Crisis, Etcétera* y *Laberinto Urbano*. Ha colaborado en las agencias Cuartoscuro (México) y France-Presse (Francia). Asimismo, su obra aparece en los libros *Imágenes de La Jornada* (1999), *Una experiencia visual callejera* (2000) y *Galería de científicos mexicanos* (2000). [p. 232]

A. ETERNOD. Activo en la calle 1a. de San Juan de Letrán, en la Ciudad de México, alrededor de 1915. F/G.F. [p. 233]

F.E. NORTH S.E. OSBARH. Activo en la Ciudad de México, alrededor de 1890. [p. 234]

HÉCTOR FALCÓN. Culiacán, Sinaloa, 1973. Estudió la licenciatura en Artes Plásticas en la Escuela Nacional de Pintura, Escultura y Grabado La Esmeralda. Gracias a una beca de Producción Artística en el Extranjero del CNA-INBA, estudió en la Universidad de Arte y Diseño de Kyoto. Ha sido merecedor del Premio de Adquisición, Gran Premio Ominilife 2000, Guadalajara, Jalisco. Entre sus exposiciones individuales se encuentran *49: Metabolismo alterado*, Museo de Ciencias y Artes de la UNAM, México, 2001; y *Estética unisex*, Prinz, Kyoto, Japón, 2001. Exposiciones colectivas: Bienal Internacional de Ibiza: Ibiza Grafie, Museo de Arte Contemporáneo, Ibiza, España, 1998; *26-36 jóvenes propuestas contemporáneas*, Museo de la SHCP, México, 2001, y ARCO'01, Galería Enrique Guerrero, Madrid, España, 2001. [p. 235]

MIGUEL FEMATT. México, D.F., 1949. Estudió Artes Visuales en la Academia de San Carlos. Ha expuesto individual y colectivamente en México y el extranjero desde 1975. Ha publicado imágenes en libros especializados de fotografía como *Soma, Luz sobre Eros, Dialo-grafos con Miguel Fematt, Coincidencia y Diver-*

sidad, entre otros. Sus reseñas y ensayos figuran en periódicos y revistas nacionales y extranjeras. Ha sido invitado a realizar la revisión de portafolios en Fotofest y algunos otros encuentros de fotografía. Miembro del Club Internacional de Organizadores de Festivales de Fotografía y jurado en la Octava Bienal de Fotografía, México, 1997 y en el IV Salón de Fotografía de Guadalajara, 1988. Es catedrático de la Facultad de Artes Plásticas de la Universidad Veracruzana de Xalapa desde 1982. Fue jurado en la VII Bienal de Fotografía del Centro de la Imagen (1997). [p. 236]

CLAUDIA FERNÁNDEZ. México D.F., 1965. Estudió en la Facultad de Artes Plásticas del Instituto Cultural Cabañas en Guadalajara y en la Escuela Nacional de Artes Plásticas de la UNAM, cursando el taller de dibujo con Gilberto Aceves Navarro (1987-1988). En 1997 obtuvo el Premio de Adquisición en el área de instalación en la Tercera Bienal del Museo de Monterrey. Ha expuesto individual y colectivamente desde 1986 en México, Colombia, Estados Unidos, Brasil y Chile. Entre sus exposiciones recientes, figuran *Hecho en México*, Galería el Museo, Bogotá, Colombia, 1996; *Diferencias reunidas*, en el Museo del Palacio de Bellas Artes, 1998; *Aquí, afuera*, Museo de Monterrey, 1998; *Hiper*, Museo Carrillo Gil, 1999. [p. 237]

V. FERNÁNDEZ. Activo alrededor de 1870. [p. 238]

FERNANDO FERRARI PÉREZ. Activo alrededor de 1880. F/J.C.M. [p. 239]

GABRIEL FIGUEROA FLORES. México, D.F., 1952. En 1977 cursó la licenciatura en Artes Visuales en la Universidad de Westminster, Inglaterra. Sus fotografías figuran en publicaciones como *Sinaloa* (1986); *Archipiélago Revillagigedo, la última frontera* (1988); *Arquitectura fantástica mexicana* (1991); *Ciudad de México, restauración de edificios* vols. uno y dos (1994-1996) y *500 años de Baja California* (1997). Asimismo, ha publicado en ediciones periódicas como *Life Magazine*, *New West*, *New York*, *Landscape Arquitecture* y *Artes de México*. Su obra ha sido expuesta en diversas galerías desde 1979. Es depositario y restaurador del legado fotográfico de su padre, el camarógrafo Gabriel Figueroa. Actualmente forma parte del Sistema Nacional de Creadores. [p. 240]

GABRIEL FIGUEROA. Ciudad de México 1908-1997. Realizó estudios en la Academia de San Carlos y en el Conservatorio Nacional de Música, mismos que no llegó a concluir. Se inició como fotógrafo de tomas fijas en 1932 en la película *Revolución*, de Miguel Contreras Torres. En 1935 recibió una beca para estudiar con el conocido cinefotógrafo Greg Toland en Hollywood, de quien aprendió el manejo de la luz, la óptica, la composición y el manejo de profundidad de campo, que marcarían al cine moderno. En 1934 se incorporó al cine mexicano. Trabajó con los mejores directores realizando la fotografía de varias películas. En 1971 recibió el Premio Nacional de Ciencias y Artes en el área de Bellas Artes y en 1987 el Ariel de Oro por su contribución al cine mexicano; en 1993 ingresó al Sistema Nacional de Creadores de Arte. La Cineteca Nacional proyectó 12 películas y realizó una exposición de 42 fotografías. En Buenos Aires, Argentina, se llevó a cabo el homenaje-exposición *26 imágenes de platino* y en Caracas, Venezuela, se expusieron 26 gráficas en su honor. F/G.F.F. [p. 241]

A. FIGUEROA. Activo en la Ciudad de México, alrededor de 1879. F/A.S.C. [p. 242]

ALEJANDRA FIGUEROA. En 1990 se graduó en la carrera de Historia del Arte en la Universidad Iberoamericana. Además recibió instrucción fotográfica en el Centro Cultural Arte Contemporáneo y el Laboratorio Imaginoir de París. Se dedica principalmente a la fotografía de escultura en diversos museos y recintos de Europa, América y Asia. Desde 1995 ha realizado más de una decena de exposiciones individuales, entre las que destacan: Galerie Agathe Gaillard, París, 1998 y 2000, y Centre Photographic de Lecoture, Francia, 1998. Su obra figura en las colecciones del Museo de Louvre, Biblioteque Nationale de París, Maison Européenne de la Photographie de París y Getty Conservation Institute de Estados Unidos. [p. 243]

LUIS FIGUEROA. México, D.F., 1968. Se graduó de la Escuela Nacional de Artes Plásticas de la UNAM en 1996. Además realizó estudios paralelos de fotografía, serigrafía, grabado, esmalte y poliéster. Ha participado en varias exposiciones realizadas por colectivos artísticos en espacios alternativos de México. Desde 1995 ha figurado en dieciocho muestras de grupo. De modo individual, realizó la exposición *Galerías mentales*. Su trabajo abarca la creación y reciclaje de objetos e imágenes, diseño de escenarios e instalación. [p. 244]

S. FINOCO. Existen en el Archivo General de la Nación tres imágenes de tipos mexicanos realizadas en estudio, fechadas en 1906. F/A.G.N. [p. 245]

RURY FISCHELT. México, 1968. Desde 1990 ha participado en catorce exposiciones colectivas; entre las más importantes podemos mencionar la colectiva en el Centro Cultural El Ágora del Parque Naucalli (1996) y The Special Photographers Company en Londres (1996). De igual forma realizó conjuntamente con el Centro de la Imagen la exposición *21 Millones, Fotografía Mexicana Contemporánea*, que viajó a Italia, República Checa y Francia (1996-1998). Actualmente participó en la exposición *21 Zonas* en el Centro de la Imagen, como artista invitado para el proyecto en video de Néstor Quiñones. [p. 246]

FOWLER Y CÍA. FITCH. Activo en la Ciudad de México, alrededor de 1914. F/A.S.C.

VÍCTOR FLORES OLEA. Toluca, Estado de México, 1932. Como funcionario se ha desempeñado como embajador de México ante la ONU, la UNESCO y la ex Unión Soviética. Fue presidente del Consejo Nacional para la Cultura y las Artes. También se ha desempeñado como académico y ha publicado numerosos libros de ciencias políticas y literatura. Como fotógrafo ha expuesto individual y colectivamente en México, Chile, Venezuela, Estados Unidos, España, India, Canadá, Rusia, Austria, Japón, Alemania, Brasil, Italia y Francia, desde 1982. Ha publicado los siguientes libros fotográficos: *Los encuentros* (FCE, 1984), *Huellas del sol* (Grijalbo, 1992) y *Los ojos de la luna* (Porrúa, 1994). [p. 247]

P. FLORES PÉREZ. Existen en el Archivo General de la Nación setenta y tres obras de la intervención norteamericana, ocurrida el 21 abril 1914, al puerto de Veracruz: documenta los desperfectos en edificios, efectos de bombardeos, heridos y hospitales de este suceso. F/A.G.N. [p. 248]

OWEENA FOGARTY. Entre 1970 y 1974 realizó la licenciatura en Ciencias Políticas y Español en el Southern Oregon State College, EU. Entre 1975 y 1977 combinó estudios de Filosofía y Letras y Fotografía en Madrid, España, y Monterrey, California, EU. Fue asistente de Manuel Álvarez Bravo en 1980. Actualmente es candidata al doctorado en Ciencias del Arte por la Universidad del Oriente en Santiago de Cuba. Sus labores paralelas han incluido la investigación, docencia y restauración fotográfica. Ha realizado doce exposiciones individuales en México y Cuba, donde se le ha premiado en bienales fotográficas. Entre las muestras personales recientes destacan las llevadas a cabo en 1998 en el Museo del Chopo (México) y en la Plaza de la Revolución (Santiago de Cuba). De modo colectivo ha expuesto en México, Cuba, Estados Unidos, España, Bélgica y Francia. [p. 249]

FOTOCELERE. Existen en el Archivo General de la Nación veintiún tarjetas con escenas nupciales iluminadas y ciento cincuenta tarjetas con escenas familiares, todas fechadas en 1940. F/A.G.N. [p. 250]

FOTOGRAFÍA DAGUERRE. Activo en la calle Puente de San Francisco 16, en la Ciudad de México con sucursales en Avenida Juárez 4, México, y en Sta. Clara 10, Puebla, alrededor de 1900-1910. F/J.C.M. [p. 251]

A.C. FRENCH. Existen en el Archivo General de la Nación veinte imágenes de monumentos, festividades, tipos étnicos, vistas panorámicas, jardines, parques y plazas, edificios públicos, bahías y escenas militares realizadas en Ensenada, Baja California. También trabajó otros temas, como la fiesta brava y la Ciudad de México. Esta obra está fechada en 1907. F/A.G.N. [p. 252]

GISÉLE FREUND. Berlín 1908. Comenzó a estudiar Sociología en Berlín, carrera que terminaría en la Sorbona, en París, donde se refugió en 1933 huyendo del nazismo. Su padre le regaló una Leica y con ella comenzó a trabajar en 1935 para las revistas *Life*, *Weekly Illustrated* y *París Match*. Estuvo temporalmente en los estudios de Man Ray y de Florece Hendir, pero fue finalmente su encuentro con el editor Adrienne Monnier el que la puso en contacto con los artistas y escritores más importantes de los años cuarenta y abrió camino a su carrera. Durante la Segunda Guerra Mundial trabajó en Sudamérica, donde fotografió a Borges, Diego Rivera, Frida Kahlo y Eva Perón. También viajó por el mundo, contratada por la agencia Magnum, sobre todo en la década de los setenta. Obtuvo el Gran Premio Nacional de la Fotografía en Francia. En 1980 se convertiría en la fotógrafa oficial de François Mitterrand. En 1991 expuso una antología de su obra en el museo de Arte Moderno de París. Falleció en París el 31 de marzo del 2000. (Encyclopedia, 1984, 212-213.) [p. 253]

ARTURO FUENTES FRANCO. México, D.F., 1953. Estudió la Carrera de Sociología en la Facultad de Ciencias Políticas y Sociales de la UNAM. De 1985 a 1986 trabajó como laboratorista y fotógrafo en el periódico *La Jornada*. Posteriormente se unió a la agencia Imagenlatina, donde colaboró hasta 1989. Sus fotografías han sido publicadas en diferentes medios. Ha participado en numerosas exposiciones, entre las que sobresalen *La ciudad de México*, Museo de la Ciudad de México, 1987; *La semana gay*, Museo Universitario del Chopo, México, D.F., 1988; *Los cien años de la fotografía*, Museo de la Caricatura, México, D.F., 1989, entre otras. Colaborador del periódico *New York Times*. [p. 254]

N. FUENTES. Activo alrededor de 1864. [p. 255]

JULIO GALINDO. México, D.F., 1948. Primordialmente autodidacta, realizó breves estudios de fotografía en el Club Fotográfico de México (1973). Trabaja como diseñador gráfico en San Francisco, California, EU. Entre sus veinte exposiciones individuales figuran las de Galería Sekicyo, Takasago, Japón; Museo de las Revoluciones San Luis Potosí, SLP (2000); Museo del Taller José Clemente Orozco, Guadalajara; Centro de la Imagen, México, D.F. (1995); y Galería Canonn, Los Angeles, California, EU (1985). Asimismo ha participado en las bienales fotográficas de México en los años 1995 y 1997. Su obra forma parte de las colecciones del Museo Rufino Tamayo, Centro Fotográfico Álvarez Bravo (Oaxaca, México), The Crocker Art Museum, Sacramento, California, y Museo de Arte Moderno Forth Worth, Texas, entre otras. [p. 256]

FEDERICO GAMA. México, D.F., 1963. Realizó estudios de Periodismo y Comunicación Colectiva en la UNAM y Diseño Gráfico en la UAM. Desde 1988 se dedica profesionalmente a la fotografía, al video y al periodismo. Como fotógrafo es colaborador de diarios y revistas del país (*El Financiero*, *Etcétera*, *Viceversa*) y Estados Unidos. Su principal labor como periodista ha sido escribir sobre fotografía en *El Financiero*. Ha realizado también numerosos videos de coreografías y danza contemporánea. Desde 1990 participó en cinco exposiciones individuales y seis colectivas en recintos como el Museo José Luis Cuevas, la UAM Xochimilco, el Museo Mural Diego Rivera y el Museo Universitario del Chopo. En 1998 fue acreedor a la Beca de Jóvenes Creadores del FONCA. En la Octava Bienal de Fotografía fue seleccionado por el proyecto *Historia en la piel*. [p. 257]

ANDRÉS GARAY. México, D.F., 1951. Estudió Arquitectura en la UNAM y realizó estudios de Fotografía en la Casa del Lago y el Centro Universitario de Estudios Cinematográficos de la UNAM con Lázaro Blanco, Nacho López y Manuel Álvarez Bravo de 1981 a 1984. Es uno de los reporteros gráficos fundadores del diario *La Jornada*. En 1986 formó la agencia Imagenlatina. Actualmente es coordinador del área de Fotoperiodismo y maestro en la Escuela Fotográfica Nacho López. En 1988 ganó el primer premio en la Bienal Fotográfica del INBA. Ha figurado en numerosas exposiciones individuales y colectivas en México y el extranjero. [p. 258]

ARTURO GARCÍA CAMPOS. México, D.F., 1961. Egresado de la licenciatura en Diseño en la Escuela del INBA 1982-1984. De 1982 a 1996 recibió cursos de especialización fotográfica en diversos recintos de la Ciudad de México y La Habana, Cuba. Como fotorreportero, ha trabajado en las agencias Imagenlatina e Iconos; en los periódicos *El Nacional*, *unomásuno* y *El País* y en las revistas *Etcétera*, *Época* y *Proceso*. Ha publicado extensamente en libros acerca de diversos temas sociales en la República Mexicana. Sus exposiciones colectivas incluyen: *Fotoperiodismo, más allá de la información*, Museo Mural Diego Rivera, 1993; Sexta Bienal de Fotografía y *The Global Environment*, celebrada en Houston, Texas, dentro el marco de Fotofest 1994; participó también en la VI Bienal de Fotografía en el Centro de la Imagen, en 1994. [p. 259]

HÉCTOR GARCÍA. Entre 1960 y 1967 realizó doce exposiciones individuales, las más notables fueron: *Rostros de México*, Galería Excélsior, México, D.F. (1960); *Imágenes de México*, Instituto de Altos Estudios de la América Latina de La Sorbona, París, 1963; *Visión del mundo maya*, Instituto de Cultura Hispánica de Madrid, España, 1964; *Una visión de hombre*, en el Palacio de Bellas Artes, México, 1966, y *La nueva grandeza mexicana*, en el Museo de Ciudad Universitaria, México, D.F., 1967. Sus fotografías han ilustrado una enorme cantidad de libros en México, Estados Unidos y Europa. Su obra figura en colecciones públicas de París, Washington y Houston, Texas, en el Museo del Vaticano, y en recintos de nuestro país como el Museo Nacional de Antropología e Historia y el Museo de la Fotografía, entre otros. [p. 260]

JESÚS MARÍA GARCÍA. Activo en la Ciudad de Oaxaca, alrededor de 1906. [p. 261]

HÉCTOR GARCÍA SÁNCHEZ. México, D.F., 1965. Aunque cursó estudios de retrato con Rogelio Cuéllar y fotoperiodismo en el Centro de la Imagen, se considera primordialmente autodidacta. Entre 1988 y 1998 fue reportero gráfico de Graph Press, Festival Cervantino, Imagenlatina y el periódico *Reforma*, donde a la fecha trabaja como coeditor gráfico. Ha participado en seis exposiciones colectivas en México, incluyendo la I Bienal de Fotoperiodismo, en la cual obtuvo mención honorífica. [p. 262]

CARLOS GARCÍA. Activo alrededor de 1875. F/J.C.M. [p. 263]

MARÍA GARCÍA. Irapuato, Guanajuato. 1936. Desde 1972 ha participado activamente en diversas muestras colectivas e individuales, entre las que se cuentan: *Semana Santa Cora*, en la UNAM; *Visión de México*, en la sede de la ONU en Nueva York; *Marigrafías I y II*, en la Galería LVF, en la Ciudad de México; y *Retratos y Marigrafías*, en la Casa de la Cultura del Periodista de México. Colabora permanentemente en periódicos y revistas mexicanas en el área de reportaje y de espectáculos. [p. 264]

RAFAEL GARCÍA. Activo en Chiapas, alrededor de 1920. F/J.C.M.

ROMUALDO GARCÍA. Silao, Guanajuato, 1852-1930. En 1878 abrió su primer estudio fotográfico en la ciudad de Guanajuato, donde será reconocido como el retratista más importante de la sociedad de aquella época. En 1889 le fue concedida una medalla de bronce en la Exposición Universal de París. Fue introductor del Cinematógrafo Lumière en Guanajuato. Durante la gran inundación de esa ciudad perdió la totalidad de su archivo de negativos, permaneciendo solamente las impresiones en poder de sus clientes. En el periodo de la Revolución Mexicana su negocio decayó, y hacia 1914 abandonó paulatinamente su estudio, administrado para entonces por sus hijos. F/J.A.R. [p. 265]

RUBÉN GARCÍA SOTO. Saltillo, México, 1918. Activo en Coahuila entre 1940 y 1985, aproximadamente. De acuerdo con el trabajo histórico de Arturo Barrueto González en su *Diccionario Biográfico de Coahuila* (Consejo Editorial del Gobierno del Estado, Saltillo, 1999), "desde joven se dedicó a la fotografía de prensa y sociales. Trabajó en los periódicos *El Progreso* (1940), *El Diario y El Heraldo del Norte*. Corresponsal gráfico de *El Siglo* y *La Opinión* de Torreón (1974). Con el señor José Mora Luna formó la firma comercial Mora y García, que sirvió a la sociedad y al gobierno del estado de Coahuila durante cuarenta y cinco años. Cubrió varias campañas políticas. Testigo de los aconteceres sociales y políticos de su comunidad, formó un valioso archivo gráfico". F/F.D.M.

A.G. GARDUÑO. Activo en la Ciudad de México, alrededor de 1914. F/A.S.C. [p. 266]

ANTONIO GARDUÑO. Activo en la Ciudad de México, alrededor de los años 1910-1930. [p. 267]

E.GARDUÑO. Existen en el Archivo General de la Nación tres obras de tipos mexicanos, fechadas en 1902. F/A.G.N.

FLOR GARDUÑO. México, D.F., 1957. Estudió Artes Visuales en la Escuela Nacional de Artes Plásticas de la UNAM, asistió al taller de Kati Horna y fue asistente de Manuel Álvarez Bravo. En 1985 publicó su primer libro, *Magia del juego eterno*, y en 1987 editó *Bestiario*. En 1988 recibió una mención especial del jurado en la Quinta Trienal Internacional de Fotografía en Friburgo, Suiza, y en 1990 recibió una beca del FONCA. Desde 1978 ha participado en numerosas exposiciones colectivas y ha presentado muestras individuales en Estados Unidos, Bélgica, Dinamarca, Suiza, Francia, Holanda, España, Alemania, Noruega, Italia, Irlanda, Inglaterra, Perú, Argentina, Austria y Cuba. Su obra se encuentra en colecciones públicas y privadas, entre otras: Museum of Modern Art en Nueva York; Museum Ludwig en Colonia; Museum of Fine Arts en Houston; Museo de Arte Moderno en la Ciudad de México; The Mexican Museum en San Francisco; Casa de la Cultura de Juchitán, Oaxaca; Stiftung für Photographie en Zurich; la Bibliotheque Nationale en París, y el Museum voor Fotografie en Amberes. [p. 268]

RICARDO GARIBAY RUIZ. México, D.F., 1960. En 1982 comenzó sus estudios fotográficos. En 1984 ingresó a los talleres del Centro Universitario de Estudios Cinematográficos de la UNAM. Posteriormente realizó un diplomado en el International Center of Photography de Nueva York. Desde 1985 se desempeña como fotógrafo independiente reproduciendo obra plástica y arquitectónica y haciendo retrato. Su exposición individual *Apuntes a la pasada*, se ha presentado en la Ciudad de México, en Guadalajara y en la Universidad de California en Santa Cruz, EU. Ha figurado en diversas exposiciones colectivas en México y Nueva York, EU. Sus fotografías han ilustrado libros de texto de la SEP, así como libros de historia y arquitectura. Ha publicado en las revistas *Mundo Plus*, *Este País*, *Artes de México* y *Architectural Digest Verlag*, entre otros. [p. 269]

PAOLO GASPARINI. Gorizia. Viaja en 1955 a Venezuela, donde empieza su trabajo como fotógrafo de arquitectura. Viaja por varios países de América contratado por la UNESCO para retratar la realidad del continente. Este trabajo es publicado en *Panorámica de la arquitectura latinoamericana* y *Para verte mejor, América Latina*. Es cofundador del Consejo Latinoamericano de Fotografía y de la Galería Fototeca, en Caracas. Recibió el Premio al Artista del Año en 1989 por la Asociación Internacional de Críticos y el Premio Nacional de Fotografía Venezolana en 1993, entre otros reconocimientos. Trabajó en el proyecto que dirigía

Néstor García Canclini sobre cultura urbana de la Universidad Autónoma Metropolitana-Iztapalapa, con el audiovisual *Los presagios de Moctezuma*, Ciudad de México, 1994, con texto de Carlos Monsiváis, y con un fotomural del mismo nombre. Actualmente trabaja en un audiovisual que se llamará *Viaje mexicano* con texto de Juan Villoro y música de Arturo Márquez. [p. 270]

F. GAYTÁN. Activo alrededor de 1870. F/J.C.M. [p. 271]

GUSTAVO GILABERT. Desde 1990 se desempeñó de manera independiente y en 1995 comenzó a trabajar para Saba Prees Photos, realizando reportajes en toda América Latina, Europa del Este, África, el Atlántico y los Estados Unidos. Su trabajo se ha publicado en *The Independent Magazine*, *The Observer*, *Geo*, *Audubon*, *Newsweek*, *Photo Magazine*, *Página/30* y *Luna Córnea*. En 1992 obtuvo dos premios del concurso World Press Photo y un premio especial del Fotofest de Houston, Texas. En 1997 abandonó el fotoperiodismo y comenzó un viaje entre Buenos Aires y Alaska. Algunas de esas imágenes fueron exhibidas en el Centro de la Imagen en el 2000. [p. 272]

LAURA GILPIN. Estados Unidos, 1891-1979. Estudió fotografía en Estados Unidos y fotograbado con Anton Bruehl. Durante la Segunda Guerra Mundial fue fotógrafa en jefe para la compañía de aeronáutica Boeing. Al finalizar la guerra viajó a la península de Yucatán en México y publicó un libro con imágenes de la región. Posteriormente se mudó a Santa Fe, donde realizó un trabajo sobre los indios del sudeste de Estados Unidos. De 1969 a 1979 llevó a cabo un proyecto fotográfico en el Cañón de Chelley. Recibió numerosas becas y distinciones por su obra fotográfica. Entre sus publicaciones destacan: *Temples in Yucatán* (1947); *The Rio Grande Duell* (1949); *The Enduring Navajo* (1968), y *A Taos Mosaic* (1973).

JULIETA GIMÉNEZ CACHO. México, D.F., 1951. En 1975 recibió un Diploma en Fotografía de la Napies College of Science and Technology de Edimburgo, Escocia. Entre 1970 y 1982 realizó cuatro exposiciones individuales en la Ciudad de México y Edimburgo, Escocia. Ha participado en colectivas de México, Venezuela, Francia, Italia, Brasil y Cuba. Entre sus distinciones figuran la mención honorífica en el tercer Salón de la Plástica Mexicana y el Primer Premio Compartido en El niño y la estructura (Caracas, Venezuela 1978) y la Primera Bienal de Fotografía del INBA (México, 1980). Fue miembro activo en los comienzos del Consejo Mexicano de Fotografía. [p. 273]

MAYA GODED. México, D.F., 1967. Estudió en la Escuela Activa de Fotografía (1985-1987), posteriormente, y hasta 1994, cursó varios talleres de fotografía. Recibió varios reconocimientos entre 1989 y 1994, entre los que podemos mencionar: Mujeres Vistas por Mujeres, organizado por la Comunidad Europea de la Ciudad de México; el X Encuentro Nacional de Arte Joven; el Premio Internacional de la Fundación Jones de San Francisco; y una distinción otorgada por la Universidad de Munich. También recibió la Beca Jóvenes Creadores en 1991 y la Master Class, World Press Photo en 1996. Ha participado en numerosas exposiciones colectivas e individuales desde 1989. Publicó en 1994 *Tierra Negra*, editado por Culturas Populares y Editorial Luzbel, con el apoyo del Fondo Nacional para la Cultura y las Artes. En 2001 expuso individualmente en el Museo Reina Sofía en Madrid, España. [p. 274]

GÓMEZ FLORES Y PACHECO. Activo en el estudio llamado Gran Fotografía, en 2a. del Correo Mayor núm. 7 1/2 y esquina de la 1a. de la Merced en la Ciudad de México, alrededor de 1886. F/J.C.M. [p. 275]

M. GÓMEZ. Activo en Colima, alrededor de 1868. F/J.C.M [p. 276]

RAFAEL GÓMEZ. Existen en el Archivo General de la Nación once obras de las grutas de Cacahuamilpa en Guerrero, fechadas en 1922. F/A.G.N. [p. 277]

MAURYCY GOMULICKI. Varsovia, Polonia 1969. Entre 1987 y 1992 estudia en la Faculty of Graphic Arts, Fine Arts Academy en Varsovia. En 1992 ingresa a la Facultad de Bellas Artes en Barcelona, España. En 1994 estudia en la Nuova Accademia di Belle Arti, Milán. Estudia un año en el Centro Multimedia del Centro Nacional de las Artes en México, D.F., a partir de 1997. Ha expuesto en numerosas ocasiones, entre las que sobresalen: *Clases de natación*, Museo de la Ciudad de México, México, D.F., dentro del marco del Festival Fotoseptiembre 1998; *Generations, polish art from the End/Beginning of the Century in Sankt Petersburg, photography The Manege exhibition Hall and Pushkinska 10 Gallery*, San Petersburgo, 1999; *Together Again?*, Art Center Replica, Estocolmo, 1999; y *Erógena*, Museo de Arte Carrillo Gil, México, 2000. En el 2001 forma parte de una exposición colectiva en el Centro de la Imagen llamada *Bambi y otros pretextos*, con Gabriel Batiz y Jerónimo Haggerman. [p. 278]

IVÁN GONZÁLEZ DE LEÓN. México, D.F., 1961. Estudió en la Escuela Nacional de Artes Plásticas de la UNAM de 1981 a 1985. Entre sus exposiciones individuales destacan: *Trabajo reciente*, Jan Van Eyck Academie, Maastricht, Holanda, 1986; *Mutatis mutandi*, Museo Carrillo Gil, Ciudad de México, 1991; *Bestiario Imaginario*, Museo Universitario del Chopo, México, D.F., 2001. Ha expuesto de manera colectiva en la II Bienal Diego Rivera, Museo del Palacio de Bellas Artes, 1984; *No soy fotógrafo*, La Panadería, 1996; VII Bienal de Fotografía, Centro de la Imagen, 1997; *Ubicaciones, Arte contemporáneo en México*, Museo Universitario de Ciencias y Artes, 2001. Ha publicado en la revista *Luna Córnea*, México, 1995. En el 2000 recibió la Beca de Coinversión del Fondo Nacional para la Cultura y las Artes. [p. 279]

GABRIELA GONZÁLEZ. 1966. Cuenta con amplios estudios en restauración y conservación fotográfica. También ha realizado cursos de fotografía, diseño gráfico, video y curaduría. Su desempeño profesional ha abarcado la coordinación de exposiciones y eventos fotográficos, la ilustración gráfica, la producción de cine y video y otras actividades. Realizó la exposición individual *Hasta que la muerte nos separe*, en el Salon des Aztecas de la Ciudad de México, 1993. Sus veinte exposiciones colectivas incluyen la VI Bienal de Fotografía de 1994, y *21 Millones, Fotografía Mexicana Contemporánea*, que se presentó en Inglaterra, Italia, República Checa y Francia entre 1996 y 1998. [p. 280]

JESSICA GONZÁLEZ SUSTAETA. 1958. En 1995 se gradúa en la Escuela Activa de Fotografía, México, D.F. Entre 1995 y 1998 asiste a varios cursos de perfeccionamiento fotográfico en el Centro de la Imagen. Participa en exposiciones colectivas en la Galería Candela de México, D.F., en 1993, 1994 y 1995. Asimismo, figura en muestras tales como la VI y VII Bienal de Fotografía (1995 y 1996), el VI Salón de Guadalajara (1998) y la II Bienal de Fotoperiodismo (1999). Dentro del marco de Fotoseptiembre Internacional, realiza una exposición individual en la UNAM, San Antonio Texas. Entre sus distinciones se encuentran el primer lugar en el XVIII Concurso de Fotografía Antropológica de la ENAH y la mención honorífica en el XVIII Concurso Nacional de Fotografía, ambas otorgadas en 1998. [p. 281]

ARTURO J. GONZÁLEZ. Activo en la Ciudad de México, alrededor de 1905. [p. 282]

J. GONZÁLEZ. Activo alrededor de 1899. F/J.C.M. [p. 283]

JOSÉ CARLO GONZÁLEZ. Aguascalientes, Aguascalientes, 1973. Cursó la licenciatura en Comunicación y Periodismo en la ENEP Aragón. Asimismo ha tomado diversos cursos de diseño y fotografía. Reportero gráfico del periódico *La Jornada* desde 1997, obtuvo el primer lugar en la Tercera Bienal de Fotoperiodismo Mexicano de 1998, en la categoría de Fotorreportaje. [p. 284]

LAURA GONZÁLEZ. Doctora en Bellas Artes por la Universidad de Barcelona (1998), maestra en Arte por la School of the Art Institute of Chicago (1990) y licenciada en Artes Visuales por la UNAM (1986). Desde 1984 se dedica a la producción, promoción, crítica y teoría de la fotografía. Como pintora, fotógrafa, artista de video y *performance* ha expuesto en numerosos museos y galerías de América y Europa. Sus artículos críticos y proyectos educativos han sido publicados por las revistas *Luna Córnea* y *Curare* (México), el Museo de Arte Contemporáneo de Barcelona y el Laboratori de les Arts, la Fundación La Caixa (Barcelona, España) y el Centro Cultural La Mercé (Gerona, España). En 1986 se hizo merecedora de un Premio Beca de Producción de la Bienal de Fotografía, organizada por el INBA en Ciudad de México. En 1990 fue miembro del jurado del Neighborhood Arts Program, para las Becas del Chicago Office of Fine Arts. En 1991 ganó la Marion Leaf Award otorgada por the School of the Art Institute of Chicago. Desde 2001 es miembro del Consejo Consultivo del Sistema Nacional de Fototecas y de la Fundación Cultural de Mariana Yampolsky, A.C. [p. 285]

LUIS HUMBERTO GONZÁLEZ. Ocotlán, Jalisco, 1950. Actualmente colabora en los diarios *La Jornada* y *El Universal* y en las revistas *Etcétera* y *Siempre!* En el ramo del fotorreportaje internacional, ha realizado trabajos en el Caribe, Centro y Sudamérica, Estados Unidos, Europa y Medio Oriente. Sus fotografías han aparecido en numerosos libros de política, antropología y otros temas sociales. Ha realizado exposiciones individuales en la República Mexicana, Cuba y Suiza. Fundó la agencia fotográfica Silva, en la cual fungió como director entre 1990 y 1998. Ha publicado libros como *Que el mundo lo sepa: Invasión estadounidense a Panamá en 1990*. En el 2000 participa en Fotoseptiembre Internacional con la exposición *Panamá: la Invasión y la entrega del canal* en el Centro Nacional de las Artes. [p. 286]

M. GONZÁLEZ. Activo en la 1a. Calle de Plateros núm.10, Ciudad de México, alrededor de 1890. F/J.C.M.

PEDRO GONZÁLEZ. Actvo en San Luis Potosí en la calle de las Magdalenas, costado derecho del Parián, alrededor de 1867. F/J.C.M. [p. 287]

LUIS GORDOA. 1962. Es licenciado en Comunicación por la Universidad Anáhuac; asimismo, obtuvo un Diplomado Universitario en Fotografía en la Universidad Iberoamericana. Para 1985 se comienza a interesar en la fotografía de arquitectura. Es en ese año cuando se publican sus primeras fotografías, en revistas especializadas en el extranjero, como el *Architectural Record*, de obras que posteriormente darían origen a la arquitectura contemporánea de los noventa en México. De ese momento a la fecha ha publicado continuamente en revistas internacionales y nacionales especializadas en el tema y realizado varios libros para editoriales como Gustavo Gili, Arquitectos Mexicanos, The Monacelli Press y Contemporary World Architects. Es colaborador de revistas como *Enlace* y *Arquine*. [p. 288]

O.M. GOVE. Activo en la calle del Espíritu Santo núm. 7, en la Ciudad de México, alrededor de 1890. F/J.C.M. [p. 289]

HENRY GREENWOOD PEABODY. En el acervo de la Fototeca Antica se conservan 200 imágenes originales, ca. 1899, de arquitectura virreinal mexicana, civil y religiosa de este autor que estuvo activo en Boston, Massachusets, USA hacia finales del siglo xix. F/J.C.M. [p. 290]

LOURDES GROBET. México, D.F., 1940. Egresada de Artes Plásticas de la Universidad Iberoamericana, México, y Diseño Gráfico y Fotografía del Cardiff College of Art y Derby College of Higher Education, Reino Unido. Perteneció al grupo Proceso Pentágono. Lleva más de veinticinco años dedicada a la fotografía. Miembro del Consejo Mexicano de Fotografía. Ha figurado en más de noventa exposiciones individuales y colectivas en México y el extranjero. Colaboradora en numerosas editoriales como la SEP, El Fondo de Cultura Económica, El Equilibrista, etc. Además ha realizado la foto fija de varios largometrajes y, en la labor docente, ha impartido conferencias en varias Universidades de Estados Unidos. Entre sus premios destacan el de la II Bienal Fotográfica del INBA y la inclusión en dos Salones Internacionales en Japón. En 1996 expuso en el Centro de la Imagen la muestra *La Filomena, 25 años de lucha*. [p. 291]

SILVIA GRUNER. México, D.F., 1959. En 1982 se gradúa en Artes Plásticas del Betzael Academy of Art and Design de Jerusalén, y en 1986 obtiene una maestría en el Massachusetts College of Art. Entre sus exposiciones individuales destacan: *Circuito interior*, Museo Carrillo Gil, 2000; Proyecto para el Museo de Arte Contemporáneo, San Diego California, EU, 1998; *Collares*, Centro de la Imagen, 1997; y *Destierro*, Centro Cultural Arte Contemporáneo, 1992. Colectivamente ha participado, entre otras, en *Así está la cosa*, CCAC, México, 1997; *Cercanías Distantes*, México, Irlanda, Estados Unidos e Inglaterra, *INSITE 94*, en la frontera Tijuana-San Diego, y en la III Bienal de La Habana, en 1989. También ha realizado *performance*, cine y video. Fue merecedora de becas del FONCA en 1993 y 1991. [p. 292]

GUERRA. Activo en el estado de Jalisco, alrededor de 1896. [p. 293]

C. GUERRA. Activo alrededor de 1892. F/J.C.M. [p. 294]

IGNACIO GUERRA MANZANARES. Activo en la Ciudad de México, alrededor de 1850. [p. 295]

PEDRO GUERRA (PADRE E HIJO). Pedro Marcial Guerra Jordán (1856-1917) comenzó en la profesión fotográfica en 1879, como aprendiz de los dueños del estudio que más tarde compraría. Posteriormente establece uno de los más avanzados estudios fotográficos del momento en Mérida. En 1889 retrata los desastres causados por un enorme incendio que ataca su ciudad. Este trabajo es pionero en el campo del fotorreportaje. Al morir en 1917, deja su prestigiado estudio a su hijo Pedro Guerra Aguilar (1883-1959). Además de continuar con el retrato, Guerra Aguilar funda el primer taller de fotograbado en Yucatán. Tuvo una participación decisiva en organizaciones y en la promoción fotográfica de su estado; colaboró además en publicaciones como: *Revista de Arte y Literatura*, *Helios* y *Yucatán Fotográfico*. Murió en 1959; heredó el negocio a su sobrino José Castellanos Guerra. F/U.A.D.Y. [p. 296]

VICENTE GUIJOSA. México, D.F., 1951. Autodidacta, se dedica la fotografía desde 1980. Su labor docente lo ha llevado a Rennes, Francia y a diversos recintos de México. Asimismo, trabaja en el área de diseño gráfico y arquitectónico. Ha publicado en numerosas revistas del país desde 1985. Sus más de treinta exposiciones incluyen: *Habituelles 1 en Rennes*, Francia, 1981; *39 Fotógrafos mexicanos*, Houston Centre for Photography, 1987; *Imágenes de la Vírgen de Guadalupe*, Centro Cultural Arte Contemporáneo, 1988; *150 años de la fotografía*, Museo de Arte Moderno, Ciudad de México (1989); y la itinerante *Fotógrafos mexicanos en el extranjero*, 1995. [p. 297]

H. J. GUTIÉRREZ. Existen en el Archivo General de la Nación dos obras con el tema de fiestas mexicanas realizadas en 1907; cuatro obras con personajes, fechadas en 1908; cuatro del porfiriato de 1907 y 157 imágenes con paisajes de la Revolución Mexicana en Ciudad Juárez y la Ciudad de México, personajes y sucesos, realizadas en 1911. F/A.G.N. [p. 298]

S.E. GUTIÉRREZ. Existen en el Archivo General de la Nación quince obras de jardines y plazas, vistas panorámicas, puentes, iglesias de Cuernavaca, Morelos, fechadas en 1905 y 1906. F/A.G.N. [p. 299]

ENRIQUE GUYARD. Activo en la Ciudad de México, alrededor de 1891. F/A.S.C.

JUAN GUZMÁN/JOHN GUTMAN/HANS GUTMANN GUSTER. 1905. Alemán de nacimiento, y naturalizado mexicano, llega a México en 1940. Estudió Arte bajo la tutela de Otto Mueller en la Academia de Arte de Breslau, Alemania. Se mudó a Berlín, donde realizó estudios de posgrado en fotografía. Ahí ingresó a la Agencia Presse-Foto, en 1933. Emigró a Estados Unidos y en 1937 comenzó a trabajar para la Agencia Pix de Nueva York, donde permaneció hasta 1962. En esta época, su trabajo fue publicado en *Life*, *Time*, *National Geographic*, *Picture Post* y el periódico *The Saturday Evening Post*, entre otros medios. Durante la guerra trabajó tomando fotografías y realizando documentales para la armada norteamericana. Posteriormente se estableció en San Francisco, donde inauguró el programa de fotografía creativa en la Universidad Estatal y llegó a ser distinguido profesor emérito en 1973. Actualmente la Colección Juan Guzmán registra la vida, los personajes, la arquitectura y múltiples aspectos de la realidad mexicana de 1940 a 1960. El archivo fotográfico adquirió 1 426 imágenes de este fotógrafo, relacionadas con el arte y los artistas plásticos. De ellas destacan las series sobre Diego Rivera, José Clemente Orozco, David Alfaro Siqueiros y Doctor Atl. F/A.J.G. (Naggar y Ritchin, 1996, 296.) [p. 300]

L.G. GUZMÁN. Activo en la Ciudad de México, alrededor de 1920. F/G.F. [p. 301]

FREDERICK HAAS. Activo en Colima, alrededor de 1875. F/J.C.M. [p. 302]

HADSELL. Activo en Veracruz, alrededor de 1914. F/J.C.M. [p.303]

F. HAFS. Activo en Colima, alrededor de 1870. F/J.C.M. [p. 304]

JERÓNIMO HAGGERMAN. México, D.F., 1967. Estudió la licenciatura en diseño gráfico en la Universidad Iberoamericana, México. En 1993 se benefició del Programa de Intercambio con el Museo de Arte de Brooklyn, Nueva York. En 1988 hizo el diseño de museografía para la exposición *Casas acariciadoras, fotografías, entrevistas planos y maquetas de arquitectura rural*; Mariana Yampolsky y Óscar Hagerman, presentada en el Museo Nacional Antropología y el Museo de Arte Contemporáneo de Oaxaca así como en Berlín, Cuba, Sudáfrica, y Portugal. Coeditor y artista participante del ABCDF diccionario gráfico de la Ciudad de México. Entre sus exposiciones individuales y colectivas sobresalen: *La regla del juego instalación. Exposición colectiva*, Temístocles, México, D.F., 1991; *Bambi y otros pretextos*, un proyecto de Gabriel Batiz, Maurycy Gomuliki y Jerónimo Haggerman, Centro de la Imagen, México, D.F., 2001. Ha publicado en diferentes medios desde 1996. [p. 305]

LORENZO HAGGERMAN. México, D.F., 1969. Estudió la licenciatura en Comunicación en la Universidad Iberoamericana, donde también fue profesor de fotografía de 1992 a 1995. Ha realizado cursos, entre 1990 y 1997, de fotografía, dirección de actores, foto para cine e ingeniería de sonido. En 1994 recibió una mención honorífica en la Primera Bienal de Fotoperiodismo y en 1995, los tres premios del Concurso Foto Jazz en La Habana. En varias ocasiones ha sido director de fotografía y camarógrafo. Algunos de sus trabajos más recientes son *Niños del mundo*, 2000; *Armed Cars*, 2000; *Magazine ARTE/Francia*, 2000; *Diezminutos II* (Ferretería) 2000; *Omnitrition*, 1999; *Día de Muertos*, Hanoover, 1999, 2000; *La tierra viva*, 1998-1999, y *Retos y respuestas*, 1997-1998. [p. 306]

CHARLES HARBUTT. Estados Unidos. 1935. Después de estudiar periodismo en su país natal, se estableció como fotógrafo independiente publicando sus imágenes en *Life*, *Paris Match*, *Look*, *Newsweek*, *Fortune*, *National Geographic* y otros medios. Ingresó a la Agencia Magnum Photos en 1963, y en 1970 fue electo presidente de la misma, cargo que sostuvo por dos periodos (1970-1973 y 1976-1978). También ha sido consultor fotográfico de la ciudad de Nueva York, artista visitante para la Rhode Island School of Design y el Masssachusetts Institute of Technology, así como miembro fundador de Archive Pictures Inc. Realizó su primer viaje con motivos fotográficos a México en 1976, y a repetido sus visitas periódicamente desde entonces. Entre sus publicaciones podemos destacar: *Progreso* (1987), *Travelog* (1974) y *America in Crisis* (1969). (Naggar y Ritchin, 1996, 296.) [p. 307]

PAULA HARO PONIATOWSKA. México, D.F., 1970. En 1992 finalizó sus estudios en la Escuela Activa de Fotografía. De 1992 a 1996 dirigió el área de fotografía del Departamento de Difusión Cultural en el Tecnológico de Monterrey en la Ciudad de México. Durante este mismo periodo impartió varios cursos en dicha Universidad. En 1994 realizó un ensayo fotográfico sobre el levantamiento armado en Chiapas. Este trabajo se expuso más tarde en México, Italia y Estados Unidos. Ha publicado en medios como *La Jornada*, *Escala*, *Proceso*, *Reforma* y *Cuartoscuro*, entre otros. Entre sus exposiciones individuales figura *Casa del Risco*, Galería Candela, y de manera colectiva ha expuesto en el Centro de la Imagen, entre otros recintos. [p. 308]

JOAQUÍN HARO. Existe en el Archivo General de la Nación una obra de propaganda con cuatro marcas de cerveza, de 1906. F/A.G.N. [p. 309]

HARRIS & GRAY. Activos en Chihuahua, Chihuahua, alrededor de 1910. F/J.C.M. [p. 310]

CARLOS HARRIS. Activo en la Ciudad de México, alrededor de 1912. [p. 311]

A.S. HASLEY. Conocido también como Alsey, Halssey y Halcey. Daguerrotipista y ambrotipista canadiense o norteamericano. Abrió un primer estudio en 1840 en Quebec y llegó a México a finales de 1840, donde permaneció hasta 1841. Reapareció en 1845 asociado con Guerney con un estudio en la calle de Cadena núm. 3. Desde ese año hasta los sesenta, ejerció principalmente en la Ciudad de México. En 1856 inauguró la Galería de Retratos al Daguerrotipo en Puente del Espíritu Santo núm. 8. En 1859, patentó el hallotipo, fotografía en papel con efecto estereoscópico. Realizó uno de los primeros álbumes de vistas: *La ciudad de México y sus alrededores*. Fue uno de los primeros en comercializar las tarjetas de visita (Casanova y Debroise; 1989: 56,57.)

JILL HARTLEY. Los Angeles, California, EU., 1950. Estudia en UCLA y Art Center College of Design, de Los Angeles, California (1968-1971). Después ingresa a la University of Illinois at Chicago Circle, donde obtiene un Bachelor of Arts. Recientemente ha impartido talleres en Brasil, Francia e Italia. Entre 1974 y 1979 viaja extensamente por el mundo cultivando su labor fotográfica. Sus fotografías se publican en los libros *Jill Hartley-Poland* y *Lotería fotográfica mexicana*. Desde 1986 radica en México, aunque su fotografía la lleva cada año a varios países. Ha expuesto individualmente en la Cityscape Gallery de Los Angeles, California (1978 y 1982), en la Galería Kahlo-Coronel (1990), en el Centro de la Imagen (1995) y en NAFOTO, Sao Paulo, Brasil, entre otros recintos. Su obra figura en colecciones públicas de Francia y Estados Unidos. [p. 312]

FRIDA HARTZ. México, D.F., 1960. Realizó estudios fotográficos en el Colegio Columbia Panamericano (1978-1989) y de docencia en Artes Plásticas en el INBA (1980-1984). Ha desempeñado labor docente en varios recintos del país. Desde 1984 trabaja como reportera gráfica del periódico *La Jornada*. Ha participado en diversas exposiciones individuales y colectivas en México, Italia, Estados Unidos, España, Holanda, Francia y varios países de Latinoamérica. Sus premios incluyen el primer lugar y mención en el Concurso Internacional Mujeres Vistas por Mujeres, Comunidad Europea, 1989, y la mención única en el Premio Ensayo Fotográfico en La Habana, Cuba, 1994. Sus fotografías han aparecido en publicaciones de Suiza, *Los Angeles Times*, *Liberación* (Francia), *Art* (Berlín) y varias otras. [p. 313]

JAN HENDRIX. Maasbree, Holanda. 1949. Estudia en Ateliers 63 y Jan Van Eyck Akademie de Holanda. Tras residir en Francia, Portugal, Noruega e Islandia, se establece en México en 1978. De sus exposiciones individuales recientes destacan las presentadas en los siguientes recintos: Museo Zhu Qi-Zhan, Shanghai, China; Erasmushuis, Djakarta, Indonesia; UTS Gallery, Sydney, Australia, 1996; Tropenmuseum Amsterdam, Holanda, 1997; Museo de Pintura y Escultura de Ankara, Turquía, 1998; La Caja Negra, Madrid, España, 1999; Centro de la Imagen, México; Museo de Arte Contemporáneo de Oaxaca, México, e Irish Museum of Modern Art, Dublín, Irlanda, 2000. Ha participado en muestras colectivas en la República Mexicana, Holanda, Francia, Estados Unidos e Indonesia. Es miembro del Sistema Nacional de Creadores del FONCA desde 1994. [p. 314]

FRITZ HENLE. Alemania, 1909. Naturalizado estadounidense. Fotógrafo autodidacta desde sus inicios a edad temprana. Entre 1930 y 1932 trabajó con el historiador del arte Clarence Kennedy fotografiando esculturas del Renacimiento en Florencia. De 1934 a 1936 se empleó como fotógrafo publicitario. Emigró al año siguiente a Estados Unidos donde trabajó como fotógrafo para la revista *Life* hasta 1941. Durante la Segunda Guerra Mundial fue empleado por la Oficina de Información de Guerra en Washington D.C. A partir de 1945 fue fotógrafo para la revista *Harper's Bazaar* y más adelante, para la City Oil Service de Nueva York. Es miembro y fundador de la American Society of Magazine Publishers. Su obra aparece en *Fritz Henle*, 1975; *Casals*, 1975; *Fritz Henle's Rollei*, 1950. (Naggar y Ritchin, 1996, 297.) [p. 315]

JOSÉ HERNÁNDEZ-CLAIRE. Guadalajara, Jalisco, 1949. Licenciado en Arquitectura por la Universidad de Guadalajara (1966-1972) y maestro en Diseño Urbano por el Pratt Institute de Nueva York (1980). Cursó estudios fotográficos dentro de su maestría. Se ha desempeñado en el fotorreportaje para medios de México y el extranjero, el diseño urbano y la docencia. Actualmente es jefe y editor de fotografía del periódico *Siglo 21* de Guadalajara. Individualmente ha expuesto en: Centro Cultural Juan Rulfo (Fotoseptiembre, 1993), Galería Azul, Guadalajara, 1991, y Centre Cultural de Shawinigan, Canadá, 1988, entre otros recintos. Sus exposiciones colectivas e itinerantes han recorrido varios países desde 1988. Recibió becas del FONCA (1989 y 1993) y premios del Maine Photographic Workshop y el de Periodismo Rey de España (1992) entre otras preseas. [p. 316]

M. HERNÁNDEZ. Existen en el Archivo General de la Nación ocho obras de hoteles, visitas y lagos de Chapala, Jalisco, fechadas en 1907. F/A.G.N. [p. 317]

GERMÁN HERRERA. México, 1957. Estudió fotografía en el City College of San Francisco y en el California College of Arts & Crafts. En 1989 realizó la exhibición individual *Porción de tierra enteramente rodeada por agua*, Galería Hahlo-Coronel, México, 1989. Ha participado en exposiciones colectivas: *Primera muestra de fotografía latinoamericana contemporánea*, Museo de Arte Moderno, México, D.F., 1978; *Retrato de lo eterno*, Colombia, 1986; Bienal de Fotografía, Galería del Auditorio, INBA, México, D.F., 1989; *Memoria del tiempo, 150 Años de Fotografía*, Museo de Arte Moderno, INBA, México, D.F., 1989, entre otras. Su obra se ha publicado en libros y revistas de México y Estados Unidos. [p. 318]

E. HERRERÍAS. Existen en el Archivo General de la Nación ocho obras de la Revolución realizadas en Ciudad Juárez, fechadas entre 1910 y 1911. F/A.G.N. [p. 319]

I. HERRERÍAS. Existen en el Archivo General de la Nación veinticuatro obras de la Revolución, de personajes en Ciudad Juárez, fechadas en 1911. F/A.G.N. [p. 320]

JAVIER HINOJOSA. Estudió Cinematografía en el Centro de Estudios Cinematográficos UNAM (1978-1980). De 1974 a la fecha, ha realizado estudios de fotografía, serigrafía, artes gráficas, televisión y computación. También se dedicó a la docencia en Diseño Gráfico, Textil y de Muebles en la Escuela de Diseño del INBA (1980-1989). Ha realizado cinco exposiciones individuales en México, de las que destaca *Silencios Compartidos*, Museo Soumaya, 1999. Ha participado en colectivas en la República Mexicana, Francia, Ecuador y Cuba. Recibió premios en el III Concurso de Fotografía Antropológica (1983) y en el Salón Nacional de Artes Plásticas (1984). Fue becado por el FONCA en 1996. Su obra figura en colecciones del IAGO (Oaxaca), INBA y Museo Soumaya, México. Ha publicado en numerosos libros reproduciendo obra plástica, así como en revistas de México y la UNESCO. En el 2001 expone en el Centro de la Imagen la muestra *Mayas, espacios de la memoria*. [p. 321]

PEDRO HIRIART. México, D.F., 1949. Se ha desempeñado en la fotografía antropológica, publicaciones científicas y educativas (UNAM) y en la fotografía arquitectónica, siendo esta última su principal ocupación desde 1986. Además, entre 1985 y 1999, impartió cursos de fotografía en la Escuela de Fotografía Nacho López, en el Centro de la Imagen, y en el Instituto Nacional Indigenista. Ha participado en 32 exposiciones colectivas. Sus muestras individuales se han presentado en la Casa del Lago, 1979; Museo Carrillo Gil, 1983; Galería UAM Xochimilco y Galería UAEM, Tlalpan, 1998. [p. 322]

RANDALL W. HOIT. Daguerrotipista norteamericano. Trabajó en Cuba en 1841, llegó a México en septiembre de 1842 y se estableció en el Hotel Iturbide. Se asoció con Francisco Doistua en 1844. (Casanova y Debroise; 1989: 57.)

HOLLYWOOD. Activo en la Ciudad de México, alrededor de 1930. F/G.F. [p. 323]

KATI HORNA. Hungría, 1912-2000. En 1933 con el apoyo de su madre decide aprender fotografía. Es en París donde inicia formalmente la serie de reportajes gráficos, entre los cuales podemos mencionar *Mercado de pulgas* y *Cafe de París*, entre otros. De 1937 a 1938 cubre la Guerra Civil Española, captando no sólo sucesos bélicos, sino la vida cotidiana en medio de la guerra. Llegó a México en 1939. Como docente trabajó primero en la Universidad Iberoamericana y a partir de 1973, en la Antigua Academia de San Carlos. Su cámara plasmó distintos testimonios de la vida cultural de México: artistas plásticos, escritores, intelectuales y personajes del mundo del espectáculo. Los diferentes Fondos Kati Horna albergan más de veinte mil negativos clasificados en distintos temas, aunque predomina el género del retrato. F/N.H. [p. 324]

J. HOYA. Activo en la Ciudad de México, alrededor de 1940 F/J.C.M. [p. 325]

J. IBARRA. Activo en la calle de Portal de Agustinos núm. 2, Guadalajara, Jalisco, alrededor de 1867. F/J.C.M. [p. 326]

KENJI IKENAGA. México, D.F., 1976. Estudió fotografía con Saúl Serrano en el Centro Cultural Arte Contemporáneo de la Ciudad de México y en el Centro de Capacitación Cinematográfica. En 1995 fue seleccionado en la Séptima Bienal de Fotografía. Ha expuesto en muestras colectivas desde 1992. Actualmente se desempeña más en el área del cine. [p. 327]

GRACIELA ITURBIDE. México, D.F., 1942. Estudió en el Centro Universitario de Estudios Cinematográficos (1969-1972) y trabajó como asistente de Manuel Álvarez Bravo (1970-1971). A partir de 1974 se dedica por completo a la foto fija. En 1980 publicó *Los que viven en la arena* (Instituto Nacional Indigenista). De sus exposiciones individuales destacan: *Juchitán pueblo de nube* (itinerante por Argentina, Inglaterra y Japón, 1987-1998); *En el nombre del padre,* Galería Juan Martín, México, Galería Foto Óptica, Sao Paulo, y Museo de Arte Moderno, Río de Janeiro, Brasil, 1993; *La forma y la memoria,* Museo de Arte Contemporáneo de Monterrey, 1996, y San Ildefonso; así como la retrospectiva *Images of the Spirit,* Philadelphia Museum of Art, 1998. Ha recibido varios de los premios internacionales de fotografía más prestigiados, como el W. Eugene Smith (1987-1988), la Beca Guggenheim (1988), el Premio Hokkaido (1990) y el Premio Rencontres Photographiques (1991), entre otros. [p. 328]

J. CAMPARDON V. Activo en Campeche, alrededor de 1900. F/J.C.M. [p. 329]

WILLIAM HENRY JACKSON. Estados Unidos, 1843-1942. Participó en la Guerra Civil de Estados Unidos realizando trabajo fotográfico. Al concluir ésta, fue fotógrafo oficial para el Departamento de Geografía y Geología del Gobierno de Estados Unidos. En 1879 abrió un estudio fotográfico, especializándose en paisaje. En 1883 fue comisionado por Ferrocarriles de México para captar una serie de imágenes, un año después regresó a concluir su trabajo fotográfico sobre el paisaje mexicano. En 1894, la revista *Harper's Weekly* envió a Jackson a un viaje alrededor del mundo por dos años para posteriormente publicar sus imágenes. Perteneció al Club de Exploradores de la National Photographers Association. Además, fue propietario de Detroit Publishing Company. (Naggar y Ritchin, 1996, 297.) [p. 330]

JACOBI Y CÍA. Activo en la ciudad de Puebla, alrededor de 1878. F/J.C.M. [p. 331]

JEFF JACOBSON. Des Moines, Iowa, EU, 1946. Se graduó de la Escuela de Periodismo de la Universidad de Oklahoma en 1968. En 1974 se hizo fotógrafo independiente y en 1978 se unió a la agencia Magnum Photos. Permaneció ahí hasta 1981 y entonces creó Archive Pictures, del que fue presidente en 1988. Realizó trabajos fotográficos en México en 1988, 1990 y 1991. Se hizo acreedor a distinciones como la Donación de New York Foundation for the Arts (1988) y la Beca del National Endowment for the Arts (1990). Ha publicado sus fotografías en libros tales como *Eyes of Time, Photojournalism in America* (1988) y *My Fellow Americans*, con prólogo de Russell Lockhart (1991). (Naggar y Ritchin, 1996, 298.) [p. 332]

ERIC JERVAISE. Francia, 1952. Radica en México desde 1972. Realizó estudios en su natal Francia, así como en México. Su experiencia como docente de fotografía incluye talleres en el Centro de la Imagen, la Escuela Nacional de Artes Plásticas y la Universidad Intercontinental, así como cursos en la Escuela Activa de Fotografía. Como curador de exposiciones ha realizado desde 1997 muestras de fotógrafos mexicanos en el Distrito Federal, Puebla y Morelia. Como fotógrafo cuenta con diez exposiciones individuales, entre las que destacan: *Portraits au Mexique*, en la Galería Etnia, México, D.F., 1991; *La vida secreta de los objetos*, Fotoseptiembre, 1996, y *La naturaleza es buena,* en la ENAP, 1998. Sus colectivas incluyen las I, II, VI y VII Bienales Nacionales de Fotografía, entre otras. [p. 333]

HNOS. JIMÉNEZ. Activos en la Ciudad de México, alrededor de 1900. F/G.F. [p. 334]

A.E. JIMÉNEZ. Activo en la Ciudad de México, alrededor de 1900. F/A.S.C. [p. 335]

AGUSTÍN JIMÉNEZ. 1901-1974. Estudió brevemente arquitectura y la abandonó por problemas financieros. Entonces se enroló en la Escuela de Artes Gráficas, donde aprendió fotografía. Hacia 1926, contribuyó con sus fotografías en la revista *Forma*. En 1931, realizó su primera exposición individual en la SEP. Posteriormente, su trabajo fue expuesto en Nueva York, Filadelfia y Londres, donde tuvo muy buena recepción. Fue camarógrafo de *Ensayo de un crimen*, película de Luis Buñuel. Del mismo modo, colaboró con el cineasta soviético Sergei Einsenstein. Posteriormente realizó las películas *Humanidad* y *Dos monjes*. (Ayala, 2000.) [p. 336]

ARISTEO JIMÉNEZ. Aualulco, San Luis Potosí, 1961. Egresado de la Facultad de Artes Visuales de la Universidad Autónoma de Nuevo León. Ha colaborado como fotógrafo con distintos diarios de la ciudad de Monterrey. Ha sido becario de CONACULTA. En 1995 fue jurado de la Séptima Bienal de Fotografía en el Centro de la Imagen. [p. 337]

MATEO JIMÉNEZ. Activo en Jalapa, Veracruz, alrededor de 1910. F/G.F. [p. 338]

SOTERO CONSTANTINO JIMÉNEZ. Juchitán, Oaxaca, 1891-1961. También fue un buen dibujante, lo que le valió recibir una beca para estudiar en la Ciudad de México en el Colegio Militar, cuando obsequió alguno de sus bocetos al presidente Porfirio Díaz en una de sus visitas a Juchitán. A su regreso se dedicó a la fotografía y puso un estudio donde se retrataron las familias de la época y también sus familiares; cuenta su hijo Augusto Jiménez que su padre les tomó fotos con la partera. Fue aprendiz de un fotógrafo francés radicado en Juchitán. Actualmente la mayoría de las fotografías que las familias de Juchitán tienen de sus abuelos, son de este autor. F/M.J.S. [p. 339]

CARLOS JURADO. San Cristóbal de las Casas, Chiapas, 1927. En 1944 inicia estudios de pintura en La Esmeralda. Posteriormente, en 1954, trabaja para el Instituto Nacional Indigenista en la Tarahumara, el Papaloapan y Chiapas. En ese mismo año ingresa al Taller de la Gráfica Popular. Desarrolla su obra en la pintura, gráfica y la fotografía. Ésta lo lleva a exponer en México, Dinamarca, Inglaterra, Bélgica, Suecia y Cuba. Ha publicado extensamente en libros y revistas en su larga carrera. Su libro de 1974, *El arte de la aprehensión de las imágenes y el unicornio,* es usado como libro de texto en universidades en la carrera de cine. Ha recibido preseas en el area plástica (Salón de la Plástica Mexicana 1960 y 1973); de la gráfica (Bienal de Cracovia, 1978), y de cine científico (CONACYT, 1973), entre otras. F/M.J.S. [p. 340]

YISHAI JUSIDMAN. México, D.F., 1963. Cuenta con estudios en New York University (MA, 1988), NY Studio School of Painting and Sculpture (1986), CalArts (BFA, 1985), y como aprendiz del pintor Carlos Orozco Romero (1973-1980). Su obra ha recurrido a la investigación sobre la construcción de la imagen, desde su punto de vista perceptual, cognitivo y genealógico dentro de la historia de la pintura. Cuenta con una veintena de exposiciones individuales en México y Estados Unidos, principalmente. De las recientes cabe mencionar *Mutatis Mutandis*, Centro de la Imagen, México, Galería Camargo Villaca, Sao Paulo Brasil, 2000; *en/treat/ment,* Galería Ramis Barquet, Nueva York; *Sumo,* 1995-1998; *Bajo tratamiento,* 1997-1999; Museo Carrillo Gil, México. Asimismo, cuenta con numerosas colectivas en varios países. Es actualmente becario del Sistema Nacional de Creadores del FONCA. [p. 341]

CRISTINA KAHLO. México, D.F., 1960. Cuenta con estudios en la Escuela Activa de Fotografía (1977), un diplomado en Fotografía en el Centro de Estudios de la Imagen (Madrid, España, 1980) y un curso de Photoshop en la Universidad Iberoamericana (1995). Ha participado en exposiciones fotográficas en México, D.F., y Pretoria, Sudáfrica. Además, cuenta con experiencia como curadora en la Galería Sloanne-Racotta (1982-1983); fue directora de LA Galería Alternativa (1983-1985) y de la Galería Kahlo Coronel (1986-1991). Sus fotografías han figurado en diversas revistas. [p. 342]

GUILLERMO KAHLO. Baden-Baden, Alemania, 1872. Emigró a México a los 19 años. Comenzó a trabajar en la fotografía con Ignacio Calderón. Trabajó para el gobierno de Porfirio Díaz entre 1904 y 1908, como parte de las actividades conmemorativas del Centenario de la Independencia. Su trabajo en otros géneros, como el paisaje, el retrato y la fotografía industrial se ha extraviado en su mayoría. Destacó como fotógrafo adelantado a su época, poseedor de un excelente dominio de la técnica y de un estilo realista. Actualmente la Colección Guillermo Kahlo consta del registro fotográfico que hizo Kahlo a principios del siglo XX, de monumentos arquitectónicos (a petición del gobierno porfiriano) y conforma un repertorio único del patrimonio monumental. Este archivo cuenta con 429 fotografías (11 x 14) de arquitectura colonial y moderna. (Kahlo, 1993, 169-171.) y F/C.K. [p. 343]

GUILLERMO KAHLO ALCALÁ. Ciudad de México, 1962. Desde muy temprana edad se interesó por el medio fotográfico. Realizó sus estudios de fotografía en el Elkins Institute, en la Ciudad de Dallas, Texas, y la licenciatura en ciencias de la comunicación en la Universidad Iberoamericana. Desde 1987 hasta la fecha ha desarrollado diversos portafolios de retrato de personalidades del ámbito cultural, político y artístico de México y otros países. Su trabajo es un reflejo de la complejidad actual: aborda la diversidad de la sociedad mexicana contemporánea sin ignorar la marginalidad. Además de su práctica consistente en el ámbito del retrato, ha asesorado diversos proyectos de imagen colaborando como miembro del consejo editorial de la revista *Sacbé* y en el Fideicomiso para la Expo Hannover 2000. Es autor de la imagen de una colección de libros acerca de la gastronomía mexicana, la cual, a la fecha, cuenta con tres títulos publicados. Actualmente presenta una exposición en la Galería Silva en Atlanta, Estados Unidos. [p. 344]

BENJAMÍN KILBURN. Activo en la Ciudad de México, alrededor de 1873. [p. 345]

KEN KITANO. Tokio, Japón, 1968. Se inició en la fotografía a muy temprana edad, interesado en el trabajo fotográfico japonés y extranjero. Su primera exhibición la realizó en el Kanto Student Photographers. En 1993 se volvió fotógrafo *freelance*, viajando por diferentes partes del mundo. Inició su serie *Fusión y flujo de la ciudad* a principios de los noventa, que fue exhibida cuatro años más tarde en la Weston Gallery de Tokio y publicada en la revista *Luna Córnea* núm. 19, del Centro de la Imagen en el 2000. [p. 346]

BERNICE KOLKO. Polonia 1904. Emigró a los Estados Unidos en 1920, y en 1951 llegó a la Ciudad de México, donde murió en 1970. Dejó un archivo de casi ocho mil negativos. En la década de los sesenta publicó tres libros: *Rostros de Israel* (1963), *Rostros de México* (1966) y *Semblantes mexicanos* (1968). Sobre su obra han escrito Raquel Tibol y José Antonio Rodríguez. [p. 347]

TONI KUHN. Biel-Bienne, Suiza, 1942. Activo desde 1959. Viajó a México en 1964, donde reside desde entonces. Aunque es más conocido como cineasta desde 1969, labor que le ha sido reconocida con cuatro premios Ariel y un Heraldo en el área de cine mexicano, su obra como autor fotográfico individual arranca en1985, con una trayectoria de 18 exposiciones propias hasta el 2000 y la publicación de un libro de fotografía a color, con presentación de Rolf Niederhauser, en cinco idiomas (español, alemán, francés, inglés y japonés): *Otros sueños*, edición del autor, México, 1989. Aparte de la Ciudad de México ha expuesto en Morelos, Puebla, Querétaro y Veracruz, así como en Cuba, Suiza y Checoslovaquia. La exposición colectiva más importante en la que ha participado es *Memoria del tiempo*, que se presentó en más de diez países de Europa y en China, entre 1990 y 1993. F/F.D.M. [p. 348]

JUAN BERNARDO KÜHNE. México, 1964. Presentó en 1992 las muestras individuales *La fugacidad estática del tiempo*, Galería Bonilla, y *Gusano Luminoso*, Galería Nacho López de la Casa del Lago en el Bosque de Chapultepec, y en 1993 *Transmutaciones*, Galería del Castillo de Chapultepec, y en la estación del metro Pino Suárez. Ha expuesto colectivamente en los siguientes espacios: Consejo Mexicano de Fotografía, Museo Mural Diego Rivera, Foro Cultural Coyoacanense, La Última Carcajada de la Cumbancha, Centro Cultural Santo Domingo, Galería La Agencia, Salon des Aztecas y El Pecado de Ophelia. Fue miembro del Taller de los Lunes que impartió Pedro Meyer de 1985 a 1988.

J. B. KURI. Existen en el Archivo General de la Nación dos imágenes de la Candelaria de 1912 y cinco imágenes de personajes religiosos de 1913. F/A.G.N. [p. 349]

GUILLERMO L. ZÚBER. Activo en la calle de Diana 10, en Mazatlán, México, alrededor de 1889. F/J.C.M. [p. 350]

EDGAR LADRÓN DE GUEVARA. De 1990 a 1991 obtuvo la Beca Jóvenes Creadores, y de 1993 a 1995 la Fulbright para cursar la maestría en fotografía en School of Visual Arts en Nueva York, recibiendo también el apoyo del FONCA. Fue seleccionado en el XII Encuentro Nacional de Arte Joven en 1992 y en la Bienal de Fotografía del INBA en 1986; cuatro años antes recibió una mención honorífica y premio de reconocimiento en el Concurso Internacional de Kinsa. Cuenta con numerosas publicaciones. Ha expuesto colectiva e individualmente desde 1982; algunas de sus muestras colectivas más recientes se han realizado en Atenas, Praga, Nueva York, Moscú y México. Individualmente ha mostrado su trabajo en la Galería Nina Menocal en dos ocasiones: 1993 y 1994. [p. 351]

PATRICIA LAGARDE. México, D.F., 1961. Estudió Comunicación y Diseño Gráfico en la Universidad Iberoamericana, y posteriormente Fotografía en la Escuela Activa y talleres de perfeccionamiento fotográfico en el Centro de la Imagen y otras instituciones. Cuenta con diez exposiciones individuales en recintos como la Galería Enrique Romero (1994), la Galería de la Imagen (Querétaro, 1997) y Galería Emma Molina (Monterrey, 1998). Ha figurado en muestras colectivas en el Museo Carrillo Gil (1996), Museo del Chopo (1998), Centro de la Imagen (1999), así como en Austria y Finlandia. Obtuvo la Beca Jóvenes Creadores del FONCA en 1995. En 1997 publicó el libro-objeto *Desierto*, en 1998 el libro *No en el aire, en el instante,* y en el 2000, *Herbolaria mexicana*. [p. 352]

DESIDERIO LAGRANGE. Francés. Fotógrafo de estudio, de exteriores y editor fotográfico. De acuerdo con la investigadora Gina Rodríguez, fue también litógrafo y periodista. Activo en Monterrey, Nuevo León, entre 1860-1910. Murió en 1926. Junto con su hermano Alfonso Lagrange establecieron la Fotografía del Comercio en 1873, y hacia 1885 se identifican bajo la firma Lagrange A. y Hno. En 1889 Desiderio Lagrange participó en la exposición Universal de París, en donde obtuvo una mención honorífica por su trabajo, y en 1892 a petición del gobierno del estado, participó en la Exposición Histórico-Americana del cuarto Centenario del Descubrimiento de América, en Madrid, por lo cual Nuevo León fue premiado con una mención honorífica. Desiderio también participó en la exposición Colombina, celebrada en Chicago en 1893 y obtuvo un premio, y en la Exposición Internacional de París de 1900 obtuvo otra mención honorífica. El Instituto Tecnológico de Monterrey compró en 1963 una colección de negativos y fotografías que hoy se conocen como el Fondo Sandoval-Lagrange. F/F.D.M. [p. 353]

GUSTAVO LAILSON. Estudió Ciencias de la Comunicación Social en la UAM-X (1981). Además realizó talleres fotográficos en la Casa del Lago (1975) y Londres, Inglaterra (1976). Ha publicado en tres libros de cultura y gastronomía en el país. Se ha desempeñado como fotógrafo independiente en campañas publicitarias y realizando fotografía de artes escénicas. Sus muestras colectivas se incluyen en las Séptima y Octava Bienales de Fotografía, así como en la Exposición del 50 Aniversario del Club Fotográfico de México (1999). De manera individual, se ha presentado en la Casa del Lago (1990); Museo Casa Trotski (1997); Club Fotográfico de México (1997) y Museo del Carmen (1999).

CARLOS LAMOTHE. Veracruz, Veracruz. 1951. Realizó estudios de fotografía en Winona School of Professional Photography (Chicago), Ansel Adams Workshop, y en el Instituto de Artes Plásticas de la Universidad Veracruzana. De 1979 a 1986 fue miembro del Salón de la Plástica Mexicana. Ha realizado numerosas exposiciones individuales y colectivas tanto en México como en el extranjero. Ganador de los premios de adquisición de las Bienales de Fotografía de 1984 y 1986. El Fondo Estatal para la Cultura y las Artes le otorgó una beca estimulo para el desarrollo de la creatividad en 1996. Ha sido jurado calificador de los proyectos culturales de creadores del Fondo Estatal para la Cultura y las Artes en 1997 y 1999. De 1995 al 2001, fue catedrático de la Licenciatura en Artes Plásticas de la Universidad Veracruzana. Desde 1995 es integrante del grupo Foto-apertura y organizador del Junio: Mes de la Fotografía en Xalapa. Actualmente es director de la Fototeca de Veracruz del Instituto Veracruzano de la Cultura. [p. 354]

EMILIO LANGE. Activo en la 2a. de Plateros 4/ Av. San Francisco 1, en la Ciudad de México, alrededor de 1902-1908. F/J.C.M. [p. 355]

AURORA EUGENIA LATAPÍ. 1911. Realizó estudios de fotografía, pero fue con el maestro Agustín Jiménez con quien aprendió de manera notable las nuevas posibilidades del lenguaje fotográfico, en los años donde se gestaba un nuevo modo de ver por las influencias de las vanguardias, sobre todo la del maquinismo con el futurismo italiano y la Bauhaus en Alemania. Su primera exposición colectiva fue *11 Fotógrafos Mexicanos*, organizada por Carlos Mérida y Carlos Orozco Romero en el Teatro Nacional (hoy Palacio de Bellas Artes) en 1929. Se identifica dentro de la vanguardia con un lenguaje donde predominaba el uso de la geometría, los primeros planos, la exaltación de los objetos o la sobreimpresión. En 1931 participó en la exposición *Jiménez-Latapí*, en la Galería Excélsior. En ese mismo año ganó el cuarto lugar en el certamen convocado por la fábrica Tolteca, en el cual el primer lugar fue para Manuel Álvarez Bravo, el segundo para Lola Álvarez y el tercero para el propio Agustín Jiménez. F/J.A.R. [p. 356]

EUGENIO Y MARTEL LATAPÍ. Daguerrotipistas y ambrotipistas franceses establecidos en la calle de Plateros núm. 2 desde 1855. Fueron representantes en México de la Societé Francaise de Photographie e introductores de las técnicas del colodión húmedo y de papel albuminado. En 1857 se cambiaron a la calle de Alcaicería núm. 1 esquina con Plateros en la Ciudad de México. (Casanova y Debroise; 1989: 57.)

DAVID LAUER. Fotógrafo desde 1979, publicó en 1989 sus imágenes en el libro *Explorando un mundo olvidado: sitios perdidos de la cultura de Paquimé*. La exposición del mismo nombre actualmente recorre el norte de México y el sur de Estados Unidos. Asimismo, su proyecto multimedia *Luces y Voces del Desierto* (acreedor al fideicomiso para la Cultura México-Estados Unidos 1997) ha recorrido ambas fronteras. Con la misma convicción de documentar e interpretar el desierto, creó el proyecto fotográfico *Espíritus de la Tierra* que se expone, una vez más, de modo itinerante. Su obra fotográfica ha aparecido en varios libros colectivos y colecciones de postales de México. Actualmente colabora con la revista *México Desconocido*. En su carrera literaria, ha sido catedrático, traductor y ha publicado artículos sobre cultura mexicana y latinoamericana. [p. 357]

FRANCISCO LAVILLETTE. Activo en la calle Puente de San Francisco, en la Ciudad de México, alrededor de 1900. También tuvo otro estudio en Profesa núm. 1, alrededor de 1902. F/J.C.M. [p. 358]

PAULINA LAVISTA. México, D.F., 1945. A los catorce años comienza a tomar fotografías. Entre 1964 y 1967 estudia en el Centro Universitario de Estudios Cinematográficos, UNAM. Desde 1968 se dedica por completo a la fotografía. Ha realizado numerosas exposiciones individuales, de las cuales cabe destacar la presentada en el Club Fotográfico de México, 1993; *Arte, letras y farándula*, Bogotá, Colombia, 1993; y la antológica *Sujeto, verbo y complemento*, Museo de Arte Moderno, México, D.F., 1981. Sus fotografías han figurado en muestras colectivas de México, París, Estocolmo, Berlín y Nueva York. Sobre su extensa y variada obra, que incluye el retrato, la foto arquitectónica, el documental, la crónica y muchos otros aspectos sociales, han escrito Raquel Tibol, Álvaro Mutis, Fernando Gamboa, Lázaro Blanco, Berta Taracena y Salvador Elizondo, entre otros. [p. 359]

RUTH LECHUGA. Comenzó a interesarse por la fotografía en 1948, a los 28 años, durante un viaje realizado a la Selva Lacandona, Chiapas. Alrededor de 1952, ingresó al único sitio disponible en ese entonces en el país para el aprendizaje de la fotografía: el Club Fotográfico de México. Posteriormente, fundó La Ventana, con un grupo de once fotógrafos, que cada año organizaban dos o tres muestras colectivas. Su primera exposición individual tuvo lugar en las salas de las Escuela Nacional de Artes Plásticas a principios de 1964. Lechuga se encuentra dentro de la generación de fotógrafos surgida en los años cincuenta cuya identificación con los ámbitos indígenas de México fue esencial para su función, donde la antropología y la fotografía se encuentran unidas en una estrecha y enriquecedora relación. F/J.A.R. [p. 360]

LEMUS G. Activo en la Ciudad de México, alrededor de 1960. F/G.F. [p. 361]

F. LEÓN. Existen en el Archivo General de la Nación trece obras de ruinas arqueológicas y retratos étnicos de la Sierra Zapoteca en Oaxaca, fechados en 1904. F/A.G.N. [p. 362]

FABRIZIO LEÓN. México, D.F., 1963. Ha desempeñado una distinguida labor en el fotoperiodismo. Ejemplo de esto es el Premio Nacional de Periodismo que se le otorgó en 1992. También ha recibido preseas del Concurso Nacional de Fotografía Antropológica en 1984 y 1987, y la Beca Jóvenes Creadores del FONCA. Trabajó como reportero gráfico del periódico *La Jornada* (1984-1995). Entre sus muestras colectivas destacan *Memoria del tiempo*, Museo de Arte Moderno, y *Entre mundos*, itinerante en Estados Unidos y Gran Bretaña. Ha publicado dos libros: *La banda, el consejo y otros panchos* (1984) y *Ser médico*. En 1995 fue jurado en la Séptima Bienal de Fotografía en el Centro de la Imagen. Actualmente dirige la Jefatura de Espectáculos del diario *La Jornada*. [p. 363]

JORGE LÓPEZ VELA. Acapulco, Guerrero. 1963. Se inicia en la fotografía profesional en 1983. En 1986 egresa de la Universidad Autónoma Metropolitana como Diseñador Gráfico con especialidad en fotografía. Del mismo modo, participó en el Taller de los Lunes de Pedro Meyer (1985-1990). Entre sus exposiciones individuales destacan *Las rutas de Pascual*, Museo Universitario de Puebla e Instituto Tlaxcalteca de Cultura; *Apuntes sobre la Ciudad de México*, Club Fotográfico de México; y la itinerante *Marurbe*. Su obra ha figurado en numerosas muestras colectivas e itinerantes en América y Europa. Ha publicado extensamente en libros de instituciones culturales de México. Fue acreedor a la Beca de Jóvenes Creadores del FONCA en 1990 y 1995. [p. 364]

JAMES LERAGER. Estudia fotografía en la Universidad de California con Al Weber, fotógrafo y autor del libro *In the Shadow of the Cloud* (Fulcrum Press, 1988). Sus fotografías se han publicado en periódicos y revistas de más de veinte países. Miembro de la American Society of Media Photographers (ASMP) y del la Society for Photographic Education. Ha montado su obra en más de veinte exposiciones alrededor de Estados Unidos, Rusia, Alemania y Japón, de manera individual y colectiva. [p. 365]

HELEN LEVITT. Nueva York, 1914. Después de conocer a Cartier-Bresson en 1935 adquirió una cámara Leica, que le permitió captar rápidamente escenas callejeras en los barrios obreros de Manhattan. Sus fotografías de Nueva York son muy conocidas; su libro *A way of seeing* (1965), que incluye un ensayo escrito por James Agee, es considerado un clásico de la fotografía estadounidense. Levitt se embarcó en Nueva York rumbo a México en 1941. Éste fue su primer y único viaje significativo al extranjero, y aunque sólo estuvo en la Ciudad de México algunos meses, pronto reunió una notable cantidad de imágenes. Su presencia pasó casi inadvertida. Muchas de sus imágenes fueron captadas con una cámara reflex angulada con la cual podía enfocar mientras parecía mirar en otra dirección. Al contrarios de otros viajeros como Weston o Cartier-Bresson, ella no entró en contacto con artistas locales ni críticos; tampoco expuso ni publicó sus fotografías durante su estancia. Su visión de la compleja vida en la Ciudad de México, de sus zonas y poblaciones marginadas, ofrece un acercamiento sin paralelos en la historia de la fotografía en México. F/J.O. [p. 366]

KEN LIGHT. Fotógrafo documental cuyo trabajo apareció en libros, revistas y exhibiciones. Su más reciente libro, *Witness In Our Time; Working Lives of Documentary Photographers 2000*, fue publicado por el Smithsonian Institution Press. Ha participado de manera internacional en más de 130 exposiciones individuales y colectivas. Su obra se encuentra incluida en numerosas colecciones, incluyendo El San Francisco MOMA, el Houston Museum of Fine Arts, el International Center of Photography y The American Museum of Art at the Smithsonian. Ha recibido el beneficio de la National Endowment for Arts Photographers Fellowships, de la Dorothea Lange Fellowship y de la Erna and Victor Hasselblad Foundation. Es profesor becado y curador del Center for Photography en Nueva York, The Missouri Workshop y The San Francisco Art Institute. Fue fundador del International Fund for Documentary Phtography. [p. 367]

BELA LÍMENES. México, D.F., 1959. Estudió Diseño Gráfico en la Universidad Autónoma Metropolitana (1978-1982). Desde esas fechas ha realizado numerosos cursos de cinematografía, fotografía, diseño de cartel y artes plásticas en diversos recintos de México, Bélgica e Italia. Ha figurado en exposiciones colectivas como Encuentro Nacional de Arte Joven 1981 y 1982, Bienal de Fotografía 1984 y 1995, y LA Contemporary Exhibition 1991, entre otras. En 1984 realizó una individual en la Casa de la Paz, UAM, y en 1985 en el Foro Gandhi. Sus fotografías han sido publicadas en las revistas *Diva*, *La Regla Rota* y *La Pus Moderna*. Ha obtenido distinciones del Programa de Fomento a la Creación y Desarrollo Artístico de Morelos y el FONCA de la misma entidad. [p. 368]

EMILIO G. LOBATO. Activo en la calle 1a. de Díaz de León, en San Luis Potosí, alrededor de 1889-1902. Premiado en París en 1889 y en varias exposiciones universales. F/J.C.M. [p. 369].

ROBERTO LOMANA. Activo en la Ciudad de México, alrededor de 1910. F/. [p. 370]

MARITZA LÓPEZ. Ha participado en numerosas exposiciones colectivas e individuales en México, Estados Unidos, Sudamérica, España e Italia. Su obra personal y fotoperiodística ha sido publicada extensamente en libros, revistas, periódicos y campañas comerciales. De este vasto número de publicaciones cabe destacar *Calendario doce fotógrafos al desnudo* (Consejo Mexicano de Fotografía, 1994), *The Life of the Dead in Mexican Art* (Fort Worth Art Museum, 1987), *Agenda de Mujeres* (1992, 1996, 1997), *Hablan los amorosos, Homenaje a Jaime Sabines* (1999), revistas *Sacbé*, *Fotoforum*, *Proceso*; periódicos *Reforma*, *El Universal*, *La Jornada*, y varias otras. Recibió distinciones de la Bienal de Fotografía del INBA (1980) y la Beca Editorial Posada en 1980 y 1981. [p. 371]

DARÍO LÓPEZ MILLS. México, D.F., 1964. Estudió danza en la Academia de Ballet de Coyoacán y, posteriormente, en el Joffrey Ballet School de Nueva York. Su formación fotográfica ha sido prácticamente autodidacta, a reserva de algunos cursos y talleres como el de Lázaro Blanco en la Casa del Lago. Expuso su trabajo en la Bienal de Fotoperiodismo de 1994. Ha trabajado como fotógrafo para los periódicos *La Jornada* y *Reforma* y las agencias International Associated Press, Graph Press e Imagenlatina. Fundó la agencia Quantum Gráfica (1991), la cual da servicio a periódicos de provincia, lo que provoca la invitación a dirigir el departamento de fotografía del diario *Por Esto!* de Yucatán. [p. 372]

FOT. LÓPEZ. Existe en el Archivo General de la Nación una impresión de la intervención norteamericana de 1914. F/A.G.N. [p. 373]

MARCOS LÓPEZ. Santa Fe, República Argentina. 1958. En 1986 integró el primer grupo de becarios extranjeros en la Escuela Internacional de Cine y Televisión de San Antonio de los Baños, Cuba, donde estudió durante un año y medio. En 1993 se publicó en Buenos Aires su primer libro de fotografías en blanco y negro (Editorial La Azotea). Obtuvo el Primer Premio Adquisición de Fotografía Latinoamericana Josune Dorronsoro, en los Encuentros Internacionales de Arles, Francia,1996; en el área de de audiovisual, en el Centro de Arte Santa Mónica, Barcelona, 1997, en el Circulo de Bellas Artes, Madrid, 1999, como parte de la muestra *Elogio de la Pasión* en el marco de PhotoEspaña 99, en la muestra *Mitos, sueños y realidades, fotografía Argentina contemporánea*, en el International Center of Photography, Nueva York, 1999; en el Museo Caraffa de Córdoba (Argentina) en marzo de 2000, y en la Galería EPSON DIGITAL, México, D.F. [p. 374]

NACHO LÓPEZ. Tampico, Tamaulipas, 1923-México, D.F. 1986. Estudió en el Instituto de Artes y Ciencias Cinematográficas (1945-1947). Ejerció la docencia, fue camarógrafo de noticieros y revistas fílmicas, redactor, fotorreportero y director de varios documentales fílmicos. Con su obra personal, realizó 17 exposiciones individuales y figuró en veinte colectivas, en México y el extranjero. Entre éstas destaca la individual en el Museo de Arte Moderno de la Ciudad de México en 1981. Su cortometraje *Los hombres cultos* (1972) obtuvo el Trofeo Bobina de Plata en el IV Festival Internacional de Cortometraje de Guadalajara. Fundó el movimiento pictórico Los Interioristas. Asimismo, publicó varios libros y dictó conferencias en numerosas instituciones. (López, 1984, 1.) [p. 375]

BAUDOIN LOTIN. Crupet, Bélgica, 1953. Estudia fotografía en la Escuela Superior de la Imagen en 1975, en el taller de Yves Auquier, Bruselas, graduado en Artes Plásticas. Trabaja como fotógrafo independiente desde 1974. Ha realizado reportajes de México a partir de 1982, y sus fotografías han sido publicadas en varias revistas de Bélgica. Ha montado dos exposiciones en México, en el Centro de Arte de Ciudad Victoria, Tamaulipas, y en el Centro Meulemans, Monterrey, Nuevo León. Ha participado en más de quince muestras colectivas alrededor de Bélgica y Francia. [p. 376]

CARL LUMHOLTZ. 1851-1921. Abandona sus estudios de Teología para dedicarse a exploraciones zoológicas, botánicas, geográficas y antropológicas. Además de sus descubrimientos de raras especies de flora y fauna hallados a su paso, destacan sus investigaciones acerca del espacio humano, como lo prueban sus constantes recorridos entre moradas primitivas, el registro de cantos ancestrales, la interpretación de signos y símbolos del pasado que confirman la idea de su presente; sin embargo, la actividad que más lo revela es la fotografía, donde no pretende más que la demostración empírica, visual, de su búsqueda hacia los numerosos campos de su curiosidad. (Naggar y Ritchin, 1986, 299.) [p. 377]

FERNANDO LUNA ARCE. México, D.F., 1966. Estudió fotografía a color en 1995 y fotografía de prensa en 1992 en Kodak de México. Ha trabajado como reportero gráfico en periódicos como *El Financiero*, *El Heraldo de México* y *Novedades*. Ha participado en varias exposiciones colectivas desde 1994, algunas de ellas son: *Sucesos gráficos* e *Imágenes de Chiapas*, ambas en el Museo del Chopo, 1994; en la Primera Bienal de Fotoperiodismo, Museo Diego Rivera, 1995; *Convención Nacional Democrática*, UNAM; y, en la Segunda Bienal de Fotoperiodismo, Centro de la Imagen, 1997. En esta última obtuvo mención honorífica en el rubro Deportes. [p. 378]

JOSÉ LUNA. Daguerrotipista mexicano. Estudió en la Academia de San Carlos. Se instaló en la calle de Coliseo Viejo núm. 14 en la Ciudad de México en 1859. (Casanova y Debroise; 1989: 58.)

JOSÉ MARÍA LUPERCIO. Jalisco, ca. 1905. Un aspecto poco conocido de este fotógrafo fue el registro que hizo de los murales de Diego Rivera en la Secretaría de Educación Pública. De esta labor, el archivo posee 97 fotografías vintage 8 x 10, tomadas a fines de los años veinte. F/R.V. [p. 379]

SALVADOR LUTTEROTH. México, D.F., 1952. Estudió la licenciatura en Comunicación en la Universidad Iberoamericana. Ha publicado en distintos medios impresos tales como *Artes de México* y *Fotozoom*. En 1988 obtuvo un premio en la Bienal de Fotografía, Bellas Artes, México, D.F. Entre sus exposiciones individuales destacanlas presentadas en los siguientes espacios: Consejo Mexicano de la Fotografía, México D.F., 1986; Galería Kahlo-Coronel, México D.F. 1988 y Biblioteca Pública de Chicago, Illinois, 1989. De igual forma ha participado en numerosas exposiciones colectivas en Estados Unidos, Japón, Bélgica, España, así como en distintos museos y galerías de la República Mexicana. Su última exposición en grupo fue en 1993, en Europalia. [p. 380]

GALE LYNN GLYNN. Entre 1971 y 1975, realizó estudios de Bellas Artes en Illinois, Wisconsin y en el Art Insitute de Chicago, EU. En 1975 recibió la licenciatura en Bellas Artes de la Universidad de Bradley, Illinois, EU. Asimismo, en 1980 obtuvo una maestría de la Universidad de Illinois, en Urbana, EU. Desde 1977 ha trabajado extensamente en la docencia de las artes y la fotografía en Estados Unidos y México. En 1997 fue seleccionada en la Séptima Bienal de Fotografía. Ha sido acreedora a premios de The Art Guild, Museo de Lakeview y Murray State University en Estados Unidos (1977,1978 y 1979); y mención honorífica en el cuarto Salón de Fotografía del Centro de Arte Moderno de Guadalajara (1998). Ha expuesto individual y colectivamente en recintos de México, Cuba y los Estados Unidos, así como publicado su obra en libros y revistas de estos tres países. [p. 381]

JUAN RODRIGO LLAGUNO RIVERA. Fontainebleau, Francia, 1964. Licenciado en Ciencias de la Información y Comunicación por la Universidad de Monterrey (1987). Realizó un diplomado en cinematografía en New York University (1986). Asimismo, cursó estudios de técnica fotográfica en Francia en 1988 y 1989. Ha realizado nueve exposiciones individuales en México, Estados Unidos y Japón. Entre las recientes destacan: *Portraits,* Arizona State University Art Museum, EU, 1994; *Estudio Abierto,* Galería OMR 1994; *Retratos Recientes,* Galería Ramis Barquet, 1997 y *Retratos de mi familia,* Centro Cultural Guadalupe de San Antonio, EU. De igual forma, en 1997 participó en *Territorios singulares,* exposición colectiva del Centro de la Imagen para la Feria Arco en Madrid, España. También ha realizado trabajos en cine (8 y 16 mm) y de video como fotógrafo y director. Ha recibido una decena de premios de instituciones mexicanas. [p. 382]

DAVID MAAWAD. Oaxaca, 1951. En 1979 estudió fotografía en la Fototeca del Instituto Nacional de Antropología e Historia de Hidalgo. Entre sus publicaciones se encuentran: *Arqueología de la industria en México de 1983* (Museo Nacional de Culturas Populares), donde participa en la edición, diseño, investigación y fotografía; *Cananea* (Compañía Minera de Cananea S.A.1985), entre otras siete publicaciones. De 1987 a 1992 trabajó en la integración del acervo fotográfico del Archivo General del Estado de Hidalgo, desempeñándose al mismo tiempo como asesor de procesos técnicos. Desde 1980 ha participado en varias exposiciones colectivas, y de manera individual ha expuesto en doce ocasiones. Obtuvo en 1984 la Beca de Producción en la Bienal de Fotografía, INBA. [p. 383]

VERÓNICA MACÍAS. Ha estudiado cursos en la Escuela Activa de Fotografía, Consejo Mexicano de Fotografía, Centro de la Imagen, International Center of Photography (Nueva York), entre otros recintos (1986-1998). Ha trabajado como fotógrafa independiente (Festival Cervantino, revista *Arau*) y realizando foto fija de cine. Sus varias exposiciones colectivas incluyen la Séptima Bienal de Fotografía en México. En 1993 recibió una beca del FONCA; en 1996 el Premio Sotero Constantino del IAGO, en Oaxaca; y en 1997 el Premio Nacional de Periodismo Cultural. [p. 384]

MACK. Activo en la Av. San Francisco 69, 1a. de Plateros en la Ciudad de México, alrededor de 1913. F/G.F. [p. 385]

JUAN DE DIOS MACHAIN. Nació por el año 1860. Activo de 1880 a 1920 en Jalisco. F/G.A.P. [p. 386]

PEDRO MAGALLANES. Activo en Guadalajara, Jalisco, alrededor de 1893. F/J.C.M.

LAURA MAGAÑA NEWTON. Guadalajara, Jalisco. 1953. Estudia la licenciatura y maestría en Ciencias de la Comunicación en el ITESO, y en la Purdue University la especialidad en fotografía y crítica cinematográfica. Es investigadora del la Universidad Veracruzana, donde ha realizado estudios sobre algunos procesos antiguos de impresión. Ha impartido la cátedra de fotografía en el Instituto Técnico Fotográfico, ITESO, y en la Universidad de Guadalajara. Entre sus exposiciones colectivas destacan *El tren*, Indiana, EU (1976), y Guadalajara, Jalisco (1977); *Hecho en Latinoamérica II*, Palacio de Bellas Artes, México D.F. (1981) dentro del II Coloquio Latinoamericano de Fotografía; *Seis imágenes diferentes*, Teatro Degollado, Guadalajara, Jalisco (1980). Entre sus exposiciones individuales destacan *Crónica de una fiesta de fantasmas*, Ex Convento del Carmen, Guadalajara, Jalisco, y Casa de la Cultura de Tlacotalpan, Veracruz (1981); *Filamentos*, Galería La Puerta, Guadalajara, Jalisco (1984), y Galería del ISSSTE, Guadalajara, Jalisco (1992), y *Chiapas en el ojo de Laura Magaña Newton*, Chiapas y Universidad de Guadalajara (1994). Obtuvo el premio de adquisición en la II Bienal de Fotografía (1981) y premio de la revista *Fotozoom* (1979). [p. 387]

TEOBERT MALER. 1842-1917. Llegó a México a principios de 1865 como parte de la guardia voluntaria de Maximiliano de Habsburgo. Fue a partir de un viaje a Yucatán, México, con la emperatriz Carlota que despertó su interés por la arqueología y la etnografía mexicanas. Pasó una temporada en la costa del Pacífico y a la caída del Imperio decidió quedarse en México. Regresó a Yucatán e instaló un estudio fotográfico;

mientras trabajaba como retratista, organizaba expediciones a las ruinas mayas; así empezó a reunir una importante documentación fotográfica que le permitió en 1896 obtener un subsidio de la Universidad de Harvard para desarrollar entre 1896 y 1908 un inventario de todos los sitios arqueológicos de esa región, indispensable para el estudio de aquella cultura. Hoy su archivo se encuentra en la Fototeca Nacional, SINAFO, INAH. (Naggar y Ritchin, 1996, 299.) [p. 388]

SARA MANEIRO. Licenciada en Comunicación Social por la Universidad Católica Andrés Bello de Caracas, Venezuela, en 1993 obtuvo la maestría en Artes por la Universidad en Nueva York con la distinción Magna Cum Laude. Ha sido curadora en proyectos relacionados con el arte en Colombia y América Latina en la Misión permanente de Colombia ante la ONU. Ha exhibido individualmente en Caracas y Nueva York. En México participó como invitada en la exposición *Así está la cosa*, Centro Cultural Arte Contemporáneo, 1997, y en el Salón de Invitados de la Bienal Internacional de Fotografía, 1999. En el 2000 impartió un taller en el Centro de la Imagen, denominado A través del Espejo. [p. 389]

L. MANERO. Activo en la calle Puente de San Francisco 16, en la Ciudad de México, alrededor de 1882. F/J.C.M. (Naggar y Ritchin, 1996, 299.) [p. 390]

TERESA MARGOLLES SIERRA. Culiacán, Sinaloa. Estudia en la Ciudad de México Ciencias de la Comunicación en la UNAM. En 1990 funda el grupo de arte SEMEFO, con el que realiza *performances*, instalaciones, arte objeto e intervenciones tanto en México como en el extranjero. En 1996 obtiene la beca Jóvenes Creadores otorgada por el FONCA en el área de medios alternativos. Ha participado en un gran número de exposiciones tanto individuales como colectivas, entre las que sobresalen: *Muestra latinoamericana de fotografía*, 1996, itinerante por América Latina; *Mariposas Negras*, Escocia,1997; *Baño María*, Cineteca Nacional, México, D.F., 1999; Novena Bienal Internacional de Fotografía, Centro de la Imagen, México, D.F. 1999; *Señales de Resistencia*, Museo de la Ciudad de México, 2000; *Tarjetas para picar cocaína*, Galería Caja Dos, México D.F., 1998; *Autorretratos en la Morgue*, Museo de la Ciudad de Querétaro, México, 1998; *Lengua*, Ace Gallery, Nueva York, EU, 2000. Sus obras forman parte de las siguientes colecciones: Museo Carrillo Gil, Museo de Ciencias y Artes, MUCA, Museo de Monterrey, Museo de la Universidad Autónoma de Sinaloa y de la colección Tom Patchet. [p. 391]

L. A. MARÍN. Existen en el Archivo General de la Nación dieciséis obras de vistas panorámicas, avenidas, calles, comunicaciones, transportes, plazas, jardines y parques de San Blas, Nayarit, fechadas en 1911. F/A.G.N. [p. 392]

MANUEL MARÍN. Activo en la calle Lafragua núm. 14, en la ciudad de Puebla, alrededor de 1900. F/J.C.M. [p. 393]

CARMEN MARISCAL. Palo Alto, California, EU, 1968. Inició su carrera pictórica en México y después cursó una maestría en Artes Plásticas que transformó drásticamente su trabajo artístico al incursionar en medios alternativos, cambiando la representación del objeto y sujeto como la manera de estructurar el tiempo y el espacio. En 1997 obtuvo el primer lugar en el IV Concurso de Instalación y Ambientación de Ex-Teresa y la Beca School of the Art Institute de Chicago. Entre sus exposiciones individuales recientes figuran *La Ilusión en vértigo*, Galería de la Secretaría de Hacienda y Crédito Público, 1998, Galería Lucía Homs, Galería Senda El Terral ambas en Barcelona, España, 2001; *El pueblo creador*, Pabellón de México, Expo Hannover 2000, Alemania. Entre las muestras colectivas, cabe mencionar: *Lumiére et Temps*, Centre Culturel Mexicain, París; IV Bienal de Monterrey, Museo de Monterrey, y *Territorios singulares*, Fundación Canal de Isabel II en Madrid, España, en 1997, dentro de la Feria Arco. [p. 394]

MARY ELLEN MARK. Philadelphia, Pennsylvania, EU. 1940. Se tituló en Pintura e Historia del Arte, en la Universidad de Pennsylvania, en 1962. En 1964 terminó una maestría en Fotoperiodismo en la Annenberg School of Commnunications de la misma Universidad. Inició su carrera en 1965, cuando se le otorgó la beca Fulbrigth para que tomara fotografías en Turquía. Un año más tarde, de regreso en Nueva York, comenzó a documentar todo aquello que le interesó. En 1967 realizó fotografías de escenas para la película *Alice's Restaurant*. Desde entonces ha trabajado en diversas películas. Ha ganado múltiples premios y su trabajo fotográfico ha sido publicado en todo el mundo. Entre sus libros se encuentran: *Passport, Ward 81, Falkland Road, Mother Teresa's Missions of Charity in Calcutta, Streetwise* y *Mary Ellen: 25 years*, donde incluye fotografías de las zonas rurales de los Estados Unidos, de adictos a la heroína en Londres y retratos de niños de la calle en todas partes del mundo. En 1997 trabajó sobre su proyecto de circos en algunas partes de la República Mexicana. F/M.F. [p. 395]

LUIS MÁRQUEZ. México, D.F., 1899. De 1914 a 1920 vivió en la Habana, donde se inició en la fotografía y en la cinematografía. En México ingresó al Taller de Fotografía de la entonces Dirección de Educación, creado a iniciativa de José Vasconcelos. Fundó el Teatro del Murciélago, que marca el comienzo de la actividad de Márquez en el campo de la investigación folclórica, siempre unida al ejercicio de su profesión de fotógrafo y cineasta. Durante la década de los años treinta inauguró sus primeras exposiciones individuales y varias de sus imágenes reciben importantes galardones como el Gran Premio de Fotografía de la exposición Iberoamericana en Sevilla, 1930. En 1931 figuró como asesor de Sergio Eisenstein, realizador de la célebre película *Tormenta sobre México*; intervino en 1934 en la filmación de *Janitzio*, basada en un argumento suyo, que ganó diez premios internacionales y daría origen a *María Candelaria*, cinta de Gabriel Figueroa. [p. 396]

PATRICIA MARTÍN. Mérida, Yucatán, 1972. Licenciada en Artes Visuales por la Universidad Veracruzana (1996). Ha sido acreedora a varias preseas, tales como la Beca Jóvenes Creadores del FONCA (1998), el Apoyo a Proyectos Multimedia (1999) y el Intercambio México-Canadá en el Banff Centre for the Arts (2000). Ha participado en quince exposiciones colectivas en México, España, Estados Unidos y Japón. Recientemente realizó las muestras individuales: *Historia de ojo*, Instituto de Investigaciones Plásticas, Veracruz, 1998; *Utopía en el espejo*, Museos de Arte Contemporáneo de Oaxaca y Yucatán, Fototeca de Veracruz, 1999-2000, y Galería Nina Menocal, 2000. Su obra figura en colecciones del Leigh Institute de Pennsylvania, EU, Kyosato Museum of Photographic Arts, Japón; y Houston Museum of Fine Arts, EU. [p. 397]

JOSAPHAT MARTÍNEZ AGUILAR. Puebla, Puebla, 1899-1973. Fotógrafo de estudio. Activo en Puebla, entre 1907-1973. Trabajó también en Rochester, Nueva York, Estados Unidos donde estableció el Josaphat Studio, en el Copeland Building, hacia 1918; regresó a Puebla en 1921, y retornó a Estados Unidos para trabajar en la empresa Clinedinst, Studios, en el este, entre 1923-1925, para luego regresar definitivamente a Puebla. Una buena parte de los gobernadores de su estado en el siglo XX pasó por su lente, e incluso varios de los presidentes mexicanos, entre Carranza y Díaz Ordaz, aunque también retrató en Estados Unidos al presidente Woodrow Wilson, y a Francisco Villa en la Convención de Aguascalientes (1914). Considerado retratista de prestigio y alta calidad, la fotografía personal y familiar fue la que ocupó la mayor parte de sus imágenes, sobre todo en blanco y negro, aunque desarrolló la técnica que él denominó la oleografía en color. En 1980 la Casa de la Cultura y el gobierno del estado de Puebla presentaron la exposición *El rostro de siete décadas*. Su hijo, Alfonso Martínez, ha conservado el acervo fotográfico de Josaphat Martínez en Monclova, Coahuila, según lo localizó y publicó Fernando Moral González en *Alquimia* núm. 10, septiembre-diciembre, 2000, SINAFO, México. F/F.D.M. [p. 398]

JOSÉ MARTÍNEZ CASTAÑO. Activo alrededor de 1890. [p. 399]

AGUSTÍN MARTÍNEZ CASTRO. Veracruz, 1950. Ha participado en alrededor de cincuenta exposiciones colectivas en museos y galerías en México, Estados Unidos, Canadá e Italia. Individualmente ha exhibido su obra en seis ocasiones en Oaxaca, Juchitán, México, D.F., y La Habana. De su trabajo organizativo y de difusión cultural, destaca su labor como coordinador general del primer Coloquio Nacional de Fotografía (1984), vicepresidente del Consejo Mexicano de Fotografía (1985-1987) y miembro del comité organizador y secretario técnico de la coordinación 150 Años de Fotografía. [p. 400]

RICARDO MARTÍNEZ H. México, D.F., 1961. Sus imágenes han sido publicadas en la revista del Smithsonian Institute, en el libro *El ojo de vidrio. Cien años de fotografía del México indio*, en las revistas y periódicos *Cultura Norte, Fronteras, Siempre, México Desconocido, Ojarasca, Observador Internacional* y *La Jornada*. Ha participado en las exposiciones: *Símbolos, sueños y fantasías*, Hach Winik; *Homenaje al pueblo Lacandón, Creación en movimiento*; XIV Encuentro Nacional de Arte Joven, *Sangre de mi Sangre*; VII Bienal de Fotografía, *El Taller*; XIV Concurso de Fotografía Antropológica; II Salón de la Fotografía, y *Bajo el gran cielo de la Sierra Tarahumara*. En 1992 recibió la Beca de FONCA para Jóvenes Creadores. [p. 401]

E. B. MARTÍNEZ SÁNCHEZ. Activo alrededor de 1860. [p. 402]

ANDRÉS MARTÍNEZ. Activo en la calle de Escalerillas núm.14, en la Ciudad de México, alrededor de 1865. F/J.C.M. [p. 403]

ENIAC MARTÍNEZ. México, 1959. Estudió en el Instituto Superior de Arte de La Habana, en la Escuela

Nacional de Artes Plásticas de la UNAM y en el Círculo de Bellas Artes de Madrid. Entre 1986 y 1987 asistió al Taller de los Lunes con Pedro Meyer en el Consejo Mexicano de Fotografía, también en 1987 tomó clases en el International Center of Photography de Nueva York. Ha participado en más de 48 muestras colectivas en Chile, México, Cuba, Estados Unidos, Inglaterra, Francia, Escocia y Canadá. Obtuvo diversos premios y becas internacionales. Su trabajo ha sido publicado en múltiples revistas y periódicos, tales como: *La Jornada*, *México Desconocido*, *México Indígena*, *Elle*, *Daily Telegraph*, *Geographical Magazine*, *Los Angeles Times*, *Bostonian Magazine*, *El Paseante*, *Planeta Humano*, *New York Times*, *Buzz Magazine* y *Reforma*. Es autor del libro *Mixtecos*, publicado en 1994. Y en el 2000 se editó *Litorales*, proyecto conjunto con Francisco Mata, que estuvo expuesto en el Centro de la Imagen. [p. 404]

JOAQUÍN MARTÍNEZ. Activo en la calle de Estanco de Hombres núm. 5, en la ciudad de Puebla, alrededor de 1870. F/J.C.M. [p. 405]

V. MARTÍNEZ CASTAÑO. Existen en el Archivo General de la Nación dos obras de vistas panorámicas de Puebla y San Blas Nayarit, fechadas en 1914. F/A.G.N.

FRANCISCO MATA. México D.F., 1958. Licenciado en Comunicación por la UAM, es uno de los fotorreporteros de más intensa carrera en el país. Ha figurado en los principales diarios de México, además del *New York Times*, *LA Times* (EU), *The Press* (Canadá) y numerosas revistas nacionales y extranjeras. En febrero de 1996, nominado entre los 150 fotorreporteros más destacados del mundo, participó en el proyecto *24 Hours in Cyberspace*. Ha cubierto acontecimientos tales como la guerra en El Salvador y el levantamiento en Chiapas. Sus fotografías han sido expuestas de manera colectiva en Japón, Holanda, Alemania, Estados Unidos, Francia, Escocia y México. Ha sido acreedor a varias preseas, tales como: Third Annual Mother Jones (1993), Premio Fuji (1996) y Gran Premio Internet Magazine de Japón (1997). [p. 406]

LEO MATIZ. Colombia, 1917-1998. En 1935 ingresa a la Escuela Nacional de Bellas Artes en Bogotá; en 1937 Enrique Santos *Calibán*, director del periódico *El tiempo*, lo invita a trabajar en fotografía para la publicación y le regala una cámara fotográfica. En 1940 viaja hacia México con el fin de vincularse a la industria cinematográfica; al siguiente año trabaja en la revista *Así* como fotorreportero y participa en una exposición de artistas colombianos residentes en el país, en el Palacio de Bellas Artes. En 1942 ya se encuentra trabajando en el cine haciendo la fotografía fija de importantes artistas mexicanos como María Félix, Dolores del Río y Cantinflas. En 1947 labora con el muralista David Alfaro Siqueiros y lo denuncia a la prensa internacional por el plagio en una serie de pinturas exhibidas en Bellas Artes. En este contexto sale del país y regresa a Colombia, donde funda la Galería de Arte Leo Matiz. En 1988 el Museo de Arte de Bogotá realiza una retrospectiva itinerante en homenaje a sus 50 años de trabajo. En 1998 establece legalmente con su hija Alejandra Matiz la Fundación Leo Matiz. [p. 407]

MAYA Y SCIANDRA. Activo en la Ciudad de México, alrededor de 1910. Se encontraron fotos bajo esta firma que suponemos fue una asociación entre José Ma. Maya y los hermanos Sciandra.

FLORENCIO M. MAYA Y J. VALDÉS Y CUEVA. Activo en la Ciudad de México, alrededor de 1885. F/A.S.C. [p. 408]

JOSÉ MA. MAYA. Activo en la Ciudad de México, alrededor de 1886. [p. 409]

FRANZ MAYER. Manheim, Alemania, 1882. Deja su natal Alemania para realizar una carrera financiera en Londres. Esto lo lleva Nueva York en 1903, donde comienza a consolidar su fortuna. Ahí, el curioso financiero, comienza a tener noticias sobre México. En 1905, desembarca en Veracruz para comenzar a trabajar en la bolsa de valores. Durante el Porfiriato comienza a amasar una colección de fotoperiodismo y fotografía paisajista. Poco a poco, motivado por el valor documental que su intuición le indicaba de dichas imágenes, fomenta su propio ímpetu creativo e imprime un sinnúmero de imágenes. Hacia su edad madura, emprende varios viajes a parajes remotos, motivados principalmente por la fotografía. Así realiza significativos conjuntos de imágenes, que se suman a la importante colección de placas de fotógrafos de la época. F/M.F.M. [p. 410]

HERMANOS MAYO. Los hermanos Mayo se apellidaron así por decisión propia, al identificarse ideológicamente y al aglutinarse en mayo de 1930 como fotógrafos de prensa en España, durante la Guerra Civil. Faustino y Paco llegaron a México en 1939, Julio en 1947 y Pablo en 1952. Los cuatro fueron miembros de la gran emigración republicana a la que Lázaro Cárdenas abrió las puertas de México. Influyeron poderosamente al fotoperiodismo mexicano. [p. 411]

ELSA MEDINA CASTRO. Fotógrafa de prensa (*La Jornada*), estudió Diseño Industrial en la Universidad Iberoamericana y Fotografía y Diseño en la Universidad de San Diego State, California. Comenzó a trabajar en *El Sur*, periódico del estado de Guerrero en 1993. Ha participado en más de diez exposiciones colectivas, entre ellas *Fotógrafas mexicanas*, que se presentó en Italia en 1988; *Memoria del tiempo*, que recorrió varias ciudades europeas, y *Mujeres vistas por mujeres*, que viajó por Latinoamérica. [p. 412]

IGNACIO MEDRANO CHÁVEZ. Nochistlán, Zacatecas. Fotógrafo de estudio y de exteriores y camarógrafo pionero del cine documental. Activo en Chihuahua, entre 1905-1960. De acuerdo con el historiador Jesús Vargas Valdés, "fue el fotógrafo más importante de Chihuahua durante la primera mitad del siglo XX. Fundó en el año 1905 El gran lente, y a lo largo de 55 años ahí se retrataron los chihuahuenses el día de su boda, los niños que hacían la primera comunión, las señoritas quinceañeras y los jóvenes galanes. Pero además El gran lente estuvo presente en todos los eventos políticos y sociales de este periodo. Muchas de las fotos que se conocieron durante la Revolución tienen la firma de este laboratorio-estudio, por ejemplo, las del funeral del gobernador maderista Abraham González (1865-1913), asesinado por la usurpación militar huertista". El archivo fotográfico de Medrano Chávez se perdió pero quedan no pocas de sus imágenes en casas chihuahuenses. F/F.D.M. [p. 413]

MICHAEL MEHL. Manila, 1952. Ha desarrollado su actividad diversificándola en los campos de la fotografía, el arte digital y la música. Ha presentado obras en video en Estados Unidos, Canadá, México, Cuba, Europa y Sudamérica y producido varios proyectos de arte público, principalmente en San Antonio, Texas. Ha recibido numerosos premios y reconocimientos por su trabajo en el campo publicitario. Fue fundador del San Antonio Photography Festival y es coordinador internacional asociado en los Estados Unidos, específicamente en San Antonio, Texas, para el Festival Fotoseptiembre bajo la Coordinación del Departamento de Curaduría y Enlace del Centro de la Imagen. [p. 414]

E. MELHADO. Existen en el Archivo General de la Nación veintidós imágenes sobre la Decena Trágica, de 1913; treinta y tres imágenes sobre la intervención norteamericana en el puerto de Veracruz, de 1914, y dos imágenes con el tema de militares, del mismo año. F/A.G.N. [p. 415]

MÉNDEZ HERMANOS. Activos en San Luis Potosí, alrededor de 1900. F/J.C.M. [p. 416]

JUAN CRISÓSTOMO MÉNDEZ. Puebla, Puebla, 1885-1962. Sus primeros estudios fueron cursados en el prestigiado colegio católico de San Bernando. A partir de 1914 se vuelve administrador de bienes. Durante este primer periodo de trabajo su afición hacia la fotografía lo llevó al registro de personas en movimiento, reuniones, banquetes y bodas. Su dedicación artística estaba lejos de lo profesional. El no contar con un estudio fotográfico propio lo lleva a depender en un principio de la casa Kodak, lugar donde se daban cita los fotógrafos poblanos de la época. En octubre de 1931, tras participar en el concurso nacional convocado por Kodak Mexicana L.T.D., se hace acreedor al segundo lugar con el trabajo que intituló *México*. Realmente lo que sobresale es su trabajo intimista y sin precedente en su época, el cual plasmó en una serie de desnudos escenificados con una mirada desafiante para su tiempo. F/J.A.R./A.V. [p. 417]

VÍCTOR MENDIOLA. México, D.F., 1969. Estudió en la Escuela Activa de Fotografía, y Sociología en la Facultad de Ciencias Políticas y Sociales de la UNAM. De 1989 a 1992 se desempeñó como fotógrafo de la Agencia Nacional de Fotografía Cuartoscuro; es reportero gráfico del periódico *La Jornada*. Ha participado en diversas exposiciones colectivas y ha recibido reconocimientos oficiales en concursos de fotografía. En 1990 fue enviado a Nicaragua para la cobertura gráfica de las elecciones en ese país. En 1992 recibió la beca otorgada a Jóvenes Creadores por el FONCA. En 1993 realizó la muestra individual *Los bajos fondos*, un ensayo fotográfico acerca del ambiente boxístico mexicano. [p. 418]

A. V. MENDOZA. Existen en el Archivo General de la Nación tres imágenes sobre la Decena Trágica e incineración de cadáveres en Balbuena en 1913. F/A.G.N. [p. 419]

HNOS. MENDOZA (JOSÉ Y PEDRO). Mexicanos. Fotógrafos de exteriores. Activos en la capital del país, su trabajo más conocido tiene que ver con la cobertura de los desplazamientos y giras políticas de Venustiano Carranza como primer jefe del Ejército Constitucionalista y encargado del Poder Ejecutivo, entre 1914-1917; esto llevó a los Mendoza a recorrer una buena parte del territorio nacional, y a cubrir el proceso del Congreso Constituyente de 1916-1917 en Querétaro, así como a estar presentes en diversos actos protagonizados por Carranza, ya como presidente constitucional. Un sello utilizado por ellos en 1917 indica: "Fotografía P. Mendoza y Hno./ Fotografía a domicilio, banquetes, fiestas, excursiones, campestres, bailes y matrimonios/ Fotos al magnesio/ Este retrato es inalterable/2a. Soto 37. tel. Eric. México, D.F." Recientemente apareció un álbum con 510 fotografía suyas titulado *Gira triunfal del C. Primer Jefe (Veracruz-México 1915-1916)* que permanece sin darse a conocer, tras su entrega a un Centro de Estudios de Historia de México, en el D.F. F/F.D.M.

FELIPE MENDOZA. Desde 1976 ha exhibido sus imágenes en México y el extranjero. Se ha desempeñado en diversas áreas del arte visual: publicidad, moda y reportaje. Ha trabajado para los gobiernos de los estados de Michoacán y Guanajuato, el periódico *unomásuno*, universidades públicas, el Instituto Nacional de Antropología e Historia, Point Blank Productions, en Irlanda del Norte y Medio Oriente, y para Turner Broadcasting System Inc. Su obra se encuentra en la colección del Museo de Arte Moderno en México y pertenece al patrimonio de la UNAM, a la Casa de las Américas en Cuba y al Bournemouth and Poole College of Art en Inglaterra. Ha exhibido su obra en México en las siguientes instituciones: Museo de Arte Moderno, Palacio de Bellas Artes, Palacio de Minería, Museo de la Ciudad de México, Museo Carrillo Gil, Centro de la Imagen y Radio Educación. También ha expuesto en Inglaterra, Brasil, Italia, Ecuador, Cuba, Noruega y Japón. [p. 420]

OMAR MENESES. Cuautla, Morelos. 1961. Realizó estudios en la carrera de Arquitectura en la UAM Azcapotzalco y parcialmente en la carrera de Historia de la Facultad de Filosofía y Letras de la UNAM. Tiene estudios de fotografía con Lázaro Blanco en sus talleres de la Casa del Lago, así como con Paulina Lavista y Charles Harbutt, entre otros. Trabajó en *La Jornada* por casi diez años desde 1990. Ha participado en algunas exposiciones colectivas en México y en el extranjero. [p. 421]

MERCADO Y BARRIERE. Activo en su estudio en Portal de Matamoros núm. 9, Guadalajara, Jalisco, alrededor de 1880. F/J.C.M. [p. 422]

MERILLÉ. Activo en la calle 2a. de San Francisco núm. 8, ciudad de México, alrededor de 1865. F/J.C.M. [p. 423]

ENRIQUE METINIDES. México, 1934. Inició su carrera como fotógrafo aficionado en 1946 gracias a que su padre, dueño de una tienda de artículos fotográficos, le regaló una cámara; así, a los doce años inició su labor documentando monumentos, calles y accidentes de tránsito. En 1947 comenzó a publicar en el periódico *La Prensa*, como fotoperiodista policiaco. En 1996 fue despedido con más de seiscientos trabajadores cooperativistas. Cuenta con un libro editado por el Gobierno del Distrito Federal en el 2000 llamado *El Teatro de los Hechos*. [p. 424]

MÉXICO VIEW CO. Existen bajo esta firma tres imágenes sobre la Decena Trágica en el Archivo General de la Nación. F/A.G.N. [p. 425]

PEDRO MEYER. Madrid, España. 1935. Llega a México en 1937. Su formación fotográfica es autodidacta. En 1957 participa en el Club Fotográfico de la Ciudad de México, poco después, en 1963, funda el Grupo Arte Fotográfico. En 1973 realiza su primera exposición individual, con un texto introductorio de Carlos Monsiváis. Es responsable de iniciar los Coloquios Latinoamericanos de Fotografía. A partir de 1976 comienza a exponer internacionalmente. Un año más tarde funda el Consejo Mexicano de Fotografía y la Bienal de la misma disciplina. Ha tenido una decisiva labor como editor, docente, jurado y promotor de fotografía en México, y esto mismo lo ha llevado por el mundo. Del mismo modo, ha sido objeto de publicaciones y su obra figura en colecciones públicas de México, Italia, Francia, Estados Unidos y Cuba. [p. 426]

JULIO MICHAUD. Librero, editor francés con "casa de París". Desde los años treinta publicó estampas y albúmenes de litografías como las de Pedro Gualdi. Entre muchos productos comercializaba sustancias químicas para fotógrafos. Se dedicó durante varias décadas a vender vistas estereoscópicas y tuvo un primer estudio de retrato en su doraduría llamada El antiguo correo en la 1a. calle de San Francisco núm. 7. En 1859, se cambió a la segunda calle de San Francisco núm. 10. Publicó en 1859 el *Álbum fotográfico mexicano*, vistas de la Ciudad de México y sus alrededores realizadas por Claude Desiré Charnay, un álbum de tipos mexicanos y, en 1865, una serie de vistas de las ruinas de Yucatán del mismo Charnay. (Casanova-Debroise; 1989, 58.) [p. 427]

J.S. MIERA. Activo en la calle Portería de Sta. Clara núm. 8, Puebla, alrededor de 1898. F/J.C.M. [p. 428]

HARDFORD H. MILLER. Norteamericano. Fotógrafo aficionado de exteriores. Activo en la región de La Laguna, en Coahuila y Durango, durante la segunda y tercera décadas del siglo XX, aproximadamente. Se desconocen fechas y lugares de nacimiento y muerte. El descubrimiento de alrededor de mil quinientas fotografías de Miller en el Instituto Municipal de Documentación en Torreón, Coahuila, ha abierto el proceso para revalorar otra mirada extranjera sobre el norte de México, desde el marco de una comunidad urbana incipiente, como era la ciudad de Torreón por 1920, con un significativo porcentaje de su población compuesto por inmigrantes de otros países, no pocos de ellos a cargo de sus propios negocios o empleados de compañías extranjeras, como fue el caso de Miller. Sus fotografías son testimonio de la presencia revolucionaria, eventos y descripción del entorno local, vida cotidiana, corridas de toros y algunos viajes que hizo en y desde el norte hasta el valle de México y Oaxaca: una mirada que debe ser preservada. F/F.D.M.

MILTZ. Activo en San Luis Potosí, alrededor de 1895. F/J.C.M. [p. 429]

FÉLIX MIRET. Activo en su estudio de la Avenida San Francisco núm. 54 en la Ciudad de México alrededor de 1910. La casa Miret era editora e importadora de tarjetas postales ilustradas. F/J.C.M. [p. 430]

TINA MODOTTI. Udine, Italia 1896-México, 1942. En 1914 emigró a Estados Unidos y en 1918 viajó a México. Hacia 1923 inició su carrera fotográfica al lado de Edward Weston. Colaboró en *El Machete*, órgano del Partido Comunista Mexicano, y trabajó en colaboración estrecha con los muralistas mexicanos. En 1936 fue deportada del país y se trasladó a Berlín y Moscú. Trabajó para la Ayuda Internacional Roja en Polonia, Francia y España. Después de la derrota republicana en la Guerra Civil española, regresó clandestinamente a México, donde murió de un ataque al corazón. Su obra ha sido publicada en los libros: *Tina Modotti Fotografa e Rivoluzionaria* (Milán, 1979); *Tina Modotti A Fragile Life* (Rizzoli 1983); e *Idols Behind Altars* (Boston 1970). Actualmente la Colección Tina Modotti se compone de 115 fotografías blanco y negro vintage, principalmente impresas en formato 8 x 10, tomadas en México por Tina Modotti, entre 1927 y 1929. De esta serie sobresalen las fotografías sobre los murales de Diego Rivera en la Secretaría de Educación Pública y Chapingo. [p. 431]

JOSÉ P. MONTERRUBIO/MONTERRUBIO Y CÍA. Activo en la ciudad de Oaxaca, alrededor de 1882. F/J.C.M. [p. 432]

FRANCISCO MONTES DE OCA. Activo en la 1a. calle de Plateros núm. 6, en la Ciudad de México, alrededor de 1867. F/J.C.M. [p. 433]

GERARDO MONTIEL KLINT. México, D.F., 1968. Estudió Diseño Industrial en la Universidad Iberoamericana, en la Escuela Activa de Fotografía y ha cursado talleres organizados por el Centro de la Imagen. Obtuvo mención honorífica en el XVIII Encuentro Nacional de Arte Joven (1998), y en la Primera Bienal de Fotografía de Puerto Rico; fue premiado en el Segundo Salón de Fotografía (1996) del Centro de Arte Moderno de Guadalajara; en el periodo 1996-1997 fue becario del FONCA, en el área de Jóvenes Creadores. Su obra se incluye en las siguientes colecciones: Kiyosato Museum of Photographic Arts de Japón, SFCAMERAWORKS en San Francisco, California; Wittcliff Gallery of Southwestern & Mexican Photography en Texas; Centro de Arte Moderno de Guadalajara; Centro Integral de Fotografía y Consejo Mexicano de Fotografía. [p. 434]

EUSTASIO MONTOYA. Mexicano-norteamericano. Fotógrafo de exteriores y camarógrafo pionero del cine documental. Activo en Tamaulipas, Nuevo León, Coahuila, Durango, San Luis Potosí (México) y Texas (Estados Unidos), entre 1914-1921. Se sabe que fue originario de San Antonio, Texas, en donde se encuentran sus restos. Según testimonio de su hijo Simón Montoya Fierros, fotografió acontecimientos civiles, militares y diplomáticos del periodo de la Revolución Constitucionalista. Un lote de fotografías, documentos y rollos de película que quedaban de su obra fue rescatado en 1987 en estado físico crítico, y gracias al trabajo de un equipo de restauradores y técnicos en un proyecto del especialista Fernando del Moral González, fue preservado con financiamiento de la Secretaría de Educación, en 1988. Del Moral documenta el proceso en su libro *El rescate de un camarógrafo: las imágenes pérdidas de Eustasio Montoya* (Universidad Autónoma de Nuevo León, Monterrey, 1997). F/F.D.M. [p. 435]

J. MORA. Mexicano. Fotógrafo de exteriores. Activo en el D.F., Morelos y Querétaro, entre 1915-1918. Fotógrafo cercano al primer círculo de dirigentes constitucionalistas con Venustiano Carranza, especialmente con Pablo González, de quien descubrió aspectos de la campaña militar en asedio contra el Ejército Libertador del Sur de Emiliano Zapata, en territorio de Morelos. F/F.D.M. [p. 436]

JOSÉ MORA LUNA. Mexicano. Activo en Coahuila entre 1940 y 1974, aproximadamente. De acuerdo con el trabajo histórico de Arturo Berrueto González en su

Diccionario Biográfico de Coahuila (Consejo Editorial del Gobierno del Estado, Saltillo, 1999), "nació en Saltillo en 1918. Siendo muy joven trabajó con don Humberto Castilla Salas. En 1940 se asoció con Rubén García Soto naciendo la Fotografía Mora y García, ubicada en Aldama y Xicoténcatl, a un lado del Bazar América. Durante 34 años sirvieron como fotógrafos de prensa, sociales y del ámbito político. Logró reunir un valioso archivo fotográfico que conserva su familia". F/F.D.M.

MIGUEL MORALES DÍAZ. México, D.F. 1964. Entre 1982 y 1984 trabajó como fotógrafo de la Dirección de Actividades Culturales de la UNAM. En 1984 y 1985 estudió en el Centro Universitario de Estudios Cinematográficos de la UNAM con Jesús Sánchez Uribe y Lola Álvarez Bravo. De 1985 a la fecha ha participado en más de veinte exposiciones colectivas e individuales en México y en el extranjero, entre las que destacan *Retratos morales,* en la Galería Expositum, 1993, y *Espía de silencios*, realizada con el apoyo de la beca de Jóvenes Creadores del FONCA, 1994-1995, misma que recorrió en México, Austria, Finlandia y Puerto Rico. Su trabajo ha sido publicado en las revistas *Luna Córnea, Viceversa* y *Cuartoscuro*. En colaboración con el cellista Carlos Prieto editó en 1999 el libro *Senderos e imágenes de la música*, el cual se presentó en las ciudades de Boston, Washington, Nueva York, Madrid y Barcelona. [p. 437]

A. MORALES. Existen en el Archivo General de la Nación siete imágenes sobre la semana de Aviación en México (vuelos y prácticas), ocurrida en 1911. F/A.G.N. [p. 438]

T. MORÁN. Existen en el Archivo General de la Nación tres imágenes de postales históricas, realizadas en 1905. F/A.G.N. [p. 439]

MORENO LÓPEZ. Activo en la Ciudad de México, alrededor de 1890. F/G.F. [p. 440]

HÉCTOR MORENO ROBLES. Mexicano, originario de Gómez Palacio, Durango. Estudió fotografía en Sydney, Australia. Durante diez años viajó por ochenta países fotografiando diferentes aspectos del mundo. Ha montado exhibiciones individuales y colectivas en galerías, museos y universidades. También ha colaborado para revistas fotográficas, culturales, gubernamentales y turísticas. Ha trabajado para cine y publicado folletos, posters, catálogos y libros, entre los que destacan *La Laguna de Coahuila* (Fomento Cultural Banamex, A.C.) y *Clausurado* (Ayuntamiento de Torreón 2000-2002) del cual es también autor del diseño y la compilación de textos con los escritores laguneros que acompañan su obra. Este libro surgió a propósito de la clausura de la llamada zona de tolerancia de Torreón, ejecutada por el gobierno municipal de esa ciudad en 1991. F/F.D.M. [p. 441]

JOSÉ G. MORROW. Existe en el Archivo General de la Nación una imagen de una avenida de un lugar no identificado, realizada en 1925. F/A.G.N. [p. 442]

RODRIGO MOYA. Colombia, 1934. Nacionalizado mexicano. Se inicia en la fotografía en 1954. En 1955 trabaja como reportero en la revista *Impacto* con colaboraciones gráficas y escritas; en 1964 realiza reportajes sobre temas etnográficos y arqueológicos para publicaciones europeas y norteamericanas. En 1965 y 1966 cubre diversos frentes guerrilleros en países de América Latina como Guatemala, Venezuela, la invasión en República Dominicana, Panamá y Colombia. Colabora en las revistas *Sucesos* y *Siempre!*, así como en publicaciones del extranjero. De 1968 a 1900 edita la revista independiente *Técnica Pesquera*. En 1978 publica el álbum fotográfico *Che*, con imágenes propias y una recopilación de textos sobre el dirigente guerrillero. Entre 1991 y 1997 funda y dirige Ediciones Mar y Tierra. En 1994 comienza a escribir cuento y promueve y dirige el programa Un libro para Cuba, México, con el que editó y donó 110 mil ejemplares al pueblo cubano. En 1997 obtiene el Premio Nacional de Cuento del INBA y al año siguiente, el primer lugar en el XVI Concurso Internacional de Cuento organizado por la Universidad de Puebla y el Conaculta. Desde 1998 radica en Cuernavaca, en donde continúa con su trabajo literario y ordenando y difundiendo su archivo fotográfico.

CARLOS MOYA. Activo en la calle Alcaicería núm. 1, en la Ciudad de México, alrededor de 1870. F/J.C.M. [p. 443]

FLAVIANO MUNGUÍA. Activo alrededor de 1880. [p. 444]

FOTO MUNN. Existen en el Archivo General de la Nación veintiún obras sobre vistas panorámicas, comunicación, transportes, maquinarias, faros, puertas y escuelas en Salina Cruz, Oaxaca, realizadas en 1912. F/A.G.N. [p. 445]

ERNESTO R. MUÑOZ. 1967. Cursó estudios de periodismo y de fotografía en el Ateneo Mexicano de Fotografía. Dentro de su experiencia laboral, figuran colaboraciones en las agencias Gráfica I.C., MIC Photo Press y Digital Press. Asimismo, colaboró en los periódicos *El Nacional* y *El Universal*. [p. 446]

ESTUDIO MUÑOZ. Activo en la ciudad de Querétaro, alrededor de 1928. [p. 447]

EADWEARD MUYBRIDGE. Kingston upon Thames, Inglaterra, 1830. Trabajó en el negocio familiar, comerciando con papel y libros, a su llegada a los Estados Unidos. En 1860, comenzó a tomar fotografías en ese país. En 1869, sus fotografías de Yosemite le dieron reconocimiento y se convirtió en el director de Mediciones Fotográficas del Pacífico. En 1872 comenzó un experimento fotográfico sobre el movimiento, en el que retrató el galope de un caballo en todas sus etapas. Esto lo llevó a investigar la relación de la locomoción animal y humana con la fotografía. Después viajó a México y Centroamérica, donde documentó varios aspectos de la vida indígena. Inventó el zoopraxófago, un aparato mediante el cual se podían rotar imágenes fijas y dar la sensación de movimiento. Su obra figura en el libro *Muybridge, Man in Motion* (University of California Press, 1976).

FELIPE NÁJERA. San Ildefonso, Municipio de Nicolás Romero, Estado de México, 1902-1979. Cursó sus primeros estudios en la Escuela de la Fábrica de Hilados San Ildefonso y posteriormente ingresó a la Escuela de Artes y Oficios del Teatro Centenario. En 1925 y durante cuatro años trabajó en el Departamento de Prensa del H. Ayuntamiento. En la década de los años treinta y hasta los sesenta incursionó en la fotografía deportiva, específicamente en el futbol. La obra de Nájera es una crónica en imágenes de la vida deportiva de Nicolás Romero, ya que el fotógrafo dedicó gran parte de su tiempo a seguir los partidos de casi todos los equipos de futbol de la zona. El Fondo Nájera cuenta asimismo con algunas carpetas fotográficas que muestran la admiración y el gusto del fotógrafo por el deporte del balompié, así como con algunas imágenes que plasman las mejores hazañas de los jugadores a los cuales les obsequiaba con tarjetas de fin de año. F/J.M.C.V. [p. 448]

ÓSCAR NECOECHEA. México, D.F., 1960. De 1982 a 1985 realizó estudios de Etnología en la Escuela Nacional de Antropología e Historia. Se inició en la fotografía de manera autodidacta y en 1985 ingresó al Taller de los Lunes, coordinado por el fotógrafo Pedro Meyer. Obtuvo mención honorífica (1984) y tercer lugar (1987-1988) en el Concurso de Fotografía Antropológica de la ENAH. Participó en la primera Bienal de La Habana, en la Bienal de Fotografía del INBA (1984) y en las exposiciones *Imagen latente, México en Nicaragua* (1985); *Ocho fotógrafos, Ojos que no ven* (1987); *Sólo para ver* (1989), *El futuro hoy, Los estados de la visión, What's New Mexico City* (1990); *Jóvenes fotógrafos mexicanos* (1991-1992), y *Si muero lejos de aquí* (1994), entre otras. [p. 449]

JOSÉ LUIS NEYRA. México, D.F., 1930. Realiza brevemente estudios de quiropedia, periodismo y leyes. En 1962 adquiere su primera cámara. Dos años más tarde ingresa al Club Fotográfico de México. En 1977 funda el Consejo Mexicano de Fotografía y participa en la creación Primer Coloquio Latinoamericano de Fotografía. Entre sus muestras individuales destacan las celebradas por el INBA en 1974 y 1980, y por Museo Carrillo Gil en 1983. Sus exposiciones colectivas se han presentado en México, Estados Unidos, Venezuela, Francia, Suiza, Ecuador, España, Cuba, Italia, Inglaterra, Japón y Guatemala, entre otros países. Recibió distinciones en el Concurso Internacional de Fotografía de Venezuela (1979) y en la Primera Bienal de Fotografía del INBA. La colección Río de Luz publicó un libro de su obra fotográfica en 1987, titulado *Al paso del tiempo*. [p. 450]

FOTO OBREGÓN. Existen en el Archivo General de la Nación treinta y un imágenes de las inundaciones ocurridas en León, Guanajuato, en 1926. F/A.G.N. [p. 451]

OCÓN (JUAN OCÓN). Originario de Mazatlán, Sinaloa. Activo en la Ciudad de México alrededor de 1920. Formó parte de los pictorialistas mexicanos. Murió a la edad de 37 años. F/J.C.M. [p. 452]

ANA LORENA OCHOA. México, D.F., 1966. Estudió Ciencias de la Comunicación en la Universidad Intercontinental. Después se trasladó a la ciudad de Nueva York, donde recibió cursos en el International Center of Photography. En 1997 fue seleccionada para figurar en la Segunda Bienal de Fotoperiodismo. Ha publicado en las revistas *Cuartoscuro, Viceversa, Laberinto* y *Milenio*, y en el periódico *Reforma*. Entre sus exposiciones colectivas figuran: *Manos a la obra* y Segunda Bienal de Fotoperiodismo, Centro de la Imagen, 1997. De modo individual, realizó muestras en el Museo Universitario del Chopo y en la Casa de la Cultura de Puebla, ambas en 2000. [p. 453]

YOSHUA OKON. México, D.F., 1970. Estudió la licenciatura en Artes Plásticas en la Universidad Concordia en Montreal, Canadá. Fue cofundador y director de La Panadería, espacio independiente de discusión y exhibición de arte contemporáneo en la Ciudad de México. Ha realizado residencias en la Escuela de Bellas

Artes de Annecy, Francia, y en el Bundeskanzleramt, en Austria. Ha recibido las becas del Fideicomiso para la Cultura México/USA, Rockefeller Foundation-Bancomer-FONCA, de la Fundación Fulbright-García Robles y del programa de Jóvenes Creadores del FONCA. Ha expuesto individual y grupalmente en México, Estados Unidos, España, Francia, Austria y Alemania. [p. 454]

JOHN O'LEARY. Temple, Texas, EU, 1949. Originalmente antropólogo y educador, radica en Cholula, Puebla desde 1970. Ha realizado una intensa labor fotográfica en la región, tanto en la docencia como produciendo su obra personal. Ha participado en numerosas exposiciones en México y el extranjero. Destacan las realizadas en el marco de Fotoseptiembre en el estado de Puebla, 1994 y 1998; la Muestra Latinoamericana de Fotografía en el Centro de la Imagen, 1996; VI Bienal Fotográfica 1993, IAGO Oaxaca; *Fotografía mexicana contemporánea* (1992) y *39 fotógrafos mexicanos* (1986), Houston Museum of Fine Arts; *Hecho en Latinoamérica I* (1978) y *II* (1981), Palacio de Bellas Artes y Museo de Arte Moderno de México, respectivamente. Obtuvo el premio de adquisición en la IV Bienal de Fotografía del INBA en 1986. Su obra ha sido publicada en revistas y ediciones especializadas. [p. 455]

HILDEGART OLOARTE. Veracruz, 1973. Estudió Fotografía en la Universidad Veracruzana en Xalapa. Ha tomado diferentes talleres y cursos con los maestros Humberto Chávez, Carlos Lamothe, Alejandro Castellanos, Miguel Fematt y Lourdes Almeida. Ha participado en diversas exposiciones colectivas e individuales desde 1994. Fue seleccionada en la Muestra de Fotografía Latinoamericana organizada por el Centro de la Imagen, en el segundo Salón de la Fotografía, organizado por el Centro de Arte Moderno de Guadalajara, en el que obtuvo el primer lugar; en la Primera Bienal de Arte Sureño, en el XVII Encuentro Nacional de Arte Joven y en la Octava Bienal de Fotografía; fue incluida en la muestra *Territorios singulares*, exhibición de fotografía contemporánea mexicana, itinerante en Austria, Alemania y en la Feria de Arte ARCO, en Madrid, en 1997 y 1998. [p. 456]

FRANCISCO OLVERA. Ha recibido varios cursos de fotografía. Actualmente es fotógrafo del periódico *La Jornada*. [p. 457]

ORDAZ. Activo en la Ciudad de México, alrededor de 1900. F/G.F. [p. 458]

MANUEL J. OROZCO. Activo en la ciudad de Zacatecas, alrededor de 1864. [p. 459]

ARTURO ORTEGA. México, 1920. Trabajó como linotipista en los primeros números del periódico *Ovaciones*. Posteriormente se dedicó a la fotografía deportiva. De 1954 a 1972 trabajó en revistas de deportes y en 1968 fue parte del equipo de fotógrafos contratados para hacer el registro de las Olimpiadas. De 1953 a 1980 fue reportero gráfico y de 1972 a 1980 trabajó como fotógrafo del equipo de futbol América. Después comenzó su etapa como coleccionista adquiriendo los siguientes archivos fotográficos: Revista *Zas*, que cuenta alrededor de cincuenta mil negativos e impresiones en papel; Archivo Fotográfico de Ignacio Contreras; Archivo Orduña, fotógrafo de toros; Archivo de Artistas de Salvador Durán, de aproximadamente cien mil imágenes en 6 x 6. F/R.L.C. núm. 16. [p. 460]

FERNANDO ORTEGA. México D.F. Ha participado en exposiciones colectivas como *La liga de la injusticia*, La Panadería, México; *Nuevas prácticas colectivas*, Galería de Arte Contemporáneo, México, 1995; *Creación de un hábitat*, Edificio San Martín, México, 1997; *Sala de espera*, X Teresa Arte Actual, México; *Resumen*, Fundación Ludwig, Cuba, 1998; *Economía de mercado*, Galería Kurimanzutto @ Mercado de Medellín; seleccionado en la Novena Bienal Internacional de Fotografía; Centro de la Imagen, México; *Ruido*, Primer Festival Internacional de Arte Sonoro, X Teresa, México, 1999; *A Shot in the Head*, Lisson Gallery, London; *Kurimanzutto @*, Chantal Crousel, París. En 2000 presentó la individual *Muzak, Creating Experience With Audio Architecture*, en el Centro de la Imagen, México. [p. 461]

LUIS FELIPE ORTEGA. México, D.F. 1966. Estudió en la Facultad de Filosofía y Letras de la UNAM. Formó parte del colectivo de artistas de Temístocles 44, en la Ciudad de México (1993-1995). Asimismo, es fundador, coeditor y colaborador de la revista *Casper*. Ha realizado cuatro muestras individuales: *Campo de Acción*, Art & Idea, 1997; *06/04/98-06/05/98*, El Despacho, Torre Latinoamericana, 1998; *Reisen*, Buttclub, Hamburgo, Alemania, 1999; y *Yo, nosotros*, Centro de la Imagen, 2000. Ha participado en numerosas colectivas en México, Francia, Canadá, Estados Unidos, Bélgica, Reino Unido, Holanda y Tailandia. Fue acreedor a la Beca Jóvenes Creadores del FONCA en 1999. Su video *Remake* (a dúo con Daniel Guzmán) forma parte de la Colección del Centre Georges Pompidou de París. [p. 462]

RAÚL ORTEGA. Desde 1986 trabajó como fotógrafo del periódico *La Jornada* y editor del suplemento *Foto* del mismo. Ha colaborado con las agencias internacionales Reuters, AP y AFP. Su obra personal ha figurado en exposiciones tales como: *150 años de la fotografía en México*, Museo de Arte Moderno, 1989; *El futuro hoy*, Museo Diego Rivera, 1990; VI Bienal de Fotografía, Centro de la Imagen, 1994; *Muestra latinoamericana de fotografía*, Centro de la Imagen 1995 y 1997; y *Fotógrafos mexicanos*, Houston Center of Photography, 1998. Publicó el libro fotográfico *Pabellón Cero*. [p. 463]

PABLO ORTIZ MONASTERIO. México, D.F., 1952. Estudió Economía en la UNAM y Fotografía en el London College of Printing. Ha tenido una intensa carrera en el terreno editorial, dirigiendo proyectos como *México Indígena*, *Ríos de Luz*, *Luna Córnea* y *Letras Libres* (editor de fotografía). De su obra personal, ha publicado una decena de libros fotográficos. Entre ellos destaca: *La última ciudad*, con textos de José Emilio Pacheco y merecedor al premio de la Primavera Fotográfica en Barcelona, España. Ha expuesto extensamente de modo individual en galerías y recintos fotográficos de México, Inglaterra, Francia, Estados Unidos, España, Holanda, Portugal, Brasil e Italia. Su obra figura en varias colecciones públicas, como la del Centro Portugués de Fotografía, el Museo Georges Pompidou y la Casa de las Américas, Cuba. [p. 464]

ESTANISLAO ORTIZ. Huajuapan de León, Oaxaca, 1956. Licenciado en Comunicación Gráfica por la Escuela Nacional de Artes Plásticas de la UNAM (1976-1994). Actualmente es docente de esa especialidad de dicha escuela. Desde 1981 ha realizado 16 exposiciones fotográficas individuales y participado en varias colectivas. Su obra figura en publicaciones del país y se incluye en algunos acervos públicos nacionales. [p. 465]

MARTÍN ORTIZ. No sólo se limitó a elaborar sus imágenes de estudio, sino que también fue activo divulgador de este trabajo, que abarca de 1914 a principios de los cincuenta. Para ello, participó en revistas como *El Fotógrafo Profesional* (durante los cuarenta) y publicó maravillosos desnudos en las páginas de la revista *Vea* (años treinta). En el trabajo retratístico fue donde Martín Ortiz alcanzó una indudable maestría. Los primeros retratos que de él se conocen están fechados en 1914, y los últimos que se conservan son de 1948, aunque posiblemente haya seguido trabajando hasta 1950. [p. 466]

RUBÉN ORTIZ. México, D.F., 1964. De 1983 a 1988 cursó la licenciatura en Artes Visuales en la Escuela Nacional de Artes Plásticas de la UNAM. Miembro del Taller de los Lunes, impartido por Pedro Meyer, y cofundador de la Quiñonera. Entre 1990 y 1992 estudió una maestría en el Instituto de Artes de California (CalArts). Fue merecedor a la Beca del Sistema Nacional de Creadores del Consejo Nacional para la Cultura y las Artes (1993) y la beca Fulbright (1996). Ha expuesto colectivamente desde 1982 en México, Irlanda, Estados Unidos, Inglaterra, Guatemala, Alemania, Australia y Brasil. Asimismo, ha expuesto extensivamente de modo individual desde 1985: *Chil.A.ngo*, Centro Cultural La Raza y San Diego California, 1993; *Recent Work*, en la Galería Jan Kesner de Los Angeles, California, y *The House of Mirrors*, en esta misma galería (1995). [p. 467]

CARL B. OSBORN. Existen en el Archivo General de la Nación siete imágenes de vistas panorámicas de Monterrey, realizadas en 1909. F/A.G.N. [p. 468]

OSORIO. Activo en Mérida, Yucatán, alrededor de 1960. [p. 469]

OSORNO BARONA. México, D.F. Activo alrededor de 1963. Osorno Barona fue uno de los fotógrafos que el Estudio Galas contrató para producir su trabajo en sus estudios. Esta empresa estaba dedicada a realizar los calendarios de la época. En Fotoseptiembre 2000 fue montada una muestra en el Museo Soumaya, en donde estuvieron incluidas las imágenes de este autor. Gran parte de la iconografía de estos calendarios es nacionalista y muchas de estas fotografías evocaban la pose que los fotógrafos extranjeros hacían con los tipos mexicanos. F/M.S. y F/E.F.T. [p. 470]

PAUL OUTERBRIDGE. Nueva York, EU, 1896. Estudió en la Art Students League de su ciudad natal, donde más tarde se empleó como pintor y diseñador. En 1921 se decidió por la carrera fotográfica. Sus primeros trabajos como fotógrafo independiente los realizó en las revistas *Vogue*, *Vanity Fair* y *Harper's Bazaar*. Su trabajo con *Vogue* lo llevó a París, donde residió por unos años y estableció un estudio. En 1943 se mudó a Hollywood y comenzó su trabajo como retratista. Desde 1947 y hasta 1957, un año antes de su muerte, viajó constantemente a México, Sudamérica y Europa, donde experimentó con la naciente fotografía a color. Su obra figura en los libros *Photographing in Color* (1940), *Paul Outerbridge*, con ensayo de Graham Howe (1976), y el libro monográfico con su nombre publicado por Rizzoli en 1980. (Naggar y Ritchin, 1996, 301.)

JOSÉ MARÍA PACHECO. Activo en León, Guanajuato, alrededor de 1879. [p. 471]

MARCO ANTONIO PACHECO. 1953. Realizó estudios de Diseño Gráfico en el IESDAC (1976) y el diplomado en Multimedia Digital en la Academia de San Carlos, UNAM (1997). Además, ha recibido numerosos cursos de fotografía y arte contemporáneo en la República Mexicana y Venezuela. Desde 1984 su obra ha figurado en numerosas exposiciones colectivas en recintos tales como el Centro de la Imagen, Museo de Monterrey y Palacio de Bellas Artes (México); Diverse Works Artspace y Americas Society Art Gallery (Estados Unidos). Sus fotografías han sido adquiridas por las colecciones del Museo Nacional de la Estampa, Centro de la Imagen, Consejo Mexicano de Fotografía y Universidad de Jalapa, entre otras. [p. 472]

CONRADO PALACIOS. Activo en Tuxtla Gutiérrez, Chiapas, alrededor de 1923. F/J.C.M. [p. 473]

FRANCISCO C. PALENCIA. Activo en Manzanillo, Colima, alrededor de 1882. F/J.C.M. [p. 474]

ESTUDIO PARAMOUNT. Activo en la calle Av. Juárez 30, en la Ciudad de México, alrededor de 1920. [p. 475]

TATIANA PARCERO. México, D.F., 1967. Estudió la licenciatura en Psicología en la Universidad Nacional Autónoma de México. Perteneció al Taller de los Lunes dirigido por Pedro Meyer. Además, ha realizado diversos cursos de fotografía. Entre sus exposiciones colectivas se encuentran: *Ojos que no ven*, Fototeca de La Habana, 1989; *Pasión por Frida*, Museo Diego Rivera, 1991; *Fotógrafas contemporáneas mexicanas*; *Il Diaframma*, Gallery, Milán, 1991; *El cuerpo: objeto y sujeto de sus sueños y entorno*, en la Galería Nina Menocal (1996); y *Muestra latinoamericana de fotografía*, Centro de la Imagen, en el mismo año. Presentó la muestra individual *Cartografía interior*, Instituto Politécnico Nacional, 1996. Sus obras forman parte de las colecciones del Museum of Fine Arts de Houston y del Miami Dade Kendall Campus/R. Sinderlir, en Estados Unidos. [p. 476]

NORA PAREYÓN. Ixtepec, Oaxaca, 1963. Estudió en la Escuela Activa de Fotografía; en el taller de fotografía del Centro Cultural Arte Contemporáneo, con el maestro Saúl Serrano; en el International Center of Photography (Nueva York), y en la Escuela Nacional de Fotografía (Arles, Francia). Trabajó en un proyecto en el taller de Mariana Dellekamp. En 1995 fue seleccionada en la Séptima Bienal de Fotografía. Ha mostrado su trabajo de modo colectivo e individual en México, La Habana, Praga, Arles, Florencia y Yakarta. Actualmente coordina la Escuela Activa de Fotografía en Oaxaca. [p. 477]

ADOLFO PATIÑO (ADOLFOTÓGRAFO). México, D.F., 1954. Fundó el Grupo de Fotógrafos Independientes y organizó las exposiciones ambulantes: *Fotografía en la calle* de fines de los setenta hasta 1981. Ha utilizado la fotografía Polaroid instantánea, realizado *performance*, instalaciones, pinturas, dibujos, esculturas, arte-objeto, video y cine súper-8. Desde 1976 ha participado en más de trescientas exposiciones colectivas en diversas ciudades de Europa, Estados Unidos, Centro y Sudamérica y en la República Mexicana. Fue jurado de la VII Bienal de Fotografía, exposición inaugural del Centro de la Imagen. De 1983 a la fecha ha realizado más de veinte exposiciones individuales en las que siempre se involucra a la fotografía. [p. 478]

RUBÉN PAX. Fotógrafo y diseñador, fundador de la agencia Imagenlatina. Colaboró para los libros de texto gratuitos de segundo grado en 1982. Trabajó con Daisy Ascher y Juan Rulfo. Desde los años setenta ha realizado exposiciones en el Museo del Chopo, Auditorio Nacional, Museo de Arte Moderno de Michoacán y Centro de la Imagen. Ha impartido cursos y conferencias acerca de la técnica fotográfica. Ha publicado más de veinte libros y recibido premios como el tercer lugar en el Concurso de Fotógrafos Profesionales de Cuernavaca y en el séptimo Concurso de Fotografía Antropológica del INAH. [p. 479]

D.F. DE LA PEÑA. Existen en el Archivo General de la Nación treinta y cuatro obras con los temas de habitación y vivienda, comunicación y transporte, vistas panorámicas, escenas cotidianas, avenidas y calles; mercados, iglesias, fiestas y diversiones, muelles, flora y fauna, ríos, zócalo, edificios públicos, jardines, parques y plazas de Tlacotlalpan, Veracruz, fechadas entre 1907 y 1909. F/A.G.N. [p. 480]

GUILLERMO PEÑAFIEL. Activo en México, alrededor de 1910. La Fototeca Antica conserva un conjunto de 60 imágenes de paisajes urbanos de diversas ciudades del país. F/J.C.M. [p. 481]

MANUEL PEÑAFIEL. México, D.F., 1948. Realizó su formación fotográfica en el instituto Tecnológico de Rochester, Nueva York. Entre sus muestras colectivas figuran *La fotografía como fotografía*, Museo de Arte Moderno, 1983; y *La Primavera*, Galería Arvil, 1983. De modo individual, ha presentado *Mi gente*, Cuba, 1976, Bélgica y Bulgaria, 1977; y *Lo real, lo irreal y lo imposible*, Holanda, 1980, entre otras. Ha publicado extensamente en periódicos y revistas. [p. 482]

AGUSTÍN PÉRAIRE. Activo en San José el Real, México, alrededor de 1865. F/J.C.M. [p. 483]

ADOLFO PÉREZ BUTRÓN. México, D.F. Egresado de la carrera de Ingeniería Electrónica en Computación, UAM Iztapalapa. Cursó los talleres libres de Fotografía en el Centro Universitario de Estudios Cinematográficos de la UNAM. De manera individual sobresale la exposición *El juego de las miradas*, Polyforum Cultural Siqueiros, Ciudad de México, 1996. Expuso de manera colectiva en 1995 *Cien artistas contra el SIDA*, Centro de la Imagen. En el mismo año recibió los premios Estímulo a la Creación Artística y Premio del Público por la serie *Cuerpos distantes, deseos indetenibles*, participante en la VII Bienal de Fotografía. Actualmente colabora con gran cantidad de publicaciones en México y el extranjero como *Viceversa*, *Cuartoscuro*, entre otras. Se ha dedicado principalmente a la fotografía publicitaria en medios. [p. 484]

MANUEL PÉREZ THOUS. Existe en el Archivo General de la Nación una obra de la Decena Trágica, cadáveres incinerándose en Balbuena, fechada en 1913. F/A.G.N. [p. 485]

JOSÉ RAÚL PÉREZ. México, D.F., 1962. Es licenciado en Ciencias de la Comunicación y tiene estudios de maestría en Letras Modernas y Humanidades. Fotógrafo independiente desde 1987, ha impartido materias relacionadas con semiótica y análisis de la imagen y publicado artículos sobre fotografía en diversos medios. Desde 1993 ha mostrado su trabajo en seis exposiciones individuales y 24 colectivas, diez de ellas en el extranjero. Obtuvo el Premio en la VII Bienal de Fotografía (1995) y mención honorífica en la emisión VI. Asimismo, obtuvo preseas en el concurso *El amor, la muerte*, en Munich, Alemania, 1997. Ha sido beneficiario del Programa de Apoyo a Proyectos Multimedia (1998) y becario del FONCA (Jóvenes Creadores 1997-1998). En 1999 expuso individualmente en el Centro de la Imagen la muestra *Filmoteca imaginaria*. [p. 486]

LUIS PÉREZ. Activo alrededor de 1905-1910. F/J.C.M. [p. 487]

PETER PFERSICK. Estados Unidos, 1942. Recibió su título de Psicología por la Universidad de Tucson, Arizona, en 1966. Entonces decidió estudiar una maestría en Fotografía en el Mountain College de San Francisco. Ha sido docente de fotografía en varias universidades de California y curador de exposiciones. En éstas ha promovido el trabajo de fotógrafos mexicanos. (Naggar y Ritchin, 1996, 301.) [p. 488]

J. J. PINTOS. Activo en Acapulco, Guerrero, alrededor de 1920.

SYLVIA PLACHY. Budapest, Hungría, 1943. Obtuvo la licenciatura en Artes en el Pratt Institute, en 1965. Ha trabajado como retratista y fotógrafa de sección en *The New York Times Magazine*, *Vogue*, *Ms.*, *Stern*, *Life*, *Newsweek*, *Geo* y otras publicaciones. Desde 1982 ha publicado una foto semanal en el periódico *Village Voice* de Nueva York. Ha sido acreedora a las becas Guggenheim (1977) y CAPS (1982), y al premio de distinción del International Center of Photography por su publicación *An Unguided Tour* (Apperture, Nueva York 1990). (Naggar y Ritchin, 1996, 301.) [p. 489]

ALEJANDRA PLATT. 1960. Realizó estudios fotográficos en la Kodak Mexicana (1988-1989), The Maine Photographic Workshops, EU (1991-1992) y el Centro de la Imagen, México (1999-2000). Además de realizar su obra personal, se ha desempeñado como fotógrafa publicitaria, reportera gráfica y docente de fotografía. Ha realizado exposiciones individuales en la Casa de Cultura de Nuevo León, el Museo José Luis Cuevas, Centro de Artes Visuales (1996) y Patio de los Ángeles (1997). De manera colectiva ha expuesto en México, Puerto Rico, Perú, España, Bélgica, Estados Unidos y China. Ha figurado en las publicaciones *En el nombre de Dios* (México, 2000), *Fotógrafas en el tiempo* (México, 2000) e *Hijos del sol* (Sonora, 1996). [p. 490]

BERNARD PLOSSU. 1945, sur de Vietnam. En 1958, a los 13 años, tomó su primera fotografía en el desierto del Sahara con un flash Brownie; siete años después se dedica profesionalmente a la fotografía, y viaja a México con una misión etnológica a la Selva Lacandona. Las fotografías que toma de 1965 a 1966 construyen *Voyage mexicain*, libro que publica en 1979. De 1970 al 1977 realiza viajes a América, África y Asia; de 1977 a 1985 visita Nuevo México y retorna a Europa, viajando a Italia, Grecia, Turquía, Portugal, Malí, India y Polonia. En 1988 recibe el Gran Premio Nacional de la Fotografía en Francia con una exposición en el Museo de Arte Moderno, Centro George Pompidou. En 1996 presenta una exposición en el Canal Isabel Segunda en Madrid, España. En 1996 participa en la exposición *Ojos franceses en México*, en el Centro de la Imagen, México. En 1997 tiene una exposición retrospectiva en el Instituto Valenciano de Arte Moderno (IVAM), España. Actualmente reside en La Ciotat, Francia. [p. 491]

AMBRA POLIDORI. Artista visual. Vive y trabaja en México, D.F., y Milán, Italia, desde 1988. Expone individual y colectivamente en México, Europa, Estados Unidos y Latinoamérica desde 1985. Su obra figura en las siguientes colecciones públicas: Maison Européenne de la Photographie, París; Museo del Barrio, Nueva York, EU; Biblioteque National de París; Academia Carrara, Galleria d'Arte Moderna e Contemporánea, Bérgamo, Italia; y Museo Carrillo Gil, México, entre otras. Entre sus exposiciones recientes destacan: *Público y privado*, Galería Nina Menocal, 1998; *Espace d'Art Yvonamor Palix*, París, 1999; *Bajo la Grisalla de México*, La Capella, Barcelona, España, y Passage de Retz, París 1999. [p. 492]

MÁXIMINO POLO. Ambrotipista y fotógrafo mexicano. Abrió un estudio en la calle de Coliseo Viejo núm. 12. Ejerció la fotografía hasta finales de la década de los setenta. Realizaba retratos "a precios reducidos". (Casanova y Debroise; 1989: 59.)

ELODIA PORTAL. Ciudad de México, 1923. Se interesó en la fotografía y fue la primera mujer que ingresó al Instituto Cinematográfico, donde cursó un año con Francisco Vives. Hacia 1954 o 1955 ingresó a Galas, relevando a Francisco Vives. Realizó fotografía para calendarios y para otros impresos de la fábrica, como los abanicos. En 1979 sufrió un accidente automovilístico por el que se separa definitivamente de Galas de México y no ejerce más como fotógrafa. F/M.S. [p. 493]

GUSTAVO PRADO. 1970. Cursó estudios de Diseño Gráfico en la Universidad Iberoamericana. Posteriormente realizó la licenciatura en Artes Visuales en La Esmeralda, México. Organizó el Primer Festival Mes del Performance. Ha participado en alrededor de doscientos exposiciones individuales y colectivas tanto en México como en el extranjero. En algunas ha figurado bajo el personaje de Aurora Boreal. Obtuvo premios en la Sexta y Séptima Bienal Nacional de Fotografía. Asimismo, recibió preseas del Salón Nacional de Fotografía y la Beca Jóvenes Creadores del FONCA, en el área de Medios Alternativos. En el 2000 expuso en el Centro de la Imagen individualmente *La fortaleza de la soledad*. [p. 494]

PREVOT. Activo alrededor de 1870. [p. 495]

PROF. HAUSSLER. Activo en la calle 2a. de Plateros núm. 9, Ciudad de México, alrededor de 1892. F/J.C.M. [p. 496]

JAVIER RAMÍREZ LIMÓN. 1960. Estudió en la Escuela Activa de Fotografía y en el International Center of Photography, en Nueva York. Fue seleccionado en la Séptima Bienal de Fotografía y en la Muestra de Fotografía Latinoamericana, organizadas por el Centro de la Imagen. Participó en la exposición *Looking at the 90's*, en el marco de Fotofest 98, en la ciudad de Houston, Texas. Ha impartido cursos en la EAF, en el Centro de la Imagen y en el ICP. En 1999 obtuvo un apoyo del Fideicomiso Mex-USA para desarrollar un proyecto en la comunidad de Quitovac, desierto de Altar, en el estado fronterizo de Sonora. En el 2000 expuso en el Centro de la Imagen. [p. 497]

ERNESTO RAMÍREZ. México, D.F., 1968. Egresado de la licenciatura en Periodismo de la UNAM, cursa además varios estudios de fotografía y fotoperiodismo, así como el Taller de Revisión de Portafolio, impartido por Mary Ellen Mark en el Centro de la Imagen en 1998. Ha colaborado en las secciones culturales de los diarios *El Día*, *El Nacional* y *El Financiero*, y en las revistas *Mira*, *Generación*, *Tierra Adentro* y *Dia Siete*. Durante más de cuatro años trabajó para el diario *La Jornada* y actualmente colabora en la revista *Milenio*. Obtuvo mención honorífica en la Segunda Bienal de Fotoperiodismo de 1996. Ha participado en diversas exposiciones colectivas y en 1999 expuso su trabajo sobre la Central de Abastos, mismo que tuvo el apoyo del FONCA en el rubro de Jóvenes Creadores. [p. 498]

JOSÉ LUIS RAMÍREZ. México, 1968. Realizó la licenciatura en Periodismo y Comunicación Colectiva en la ENEP Aragón. Ha trabajado para los periódicos *El Sol de México*, *La Prensa* y *La Jornada*. Colaboró en la Agencia Digital Press y en la actualidad trabaja para Notimex y el periódico *Reforma*. Su fotorreportaje sobre niños de la calle en México (1996-1997) fue publicado en los diarios *Le Humanité* (Francia) y *El País* (España). En 1994, 1996 y 1998 fue seleccionado en las Bienales de Fotoperiodismo. En 1996 participó en la exposición colectiva *La mirada inquieta... el nuevo fotoperiodismo*, que además cuenta con un libro de John Mraz. [p. 499]

SADOT RAMÍREZ. Fotógrafo de estudio y de exteriores. Activo en Torreón, Coahuila, alrededor de 1910. De acuerdo con el *Directorio Político, Profesional, de Artes y Mercantil de la Laguna* de Teófilo Acosta y José M.Mendivil (Torreón, 1908-1909), el Estudio de Sadot Ramírez se denominó Fotografía Artística y se ubicaba en la calle de Juan Antonio de la Fuente 420, en el primer cuadro de la Ciudad de Torreón. De Ramírez se conoce un retrato del profesor Aureliano Gómez, otro de la familia De la Peña con sus primeros dos hijos y una secuencia de fotografías de la Hacienda El Pilar, en la región de La Laguna. F/F.D.M.

CARLOS RAMOS. México, D.F., 1969. Estudió en la Escuela Activa de Fotografía en 1990. Ingresó como laboratorista al periódico *La Jornada*, donde ejerce como reportero gráfico hasta la fecha. En 1998 ganó la categoría de reportaje en la sección policía en la Tercera Bienal de Fotoperiodismo. [p. 500]

J. J. RAMOS. Existen en el Archivo General de la Nación, cincuenta y dos imágenes con los temas de edificios públicos, avenidas y calles, portales, jardines, parques y plazas, vistas panorámicas, mercados, ríos, tipos étnicos, iglesias, flora y fauna, oficios, fábricas, comunicaciones y transportes, puentes, vías, hoteles, playas, trabajo y tecnología, elaboración de salida en Cuyutlan, bahías, puertos, estaciones, volcanes del estado de Colima, todas fechadas en 1909. F/A.G.N. [p. 501]

MANUEL RAMOS. San Luis Potosí, 1874-1945. Fotoperiodista y retratista del México de la primera mitad del siglo XX. Trabajó en distintas publicaciones: *El Mundo Ilustrado*, *El País*, *Excélsior*, *El Hogar*, *El Fígaro* y *El Gladiador*, entre otras. Acumuló un acervo de cerca de 8 500 imágenes, gran parte de ellas inéditas. Éste cuenta con negativos y positivos originales, positivos coloreados, acuarelas, postales, reproducciones y fotomontajes. Ramos es la evocación, la pasión por el cromo, la devoción por la virgen de Guadalupe. Desde 1992 se inició el proyecto de rescate de su archivo, que obtuvo la Beca del Fideicomiso para la Cultura México-USA (1995). En 1998 se realizó la exposición *Manuel Ramos: fotógrafo guadalupano*, con el apoyo del Centro de la Imagen. F/C.R. [p. 502]

RAMÓN RAMOS. Activo en la ciudad de Oaxaca, alrededor de 1880-1890. F/J.C.M. [p. 503]

ROGELIO RANGEL. México, D.F., 1963. Estudió la licenciatura en Diseño Gráfico en la UNAM y recibió talleres y cursos con los maestros Gilberto Aceves Navarro, Francisco Castro Leñero, Pedro Ascencio y Anibal Angulo. En 1988 obtuvo el Premio de Adquisición de la Sección de Dibujo del Salón Nacional de Artes del INBA y el Premio de Adquisición de la Sección Bienal de Fotografía. Es diseñador independiente y ha colaborado con diversos grupos y casas editoriales. De 1989 a la fecha ha exhibido su obra en distintos museos y galerías de México y el extranjero. [p. 504]

HENRY RAVELL. Activo alrededor de 1890-1920. Trabajó hacia 1905 en Monterrey. Se le conoció como un fotógrafo pictórico que llegó a publicar sus fotografías sobre México en el *Harper's Magazine*. Hacia 1911 manufacturó fotografías coloreadas en la Ciudad de México. (Rodríguez; 1996, 235.) [p. 505]

JOSEPH RENAU. Valencia 1907-Berlín, 1982. Pintor, cartelista, muralista, diseñador gráfico y fotomontador hispano-mexicano. Su formación artística se inició con su padre, el profesor y restaurador Josep Renau Montoro, ampliando sus estudios en la Escuela de Bellas Artes de San Carlos de Valencia (1921-1925), de la que más tarde fue profesor (1934-1936). Su primera exposición individual fue en el Círculo de Bellas Artes de Madrid (1928), que asimismo dirigió. Al finalizar la guerra civil española (1936-1939) salió a Francia con su familia. Se exilió en México (1939-1958), donde se naturalizaría mexicano y trabajaría haciendo publicidad (Imprenta Galas), carteles para el cine, colaboraciones gráficas en revistas mexicanas (*Futuro*) y españolas (*Las Españas, Mediterrani, Nuestro Tiempo*, etcétera) y un par de murales para el Sindicato Mexicano de Electricistas (*Retrato de la burguesía*, 1939-1940, en colaboración con Siqueiros) y el Casino de la Selva (*España hacia América*, 1944-1950). En 1976 fue seleccionado para la Bienal de Venecia. De regreso a España presentó su primera exposición retrospectiva (*Renau*, Madrid, 1978) y empezó a publicar diversos libros: *Función social del cartel* (1976), *Arte en peligro* (1980), *Nueva Cultura, La batalla per una nova cultura* (1978), *The American Way of Life. Fotomontajes* (1977), etcétera. En 1978 donó su acervo artístico al pueblo valenciano, creándose la Fundación Josep Renau. F/M.G. [p. 506]

NICOLÁS MAURO RENDÓN. 1843-1910. Al parecer se estableció en la ciudad de Monterrey a fines de la década de los sesenta del siglo XIX, y en 1874 en la calle Doctor Mier, número 57. En 1888 patentó el método fotoesculturas o Grupos de Rendón. (Rodríguez, 1996, 235.)

WALTER REUTER. Berlín, 1906. Profesionalmente se inició como fotograbador. Formó parte del movimiento cultural de Berlín en la década de los veinte, que se dio a raíz del expresionismo alemán. Realizó reportajes sobre la Guerra Civil y, desde la izquierda alemana, trabajó durante el periodo nazi. Llegó a México en 1942, donde se interesó principalmente en la danza. Trabajó para publicaciones como *Siempre!*, *Hoy*, *Mañana* y *Nosotros*. Incursionó en el cine documental y argumental. Entre otras películas realizó: *Historia de un río* (1950), *Tierra del chicle* (1952), *Raíces* (1953), *Tierra de los mayas* (1957), *Norte* (1958), *El brazo fuerte* (1958) y *La Güera Xóchitl* (1963). [p. 507]

ANTONIO REYNOSO. México, 1920-1996. Antes de dedicarse a la fotografía, estudió Pintura y Arquitectura en San Carlos. Ahí fue fuertemente influido por el pintor Manuel Rodríguez Lozano. En cuanto a instrucción fotográfica, contó con el ejemplo de Manuel Álvarez Bravo. Participó en la realización de varios cortometrajes, documentales y comerciales. Como camarógrafo, realizó *Camino a la vida*, película de Rodríguez Lozano y Usigli; así como *Fando y Lis*, de Alejandro Jodorowski. También se desempeñó como director en la película derivada de un texto de Juan Rulfo titulada *El despojo*. F/R.R. [p. 508]

RÍOS ZERTUCHE. Activo en Saltillo, México, alrededor de 1900. F/J.C.M. [p. 509]

CARLA RIPPEY. Kansas City, EU. 1950. Realizó diversos estudios en Estados Unidos y Europa, recibiendo el grado de licenciatura en Humanidades por la Universidad Estatal de Nueva York en Old West-Bury, Nueva York, en 1972. Llegó a México en 1973, y de 1978 a 1984 fue integrante del grupo de arte experimental Peyote y la Compañía. En su trabajo incluye la fotografía constantemente. Desempeñó el cargo de profesor encargado del taller de grabado de la Facultad de Artes Plásticas de la Universidad Veracruzana de 1980 a 1985. Desde 1978 ha expuesto su obra individual y colectivamente en México, Monterrey, Sao Paulo, Nueva York, París, San Antonio, Washington, Houston, Chicago y Los Angeles. De 1997 a 2000 fue miembro del Sistema Nacional de Creadores del FONCA, México. Mucha de su obra se compone de *collages* e iconografía de influencia fotográfica. Fue una de las principales colaboradoras en las exposiciones fotográficas callejeras. [p. 510]

CARLOS RITCHIE. Activo en la 2a. Calle de la Compañía núm. 275, Veracruz, alrededor de 1870. F/J.C.M. [p. 511]

ROBERTO RIVAS LAINEZ. Gómez Palacio, Durango, 1915-Torreón Coahuila, 1970. Activo en Gómez Palacio, Durango, entre 1941-1961. Su establecimiento se llamó Foto Rivas y él mismo se definió como fotógrafo retocador, por sus trabajos en blanco y negro y también a color, en el arte del retrato, habiéndose formado con el también fotógrafo Julio Sosa, en Torreón. su archivo fotográfico se da por desaparecido y aunque hay la versión de que llegó a realizar algunas series de desnudos de gitanas que llegaron a posar para él, no ha sido posible conocer tales fotografías. Parte de su interés por la imagen lo heredó a su hija Rosina Rivas Castilla, quien lo aplicó en su experiencia con la fotografía y el cine y que, a su vez, transmitió a su hijo, el artista plástico Gabriel Cruz Rivas. F/F.D.M. [p. 512]

ENRIQUE RIVERA CALATAYUD. Mexicano. Fotógrafo de exteriores. Activo en Torreón, Coahuila, entre 1924-1952, aproximadamente. Se desconocen fechas y lugares de nacimiento y muerte. Registró aspectos de la campaña electoral del candidato presidencial opositor al PRI, Miguel Henríquez Guzmán, de la Federación de Partidos del Pueblo Mexicano (FPPM), en 1951-1952, con presencia de manifestaciones populares en Torreón. Se le atribuye la autoría de una película documental, producida por él mismo en 1924, sobre los festejos del Día del Algodón en Torreón, actualmente desaparecida. F/F.D.M.

V. RIVERA MELO. Existen en el Archivo General de la Nación cuatro postales históricas, realizadas en 1910 y 1917 vistas panorámicas de institutos, avenidas y calles, mercados, aduanas, muelles, estaciones, bodegas en Veracruz, Veracruz, realizadas en 1914. F/A.G.N. [p. 513]

R. R. RIVERA. Activo en Colima, alrededor de 1900. F/J.C.M. [p. 514]

CARLOS RIVERO. Activo en Guevara núm. 5 hoy 5 de Mayo, en la ciudad de Puebla, alrededor de 1920. F/J.C.M. [p. 515]

MANUEL RIZO. Activo en la Calle de las Cruces núm. 2, en la ciudad de Puebla, alrededor de 1870. F/J.C.M. [p. 516]

GUILLERMO ROBLES CALLEJO. Tehuacán, Puebla, 1891-Puebla, Puebla, 1934. Descubrió la fotografía en 1915, siendo comerciante de papelería. Con gran fascinación trabajó las imágenes estereoscópicas y, a partir de ese año, no cesó de registrar fotografías de paisajes, ciudades, arquitectura, escenas cotidianas e insólitas, logrando un elocuente testimonio de su entorno. Reunió una colección de alrededor de nueve mil positivos estereoscópicos en vidrio, y los correspondientes negativos de nitrato. Este rico acervo forma parte de la colección de Jorge Carretero Madrid, preservada en la Fototeca Antica, Puebla. [p. 517]

PATRICIO ROBLES GIL. Artista plástico, cuyo trabajo incluye la fotografía, ha expuesto en galerías de México, Estados Unidos y Centroamérica. Entre las exposiciones fotográficas en las que se han presentado sus imágenes se encuentran *Cien años de fotografía*, Museo de Arte Moderno, y *Un encuentro con la naturaleza*, Centro de la Imagen, además del Museo de Arte Contemporáneo de Monterrey, los Museos de Historia Natural de San Diego, de Washington y de Londres, y el Museo de Ciencias Naturales de Madrid. Sus fotografías han sido publicadas en conocidas revistas como *National Geographic*, *Nature's Best*, *Natural History*, *International Wildlife*, entre otras. Actualmente forma parte del Consejo Editorial de la revista *Nature's Best*. Ha participado como fotógrafo y dirigido la edición y publicación de 17 libros sobre flora, fauna y ecosistemas, tanto de México como del resto del mundo. [p. 518]

ROCHA Y FERNÁNDEZ. Activo alrededor de 1872. F/J.C.M. [p. 519]

MANUEL ROCHA. México, D.F, 1963. Doctor en composición por la Universidad de París (1993-1997), cuenta con numerosos y prestigiados estudios de composición, música por computadora y síntesis en México, Estados Unidos y Francia. Parte de su formación fotográfica la realizó en el Taller de los Lunes con Pedro Meyer, entre 1985 y 1989. Ha figurado en decenas de exposiciones y festivales donde combina el arte sonoro, la composición, la escultura y la experiencia visual fotográfica. En 1998 fue seleccionado para la Bienal de Sydney, Australia, y en 1999, en la Novena Bienal Internacional de Fotografía. [p. 520]

MAURICIO ROCHA. México, D.F. 1965. De 1984 a 1989 estudió Arquitectura en la UNAM. Ha participado en numerosas exposiciones desarrollando un lenguaje en el que conjunta la exploración del espacio desde la arquitectura y su documentación visual, la instalación y la fotografía. En 1991 obtuvo la Beca para Jóvenes Creadores del FONCA y en 1987, el primer lugar en el certamen Espacios Alternativos del INBA, en colaboración con Mauricio Maillé y Gabriel Orozco. [p. 521]

LA ROCHESTER. Existen bajo esta firma en el Archivo General de la Nación tres imágenes con los temas de comunicaciones y carros de transportes, sin fecha, doce imágenes de la inundación en León, Guanajuato, ocurrida en 1926 con vistas de los daños provocados, y treinta y seis imágenes de la Revolución con personajes y sucesos, fechadas en 1912. F/A.G.N. [p. 522]

I. RODRÍGUEZ ÁVALOS. Activo en la Ciudad de México, alrededor de 1915. F/G.F. [p. 523]

DUILIO RODRÍGUEZ. México, D.F., 1972. Cursó varios estudios de fotografía en el Club Fotográfico de México y el Centro de la Imagen. Fotógrafo del periódico *La Jornada* (1993-2000), sus imágenes han sido publicadas en otros medios impresos. Ha participado en exhibiciones colectivas como *Chiapas, rostros de la guerra*, Museo de la Ciudad de México, 2000; *Sahara, arenas de esperanza*, Casa de la Cultura Jesús Reyes Heroles, 2000. Recibió mención honorífica en la Tercera Bienal de Fotoperiodismo (1999). Ha participado en exposiciones en las ciudades de México y Barcelona, España. [p. 524]

JOSÉ ÁNGEL RODRÍGUEZ. Sus exposiciones colectivas desde 1974 incluyen: *Unas sin otras*, Casa del Lago, 1974; *Fotógrafos jóvenes de México*, Museo de Arte e Historia de Chihuahua, 1975; *Cuatro fotógrafos jóvenes de México*, Corcoran Gallery de Washington D.C., 1978, y *México Indigenista*, 1991. De modo individual, se ha presentado en el Centro Mexicano de Estudios Fotográficos (1976); Casa del Lago (1977); Galería Manuel Álvarez Bravo (1982), y Centro Cultural Mexicano en París (1985). [p. 525]

MIGUEL RODRÍGUEZ. Alrededor de 1884. F/J.C.M. [p. 526]

XAVIER RODRÍGUEZ. México, D.F. 1971. Estudia artes visuales en la Escuela Nacional de Artes Plásticas en la Universidad Nacional Autónoma de México. Ilustrador en el suplemento *La Jornada Semanal* del periódico *La Jornada* de mayo a diciembre de 1994. Trabajó como asistente del artista belga Fracis Alys durante 1994. Fue miembro organizador del espacio independiente denominado La Panadería de 1994 a 1996. Fue becado por el FONCA (1996-1997). Representante de México en la categoría de fotografía en el concurso Jóvenes creadores de Iberoamérica, Madrid, España. 1998. Ha expuesto de manera colectiva e individual desde 1993 y entre sus exhibiciones sobresalen: *La panadería*, Ciudad de México, 1994; *La liga de la injusticia*, La panadería, Ciudad de México, 1995; *Paradas continuas*, Museo de Arte Carrillo Gil, 1999. [p. 527]

YGNACIO RODRÍGUEZ ÁVALOS. Activo en la calle de Independencia 12, en la ciudad de Puebla, alrededor de 1905. F/J.C.M. [p. 528]

FOTÓGRAFO ROMERO. Activo en la ciudad de Oaxaca, alrededor de 1894. [p. 529]

FRANCISCO ROMERO. Activo en la Ciudad de México, alrededor de 1920. [p. 530]

GUILLERMO ROSAS. México, D.F., 1953. Fotógrafo y cineasta independiente, activo desde 1972. Es más conocido como fotógrafo de cine; obtuvo un premio Ariel en 1978. En 1980 viajó al norte de África en su vertiente de fotógrafo documentalista, para captar imágenes en una zona de conflicto internacional, a causa de la invasión de Marruecos a la República Árabe Saharahui Democrática (RADS), en lo que antes era llamado el Shara Español, y que desde 1976 declaró su independencia luchando contra la invasión a su territorio. Este trabajo lo ha expuesto en distintas galerías del Distrito Federal. F/F.D.M. [p. 531]

MARIANA ROSENBERG. México, D.F., 1966. Estudió en la Escuela Nacional de Artes Plásticas de la UNAM y en el San Francisco Art Institute. Recibió la Beca para Jóvenes Creadores del FONCA en su emisión 1992-1993. Ha expuesto su obra en Finlandia, Austria y México desde 1993. [p. 532]

DANIELA ROSELL. México D.F. 1973., Realizó estudios teatrales en Núcleo, México (1989), y de Artes en la Escuela Nacional de Artes Plásticas de la UNAM. Dentro de sus exhibiciones individuales figuran: *All The Best Names Are Taken*, Greene Naftali, Nueva York 2000, y *R.S.V.P.*, Galería OMR de la Ciudad de México, 1996. Ha participado en diversas exposiciones colectivas; entre las recientes cabe mencionar: *L'ontano Dagove?*, Galería Alberto Peola en Italia, 1999; *Mexcelente*, Hierbabuena Center for the Arts, San Francisco, 1998; *Cambio*, Galería Sandra Gering, Nueva York, 1998, e *inSITE 97: New Projects in Public Spaces by Artists of the Americas*, Installation Gallery/Instituto Nacional de Bellas Artes, San Diego/Tijuana. [p. 533]

ROUSSET Y MAGAÑA. Existen en el Archivo General de la Nación tres obras con retratos de estudios de Sánchez Azcona y Francisco I. Madero. F/A.G.N. [p. 534]

JUAN RULFO. Jalisco, 1918-1986. Escritor y fotógrafo. Su obra con la cámara la realizó durante diversos viajes por el territorio mexicano entre 1940 y 1955. Consta de imágenes como retratos de campesinos, paisajes y naturalezas muertas en las que se aprecia un dominio de la composición y la técnica. Como fotógrafo se dio a conocer en 1980, con la publicación de un libro integrado con parte del archivo de los seis mil negativos que reunió. Como escritor alcanzó la fama con sus obras *El Llano en Llamas* y *Pedro Páramo*. fue galardonado en México en 1970 con el Premio Nacional de Letras, y en 1983, en España, con el Premio Príncipe de Asturias, también en el area de las Letras. (Rulfo, 1980,3.) [p. 535]

ESTUDIO SAAVEDRA. Activo en la ciudad de Oaxaca, alrededor de 1900. [p. 536]

SALAS ARGÜELLES. Activo en la ciudad de Oaxaca, alrededor de 1896. [p. 537]

ARMANDO SALAS PORTUGAL. (1916-1995). Nace en Monterrey, Nuevo León. Estudia química en la Universidad de UCLA en Los Angeles, California. Su trabajo fotográfico se torna hacia la naturaleza por su pasión de viajero. Colaborador del arquitecto Luis Barragán, cuya obra difunde alrededor del mundo a través de su interpretación fotográfica. A partir de 1944 realiza más de 100 exposiciones individuales en distintas sedes de México, Europa, Japón y Sudamérica. Destacan entre sus publicaciones: *Palacio Nacional* (1976), *Palacio de Minería* (1977), *La Ciudad de México* (1982), *El Universo en una Barranca* (1986), *Los pueblos de antes* (1991) y *Luis Barragán* (1992). Su archivo está conformado por más de ochenta mil negativos y diez mil impresiones que están bajo el resguardo de su familia, la cual ha creado la Fundación Armando Salas Portugal. [p. 538]

SALAZAR. Activo en la ciudad de Oaxaca, alrededor de 1900. [p. 539]

CECILIA SALCEDO. Guadalajara, Jalisco 1957. Licenciada en Ciencias de la Comunicación por el ITESO de Guadalajara, Jalisco. Se ha especializado en diversas áreas de la fotografía de manera independiente. En 1996 fundó y coordinó el Grupo Fotográfico Luz 96, fotógrafos en Oaxaca. Fue becaria del FONCA (1999-2000.) Entre sus exposiciones individuales destacan: *Imágenes atrapadas*, Galería Rufino Tamayo, Casa de Cultura Oaxaqueña, 2001; dentro del marco del Festival Fotoseptiembre 1998: *Fascia*, Academia de San Carlos, Escuela Nacional de Artes Plásticas, Ciudad de México; *Impresioni dal Messico*, Embajada de México en Roma, Italia, 1997. De igual forma ha participado en numerosas colectivas: *Fotógrafas mexicanas*, La Casa del Arte, La Joya, California, EU, 1987; *Sueños de piedra en Mitla*, MACO, Oaxaca, 1998; *Cuatro mujeres, cuatro miradas: fotografía en Oaxaca*, Galería Indigo, Oaxaca, participante del Festival Internacional Fotoseptiembre 2000. Desde 1997 se desempeña como Directora del Centro Fotográfico Manuel Álvarez Bravo, Oaxaca, México. [p. 540]

SEBASTIÃO SALGADO. Aimores, Minas Gerais, Brasil, 1944. Estudió Ciencias Económicas en Brasil (1964-1967) y obtuvo la licenciatura en 1968 por la Universidad de Sao Paulo y la Vanderbilt University EU. En 1973 decidió dedicarse a la fotografía y empezó a colaborar con la agencia fotográfica Sygma (1974-1975) y luego con Gamma (1975-1979). Fue elegido miembro de la cooperativa internacional Magnum Photos, y estuvo en dicha asociación desde 1979 hasta 1994. Viajó para cubrir noticias como las guerras de Angola y del Sahara Español, la toma de rehenes israelíes en Entebbe y el intento de asesinato del presidente estadounidense Ronald Reagan. Durante siete años (1977-1984) recorrió Latinoamérica con la intención de conseguir imágenes para su libro y exposición *Other Americas*, (1986). Desde 1986 hasta 1992 se centró en *Workers* (1993), un documental fotografiado en 26 países sobre el final de la mano de obra masiva. En el 2000 publicó *Migrations* y *Children*, sobre las duras condiciones de vida de los desplazados, refugiados y emigrantes de 41 países. En 1994 fundó su propia agencia de prensa, Amazonas Images, que lo representa a él y a su trabajo. [p. 541]

HERMANOS SALMERÓN. 1889. Esta familia inicia sus pasos en el pueblo de Chilapa de Guerrero, con la cámara de don Protasio Salmerón, a fines del siglo XIX. Esta tradición continua, desde sus inicios, tuvo el mérito de realizar una significativa tarea documental de aquella inaccesible región. Amando Salmerón adopta esta profesión poco antes del proceso revolucionario, logrando ser el más destacado de la familia. Capta emblemáticos momentos de la Revolución y sus personajes, además de la consolidación y construcción física e institucional del periodo posrevolucionario. Esta labor la heredaron María Evita, Elíseo y Jesús, quienes retratan el devenir social de su región hasta la década de los sesenta, con sus movimientos sociales y episodios definitorios. En la actualidad, Juan Salmerón sigue la tradición del registro documental, mientras sus familiares se abocan mayormente a la fotografía de estudio. (Jiménez, 1998.) [p. 542]

ALFONSO SÁNCHEZ. FOTOGRAFÍA SÁNCHEZ. Mexicano. De acuerdo con un trabajo histórico de Arturo Berrueto González en su *Diccionario Biográfico de Coahuila* (Consejo Editorial del Gobierno del Estado, Saltillo, 1999), este fotógrafo, "nació en Saltillo, el 5 de octubre de 1914, y murió el 19 de enero de 1975. Hijo de Alfonso Sánchez y Carmen Sosa, fundadores en 1908 de la Fotografía Sánchez, ubicada en la calle de Victoria, quienes retrataron a don Venustiano Carranza acompañado de los integrantes del Congreso local. Continuó el trabajo de su abuelo; de él aprendió el retoque de negativos, cuando el trabajo se hacían en blanco y negro". Sánchez Sosa retrató a numerosas figuras del mundo mexicano del espectáculo. F/F.D.M.

CRUZ SÁNCHEZ. Mexicano. Fotógrafo de exteriores. Activo en Morelos, durante la segunda década del siglo XX. Se desconocen fechas y lugares de nacimiento y muerte. Su retrato, de autor desconocido, donde posa con su cámara, lo describe el coronel Octaviano Magaña Cerda: "Éste es el fotógrafo señor Cruz Sánchez, Presidente Municipal de Yautepec, quien defendió valientemente los intereses de su pueblo, y a quien se debe gran parte del material gráfico de la Revolución del Sur". F/F.D.M.

JESÚS SÁNCHEZ URIBE. México, D.F., 1948. Ha expuesto individualmente su obra en el Centro Médico La Raza (1975); Casa del Lago (1976); Galería Juan Martín (1980); Galería Arte Contemporáneo y Galería Nicephore Niepce (1985); Consejo Mexicano de Fotografía, Casa de la Cultura Ecuatoriana Benjamín Carreón, Art Institute of Chicago, Galerie Seguier en París (1986); Pinacoteca del Estado de Yucatán y Galería Focale en Nyon, Suiza (1987); Galería Kahlo-Coronel (1988); Galería Expositum (1989); Arte A.C. Centro Cultural y Casa de la Cultura de Cancún (1992). [p. 543]

JESÚS SANDOVAL. Montemorelos, Nuevo León, 1871-1951. Fotógrafo de estudio. Estuvo activo en Monterrey entre 1893 y 1943. Su establecimiento se llamó Gran Fotografía El Bello Arte, abierto en 1893, el cual cambió varias veces de ubicación en la ciudad. Su archivo de imágenes está integrado al Fondo Fotográfico Sandoval-Lagrange, que tiene su origen en una colección adquirida en 1963 por el ITESM. Al igual que el otro famoso fotógrafo con quien comparte el nombre del fondo citado, sus imágenes pueden apreciarse en una muestra representativa de su obra, en el libro *Monterrey en 400 fotografías*. F/F.D.M. [p. 544]

JOAQUÍN SANTAMARÍA. Veracruz, 1890. Panadero de oficio y fotógrafo del periódico *El Dictamen*. También fue dibujante en la Milicia Permanente de la Marina. Las temáticas que aborda en su obra son la política, el deporte, la agricultura, la empresa y el paisaje. (Santamaría, 1999.) [p. 545]

MARÍA SANTIBÁÑEZ. Activa en la Ciudad de México, alrededor de 1920. F/J.C.M. [p. 546]

MARUCH SÁNTIZ. Paraje Cruztón, San Juan Chamula, Chiapas, 1975. Cursó el taller de lectoescritura tzotzil y teatro en San Cristóbal de las Casas, Chiapas (1993). Participó en el taller de fotografía manipulada de esta localidad. Desde 1996 trabaja en el Archivo Fotográfico Indígena. Su labor incluye el mantenimiento de la colección de fotos y negativos, la preparación de publicaciones, trabajo en el cuarto oscuro, capacitación de otros fotógrafos y realización de su obra personal. Sus fotografías han formado parte de las exposiciones de dicho archivo en México, Estados Unidos, Islandia y Holanda. Del mismo modo, ha publicado en los libros *Camaristas* y *Visiones*. De modo individual, publicó sus fotografías en el libro *Creencias* (1998), y ha expuesto en la Galería OMR. Es parte de un grupo de fotógrafas denominado Camaristas. F/A.F.I. [p. 547]

FERDINANDO SCIANNA. Bagheria, Sicilia. 1943. Acaba sus estudios, interrumpidos por un tiempo, de Filosofía y Letras. En 1963 conoce al escritor Leonardo Sciascia, con quien publica a los veinte años de edad el primero de los numerosos libros que harían juntos: *Feste Religiose in Sicilia*, galardonado con el premio Nadar. Se trasladan a Milán donde en el año 1967 trabaja para el semanal *L'Europeo* como fotógrafo, como enviado especial y después como corresponsal en París, donde reside durante diez años. Henri Cartier-Bresson le presenta a la Agencia Magnum, de la que pasa a formar parte en el año 1982. A partir de 1987 compagina la fotografía de moda y de publicidad y alcanza un gran éxito internacional. Desde hace años trabaja como crítico periodístico, ha publicado más de doscientos artículos en Italia y en Francia sobre fotografía y comunicación con imágenes en general. [p. 548]

HERMANOS SCIANDRA. Activo en la Ciudad de México, alrededor de 1895. [p. 549]

W. SCOTT. Existen en el Archivo General de la Nación cuatro imágenes del lago de Chapala, Jalisco; dos imágenes de habitación; diez imágenes de niños; dos imágenes de Ocotlán, Jalisco; seis de oficios; una de un acueducto en Puebla; dieciséis de tipos mexicanos de Tehuantepec, Oaxaca, todas fechadas en 1909. F/A.G.N.

WINFIELD SCOTT. Activo alrededor de 1900-1915. Fotógrafo probablemente de origen norteamericano. En 1905 se estableció en Ocotlán, Jalisco, año aproximado en que realizó también algunas fotografías en Monterrey. Probablemente fue socio temporal de C.B. Waite. Para 1910 poseía un extenso registro de vistas del país. (Rodríguez; 1996, 236.) [p. 550]

BOB SCHALKWIJK. Rotterdam, Holanda. 1933. Realiza estudios fotográficos en Holanda y Estados Unidos. Llega a México en 1958, donde se interesa por la fotografía antropológica trabajando en Chihuahua, Hidalgo y Chiapas. Hasta 1971 se dedica al trabajo publicitario, posteriormente se concentra en proyectos para libros y catálogos de museos. Entre éstos se encuentran: *Paitoso and Gardens* (Architectural Book Publishing Co., Nueva York, 1979); *Diego Rivera, los frescos en la Secretaría de Educación Pública* (SEP, 1980); *Francisco Toledo* (SEP, 1981); *México, 75 años, 1910-1985* (Chrysler, 1984); *Diego Rivera*, (Detroit Institute of the Arts, 1986), y *El Galeón de Acapulco* (INAH, 1988). Participa con 250 fotografías y tres panorámicas en el Museo Regional del Ex Convento de Santo Domingo, en 1998. [p. 551]

PAVKA SEGURA. México, D.F., 1971. Estudió en la Escuela de Fotografía Nacho López, en el Centro de la Imagen y en el International Center of Photography, Nueva York, donde cursó el Programa de Fotografía Documental y Fotoperiodismo (1998-1999). Ha sido beneficiario del Programa de Apoyo para Estudios en el Extranjero del FONCA. Ha impartido talleres de fotografía en la Escuela de Fotografía Nacho López, así como en el Centro de la Imagen. Su trabajo ha sido publicado en revistas y periódicos de México, Suecia, Noruega e Italia. Ha realizado diferentes exhibiciones tanto colectivas e individuales en México, España y Nueva York. En el 2000 el Kiyosato Museum of Photographic Arts KMOPA, Japón, adquirió su obra para integrarla a su colección Young Portafolio. [p. 552]

SEMO. Kiev, Rusia, 1894-1983. Emigra con su familia a Estados Unidos en 1910, y viaja a París en 1924, donde entra en contacto con la fotografía. En 1929 es invitado a colaborar para el Estudio Sasha Stone en Berlín. En 1939 viaja a América y decide radicar en México, donde abre une estudio en 1942, mismo que permanece activo hasta 1963. Su obra se centró principalmente en el registro de la vida artística y la farándula de la época en México. [p. 553]

SAÚL SERRANO. México, D.F., 1953. Estudió Ciencias de la Comunicación en la UNAM. Hizo un posgrado en Cinematografía en el Centro de Capacitación Cinematográfica, especializándose en fotografía y cine documental. En 1983 recibió una beca de producción del Consejo Mexicano de Fotografía, al año siguiente recibió la misma beca para otro nuevo proyecto. Cuenta con una veintena de exposiciones individuales y varias más colectivas que han viajado a Estados Unidos, Francia, Israel, España, Cuba, Alemania, República Dominicana y Bélgica entre otros países. Ha sido crítico de fotografía en los diarios *unomásuno* y *Novedades*. Se encargó del archivo fotográfico del Centro Cultural Arte Contemporáneo por un periodo de dos años. [p. 554]

ANTONIO SERVÍN. Activo en la calle Portal de Mercaderes, Ciudad de México, alrededor de 1875. F/J.C.M. [p. 555]

HERMANOS SCHLATTMAN. Activo en la calle Espíritu Santo núm. 1, ciudad de México, alrededor de 1896. F/J.C.M. [p. 556]

FOTÓGRAFO SILVA. Existe en el Archivo General de la Nación una imagen de Plutarco Elías Calles, de 1926. F/A.G.N. [p. 557]

G. SILVA. Existen en el Archivo General de la Nación, dos imágenes del General Alvaro Obregón, de 1921 y 1928. F/A.G.N.

GUSTAVO F. SILVA. Existen en el Archivo General de la Nación seis retratos de toreros, entre los que destaca Rodolfo Gaona; la obra está fechada en 1922. F/A.G.N.

ROBERTO SIMENTAL PERALTA. Torreón Coahuila 1924-1980. Fotógrafo de estudio. Activo en Torreón, Coahuila. Durante varias décadas estuvo al frente del establecimiento que ha sido uno de los más concurridos de la ciudad, el Studio Fox, en la calle Blanco casi esquina con avenida Juárez. En 1971 obtuvo un diploma otorgado por el Instituto de Artes y Ciencias Cinematográficas de Hollywood, California, EU. Sus habilidades retratísticas y la existencia del Studio Fox fueron retomadas por su hijo Jaime Simental Ochoa, quien fue socio fundador de la Asociación de Fotógrafos Profesionales de La Laguna, A. C., en 1982, y continúa dirigiendo el establecimiento con la colaboración de sus familiares, en su tercera generación dedicada a la fotografía. F/F.D.M.

OTTO SIRGO. La Habana, Cuba, 1946. En 1960 comienza su carrera como actor y en 1982 se inicia en la fotografía como miembro del Club fotográfico de México, del cual fue presidente en 1984. En 1983 ingresa al Consejo Mexicano de Fotografía. Ha expuesto su obra en México, Italia, Polonia, Cuba y Alemania. [p. 558]

PEDRO SLIM. Beirut, Líbano. 1950. Estudió Arquitectura en la Universidad Anáhuac, así como en la Escuela Activa de Fotografía, en el Centro Cultural Arte Contemporáneo. Participó en talleres de desnudo con Ralph Gibson, de procesos alternativos con James Luciana y de impresión en blanco y negro con Bryan Young en el International Center of Photography. Ha expuesto su obra desde 1993. Fue seleccionado en la Séptima y Octava bienales de fotografía. [p. 559]

MELANIE SMITH. Inglaterra, 1965. Pertenece a un grupo de artistas extranjeros que vivieron en el centro de esta ciudad, donde establecieron su propia galería de autor. Smith, como otros artistas, empezó a trabajar el arte no objetual y expuso en el Salon des Aztecas. Fue definida como una artista concentrada en los aspectos populares de la vida, que en el centro de la Ciudad de México tuvo una fuente por demás vasta para su obra. Hace arte objeto y realiza su obra a partir de un trabajo de búsqueda de objetos en la calle. Entre sus exposiciones más importantes sobresalen la presentada en la Galería OMR México D.F., 1994, así como *Dream Spots: Taxqueña bus Station*, Sala Díaz, San Antonio, Texas, EU, 1996; *Installation*, Randolph Street Gallery, Chicago, Illinois, EU, 1996; *Obra reciente. 1916-1996*, Galería OMR, Ciudad de México, 1996; *Orange Lush*, Instituto Anglo Mexicano de Cultura, Ciudad de México, 1997, y *100% acrílico*, Galería OMR, Ciudad de México, 2001. [p. 560]

GENARO SOLER Y CA. Activo en su estudio llamado Galería Artística en la ciudad de Oaxaca, en la 4a. calle de Armenta y López. F/J.C.M. [p. 561]

GUILLERMO SOLOGUREN. México, D.F., 1965. Estudia en la Escuela de Periodismo Carlos Septién García. Desde 1989 trabaja como fotógrafo del periódico *La Jornada*. Entre sus exposiciones individuales sobresalen la presentada en el Festival Internacional de Fotografía FotoEspaña 1999, donde es el único fotógrafo mexicano invitado y muestra imágenes de Chiapas, así como, *Cien por cien*, Zócalo de la Ciudad de México. Fue seleccionado en la Segunda Bienal de Fotoperiodismo, 1995-1996. [p. 562]

ROSALIND SOLOMON. Highland Park, Illinois, EU, 1930. Comenzó su obra fotográfica en 1968, mientras trabajaba en el Experimento de Convivencia Internacional en Bélgica y Francia. Ha viajado extensamente por Ecuador, Guatemala, Brasil y Perú. Tras visitar la República Mexicana en varias ocasiones, decidió establecerse en la Ciudad de México, donde vive y trabaja a la fecha. Las distinciones obtenidas por su obra incluyen la Beca Guggenheim en 1970 y 1980 y la Beca del National Endowment for the Arts 1988-1989. [p. 563]

CARLOS SOMONTE. México, 1956. Estudió Biología Marina en la Universidad Autónoma Metropolitana, en la Escuela Activa de Fotografía y en el Photographic Training Centre en Sussex, Inglaterra. Desde 1981 ha participado en diversas exposiciones colectivas en México, Inglaterra, Cuba, Estados Unidos, India, Australia y Rumania. En 1982 ganó el Primer Premio INBA, Bienal de Fotografía. [p. 564]

SOSA Y GÓMEZ. Activo en la Ciudad de México, alrededor de 1936. F/G.F. [p. 565]

JULIO SOSA. Durango, Durango 1893-Torreón, Coahuila, 1950. Trabajó en Monterrey al lado de Jesús R. Sandoval, de quien aprendió el oficio de fotógrafo. Aproximadamente entre 1918 y 1920 se estableció en Torreón, Coahuila. Su periodo de trabajo comprendió los años 1918-1950. Fue fotógrafo oficial del presidente Miguel Alemán. (Rodríguez; 1996, 236). F/F.D.M. [p. 566]

ESTUDIO SANTA MARÍA LA RIVERA. Activo en la Ciudad de México, alrededor de 1910. F/G.F. [p. 567]

RUTILO SOUZA. 1920. Pertenece a la generación de fotógrafos ambulantes que recorría todo Sonora, siguiendo las fiesta pueblerinas con su cámara al hombro. A la edad de 15 años aprendió el oficio y desde entonces su cámara siempre lo acompañó, al igual que su colección de fotografías y negativos en papel. Fotografió la sierra, la costa y los valles de Sonora. Se convirtió en un personaje de la ciudad desde que se colocó a la sombra de un árbol en una plaza, junto con su caballito de plástico, donde esperaba a sus clientes. (Fotoseptiembre, 1994,376.)

FREDERICK STARR. Auburn, Nueva York, EU. 1858. Antropólogo doctorado por la Universidad de Lafayette, Pennsylvania. Fue alto catedrático en varias universidades de Estados Unidos y trabajó para el Museo de Historia Natural de Nueva York. Viajó extensamente debido a su trabajo antropológico. Charles B. Lang, fotógrafo, acompañó a Starr en muchos de sus viajes documentando los estudios a través de Estados Unidos, Japón, Filipinas, Corea, África y México. Se puede apreciar su obra fotográfica en libros como *Some First Steps in Human Progress* (1895), *American Indians* (1898), *Indians of Southern Mexico* (1989), *Readings from Modern Mexican Authors* (1904), *The Indian México* (1908), entre otros. (Naggar y Ritchin, 1996, 303.) [p. 568]

STEADMAN Y TRAGER. Activo en la Ciudad de México, alrededor de 1910. [p. 569]

RAÚL STOLKINER RES. Ciudad de Córdoba, Argentina, 1957. Licenciado en Economía por la Universidad Autónoma de México (1983-1987). Entre 1978 y 1984 vivió en la Ciudad de México. De 1979 a 1982 estudió fotografía en la Casa del Lago, UNAM. Entre sus exposiciones individuales sobresalen: *Pardiez*, Fotogalería de Tucumán, San Miguel de Tucumán, Argentina; y *Retorno al Desierto*, Centro di Ricerca e Archiviazione della Fotografía, Spilimbergo, Italia, 2000. De sus exhibiciones colectivas podemos mencionar: *Michoacán*, Push Process, Ciudad de México, 1978; *150 años de fotografía*, Museo de Arte Latinoamericano, Washington D.C., EU, 1989; *Fotografía argentina contemporánea*, Centro Cultural Conde Duque, Madrid, España, 1989; *12 fotógrafos argentinos*, Museo del Chopo, Ciudad de México, 1991; *Arte Fotográfico Argentino*, Colección del Museo de Arte Moderno, Museo de Arte Moderno, Buenos Aires, 1999; *VI Bienal sin disciplina*, Museo de Arte Contemporáneo, Bahía Blanca, Argentina, 2001. Ha publicado en diferentes revistas, entre ellas, *Luna Córnea* núm. 16, Fotografía narrativa, Ciudad de México, 2000. [p. 570]

PAUL STRAND. 1890-1976. En 1933 viajó a México, donde conoció a Carlos Chávez, quien le propuso realizar varias películas con presupuesto oficial, entre las que se cuenta *Redes*, una de sus obras más conocidas. La carpeta *Photographs of Mexico* que realizó, responde al interés que la cultura mexicana despertó en él. A principios de la década de los cincuenta Strand inicia una serie de viajes que se prolongarían por más de veinte años. Viajó a la costa occidental de Escocia, a Egipto, Marruecos, Ghana, Italia y Rumania, con la finalidad de encontrar a la gente que representara las raíces de cada lugar. (Naggar y Ritchin, 1996, 304.) [p. 571]

GERARDO SUTER. Buenos Aires, Argentina. 1957. Reside en la Ciudad de México desde 1970. En 1978 comienza a trabajar como fotógrafo para diversas instituciones científicas y culturales. Paralelamente al trabajo profesional ha participado en conferencias, impartido cursos y elaborado ensayos sobre fotografía y técnica fotográfica. Sus imágenes han aparecido en diversos libros y revistas especializadas. De 1978 a la fecha ha participado en más de ochenta exposiciones colectivas en Argentina, Bélgica, Brasil, Colombia, Cuba, Dinamarca, Ecuador, Egipto, España, Estados Unidos, Francia, Honduras, India, Inglaterra, Italia, México, Panamá, Perú, Polonia, Alemania, Suiza y Yugoslavia. Ha obtenido varios reconocimientos por su trabajo, entre los que destaca el Premio de Adquisición en la Bienal de Fotografía de 1982, del Salón Nacional de Artes Plásticas. [p. 572]

MARCELA TABOADA. Puebla, Puebla, 1958. Cursa la licenciatura en Artes Gráficas y Diseño con especialidad en Fotografía en la Universidad de las Américas. Además, recibe un curso de fotografía en el Royal College of Art de Londres. Ha trabajado como fotógrafa independiente y publicado extensamente. Actualmente colabora con las revistas *México Desconocido* y *México en el Tiempo*. [p. 573]

MARIANO TAGLE. Fotógrafo poblano, activo alrededor de 1900. F/J.C.M. [p. 574]

TALLERES DE PLUMAS Y POSTIZOS. Bajo esta firma, existen en el Archivo General de la Nación una imagen de Aquiles Serdán y cuatro imágenes de la Revolución, realizadas alrededor de 1911. F/A.G.N. [p. 575]

SERGIO TOLEDANO. México D.F., 1956. Autor de uno de los registros más dramáticos del terremoto de 1985, se ha dedicado a fotografiar las más lujosas mansiones de nuestro país así como los museos y grandes hoteles de Europa. Experto en el retrato de "personalidades", lo es también de personajes de Tepito. Antes de dedicarse profesionalmente a la fotografía estudió cine en el Instituto Latinoamericano de Comunicación Educativa. Trabaja con diferentes cámaras y en diferentes formatos, aunque se inclina de modo especial hacia el 4 x 5. La serie del *Terremoto del '85* fue premiada en la Bienal de 1986. Perteneció al Taller de los Lunes dirigido por Pedro Meyer. [p. 576]

DIEGO TOLEDO. México D.F., 1964. Realiza estudios en el Taller de Mimeografía del CIEP, INBA (1981-1984) y la licenciatura en Artes Visuales en la ENAP, UNAM (1983-1987). Entre sus exposiciones individuales destacan *Ceda el paso,* 1999; *Sitio*, 1995; *Mundo animal*, 1992, y *Luz eléctrica*, 1990, Galería OMR, México, D. F., *Rastra*, en el Museo Carrillo Gil, México, D.F., 1993, y *Te tenemos rodeado*, realizada en la vía pública y Centro de la Imagen, D.F., 1999. Ha participado en numerosas colectivas en México, Cuba, Estados Unidos, Canadá, Bélgica y Chile. Entre sus reconocimientos destacan la Beca del Sistema Nacional de Creadores FONCA (2000) y la Residencia en el Banff Center for the Arts, Alberta, Canadá (1999). [p. 577]

FRANCISCO TOLEDO. Juchitán, Oaxaca, 1940. Es uno de los artistas mexicanos de mayor proyección internacional. Su obra se ha expuesto extensamente en prestigiados museos y galerías. Del mismo modo, figura en colecciones de los museos de Arte Moderno de Nueva York, México, París y Filadelfia, así como en la Tate Gallery de Londres, entre otros recintos. Ha residido en París, Nueva York y Oaxaca, donde realiza una comprometida y generosa labor por las causas sociales y culturales. Recientemente presentó una exposición retrospectiva en la Whitechapel Gallery de Londres. Su obra ha aparecido en un gran número de publicaciones dentro y fuera del país. [p. 578]

LAUREANA TOLEDO. México, D.F., 1970. Estudió en la Escuela Activa de Fotografía entre 1991 y 1992. En 1993 realizó cursos en el International Center of Photography de Nueva York con los maestros Mary Ellen Mark, Anthony Aziz, Ralph Gibson, Joel Peter Witkin y Jeff Jacobson. Ha presentado numerosas muestras colectivas e individuales. Fue seleccionada en la Sexta Bienal de Fotografía en 1994. Fue acreedora en 1993 y 1999 a la Beca Jóvenes Creadores del FONCA. [p. 579]

ÁNGELES TORREJÓN. México, D. F., 1963. Ha publicado en diferentes medios informativos, destacando su trabajo fotográfico en *Proceso*, *La Jornada*, *Milenio*, *México Indígena*, *Luna Córnea*, *Voices of México*, *Voz y Voto*, *Por Esto!*. Desde 1999 es coordinadora de la Agencia Imagenlatina. Ha participado en más de sesenta exposiciones colectivas en México, Francia, Estados Unidos, Dinamarca, Italia, Bélgica, Cuba, España, Puerto Rico, Perú y Alemania. Ha presentado diez exposiciones individuales y ha sido merecedora de las becas para Jóvenes Creadores y de Fomento a Proyectos y Coinversiones Culturales del FONCA, de los premios de Fotografía Antropológica de la ENAH y de Mujeres Vistas por Mujeres, otorgado por la Comunidad Económica Europea. Recibió mención honorífica en el Premio Nacional de Periodismo Cultural Fernando Benítez y en la segunda Bienal de Fotoperiodismo. [p. 580]

FELIPE TORRES. Activo en la ciudad de Oaxaca, alrededor de 1913. [p. 581]

HERMANOS TORRES. Activos en la Ciudad de México, alrededor de 1890-1900. Miembros de la Sociedad Fotográfica de París. F/J.C.M. [p. 582]

ENRIQUE TORRESAGATÓN. Cuernavaca, Morelos, 1954. Desde 1985 se dedica a la docencia. Ha trabajado como fotógrafo de prensa en diversas publicaciones. Ha expuesto su trabajo en muestras colectivas, desde 1980, en la República Mexicana. [p. 583]

TOSTADO. Existen en el Archivo General de la Nación tres imágenes de toreros de 1911. F/A.G.N. [p. 584]

ALBERTO TOVALÍN AHUMADA. México, D.F., 1961. Estudió la licenciatura en Lingüística en la Escuela Nacional de Antropología e Historia. En la actualidad, promueve la fotografía mexicana dentro y fuera del país con su proyecto Crónicas Fotográficas. Ha editado numerosos libros de fotografía. En 1993, 1996 y 1998, recibió becas del FONCA. Asimismo, ganó el premio Sotero Constantino del IAGO de Oaxaca en 1993. Ha realizado exposiciones individuales en el Centro Cultural San Ángel (1993); metro Chabacano (1995); Museo de Culturas Populares e InSitu Centro para las Artes La Tribu (1998). De modo colectivo se ha presentado en México en la Sexta Bienal de Fotografía, Centro de la Imagen 1994; Houston, Barcelona y en *Tres estaciones*, itinerante por Israel, Turquía y Arabia Saudita. [p. 585]

CARLOS S. TOVAR. Existen en el Archivo General de la Nación dos imágenes del Congreso Constitucional de 1931. F/A.G.N. [p. 586]

ARTHUR TRESS. Brooklyn, Nueva York, EU, 1940. Estudió Pintura e Historia del Arte en Bard College. En 1963 comenzó a practicar la fotografía, mientras viajaba por México, Japón, India y Europa. Entre 1966 y 1968 trabajó como fotógrafo del Museo Etnográfico de Estocolmo. De 1968 a la fecha ha dividido su tiempo como fotógrafo independiente, documental y docente en la New School for Social Research de Nueva York. Su obra aparece en *The Dream Collector* (1972); *Theater of the Mind* (1976); *Arthur Tress, Talisman* (1986), y otros títulos. (Naggar y Ritchin, 1996, 304.) [p. 587]

NICOLÁS TRIEDO. México, D.F., 1959. De 1978 a 1982 estudia Ciencias de la Comunicación Social en la Universidad del Nuevo Mundo, posteriormente estudia fotografía en la Universidad Autónoma de Baja California, donde inicia su actividad formal como fotógrafo. En 1984 realiza su primer reportaje sobre el pueblo rarámuri. En 1996 su obra pasa a ser parte de la colección permanente del Museo de Arte Contemporáneo de San Diego, que en 1987 le otorga, junto con el Instituto de Cultura de Baja California, el Obelisco Río Rita como mejor fotógrafo. Algunas de sus exposiciones individuales se han presentado en el Museo de Arte de Corpus Christi, Texas; Museo de Arte Moderno, Sacramento, Museo de Arte Moderno, Santa Anna, y Los Angeles Photography Center, California; y en el Centro Cultural de Tijuana. [p. 588]

ANTONIO TUROK. México, D.F., 1955. Autodidacta, ha expuesto y publicado sus fotografías desde 1973. En 1988 publicó el libro *Imágenes de Nicaragua* y ganó el segundo lugar en el Maine Photographic Workshop, presentado en la galería metropolitana de la UAM por el escritor Carlos Fuentes. Su obra ha sido exhibida en México, Estados Unidos, Nicaragua e Inglaterra. [p. 589]

PEDRO TZONTÉMOC. México, D. F., 1964. A partir de 1981 ha mostrado su obra en México y el extranjero. Sus fotografías han sido exhibidas en colectivas de la República Mexicana, Holanda, Portugal, Francia, España, Chile, Uruguay, Marruecos, Honduras y Dinamarca. Ha presentado las exposiciones individuales *Tlaxcala en Carnaval*; *Artaud: vidente de lo eterno*; y *París íntimo*. [p. 590]

E. UNDA. Activo alrededor de 1865. [p. 591]

F.C. URIBE. Existen en el Archivo General de la Nación dos imágenes con niños en uniforme en fotos estudio, fechadas en 1914. F/A.G.N. [p. 592]

ELOY VALTIERRA. Fresnillo, Zacatecas, 1965. Se ha desempeñado principalmente en el área del fotoperiodismo en el periódico *El Financiero* y la Dirección de Prensa de la UNAM. Fue fundador de la Agencia Cuartoscuro, colaboró en el periódico francés *Liberatiòn* durante los sismos de 1985 en México, fue fundador de la revista MIRA y es coordinador de fotógrafos del periódico *La Crónica de Hoy*. Recibió Mención Honorífica en el Primer Concurso de Fotografía Universitaria en 1980 y el Premio del Jurado en la Primera Bienal Nacional de Fotoperiodismo en 1994; fue becario del FONCA en el área de Jóvenes Creadores en 1996-1997. Ha expuesto sus fotografías en México, Alemania, Holanda y España y ha impartido diversos cursos, seminarios y talleres. [p. 593]

PEDRO VALTIERRA. Fresnillo, Zacatecas. 1955. En 1975 ingresó como fotógrafo en la Oficina de Prensa y Relaciones Públicas de la Presidencia de la República. Ha laborado como reportero gráfico en los diarios *El Sol de México*, *unomásuno* y *La Jornada*. Fue fundador de las agencias Imagenlatina y Cuartoscuro. Ha sido enviado especial durante las guerras de Nicaragua (1979), El Salvador (1980), en la República Árabe Saharahui y Marruecos (1982), en Guatemala (1982), y Haití (1986). Entre otros reconocimientos recibió el Premio Nacional de Periodismo en 1983; la medalla de plata en el concurso Interpress Photo, organizado por los periodistas de los países socialistas en Moscú; en 1985 fue nombrado el fotógrafo de la década en el campo del periodismo por la revista *Fotozoom*. Su obra ha sido publicada y expuesta generosamente en México y en el extranjero desde 1979. [p. 594]

RODOLFO VALTIERRA R. México, D.F., 1974. Trabajó en el departamento de fotografía de la Presidencia de la República entre 1989 y 1992. Estudió fotografía documental y fotoperiodismo en el International Center of Photography de Nueva York (1999-2000). Ha colaborado en la Agencia Cuartoscuro, en la revista *FACTS* (Suiza) y en periódico *L'Humanité*. Ha participado en exposiciones en España, Estados Unidos y Francia. [p. 595]

ABEL VALLADARES. Mexicano. Activo en la región de la Laguna, en Coahuila y Durango, entre 1948 y 1957. Se desconoce lugar y fecha de nacimiento, pero se sabe que era originario de Los Reyes, Michoacán, y que murió hacia 1957 en Torreón, Coahuila. En esta ciudad promovió la fotografía casual en sitios de gran afluencia pública. Asociado al principio con José Torres, otro colega de la lente, retrataban a las personas en actitudes cotidianas en la calle, en forma inadvertida y espontánea, y luego les pedían su dirección para entregarles la foto, a un costo de tres pesos, y ofrecer sus servicios mediante una tarjeta personal, generalmente para actos sociales como ceremonias, fiestas y bodas, entre otros. La incursión del fotógrafo en las calles le dio así un giro peculiar al retrato, poniéndolo al alcance de no poca gente, pues las instantáneas causaron simpatía y aceptación por quienes descubrían otros ángulos de su personalidad en su cotidianidad urbana. Aunque su archivo fotográfico se da por perdido, todavía quedan imágenes suyas, según publicó Fernando del Moral González en *Gráficas Valladares de Torreón*, Coahuila, en *Tierra Adentro*, núm. 66, julio-agosto de 1993, CONACULTA-INBA, México. F/F.D.M. [p. 596]

FOTO VALLEJO. Activo en la Ciudad de México, alrededor de 1915. F/G.F. [p. 597]

MARCOS VALLETE. Daguerrotipista y ambrotipista francés. Empezó a trabajar en 1843; abrió un estudio en La Habana en 1847; llegó a la Ciudad de México en 1851 y compró el antiguo establecimiento de H. Custin en Tacuba núm. 2. Es uno de los introductores del colodión húmedo y el ambrotipo. Ejerció en México hasta 1853. Tuvo un estudio en París, en la década de los ochenta. Fue miembro de la Societe Française de Photographie (1885) y patentó un obturador fotográfico. (Casanova y Debroise; 1989: 60.)

HERMANOS VALLETO (JULIO VALLETO). A fines del siglo XIX era considerado uno de los principales fotógrafos de México por su trabajo retratando a las altas sociedades. Fue el jefe y fundador de la Casa Valleto Hermanos. Recibió una mención honorífica en la Exposición de Bellas Artes de París en 1876 y la medalla de plata en esa misma ciudad en 1889. F/C.D.S. [p. 598]

ED VAN DER ELSKEN. Amsterdam, Holanda, 1925. Acudió a la Escuela de Arte en Amsterdam, sin embargo es autodidacta en la fotografía. Trabajó como fotógrafo independiente en Amsterdam y París entre 1947 y 1955. En 1960 visitó México como parte de su proyecto *Sweet Life*. Desde 1965 se dedicó principalmente a la cinematografía independiente. Sus méritos en este campo le valieron el premio Staatprijs voor de filmkunst de la Haya. Se puede apreciar su obra en los libros *Love on the Left Bank* (1954); *Jazz Amsterdam* (1959); *Sweet Life* (1963) y *Elsken: París 1959-1954* (1985), entre otros. (Naggar y Ritchin, 1996, 305.) [p. 599]

WILFRIED VANDENHOVE. Bélgica, 1970. Estudió fotografía en Bruselas (1990-1995). Actualmente trabaja con niños y niñas en la calle. En 2000 expuso en el Centro de la Imagen su proyecto conjuntamente con los niños de la calle, quienes tomaban las imágenes. [p. 600]

EUGENIA VARGAS. Chillán, Chile. Trabajó una temporada en México, a fines de los años ochenta y principios de los noventa. Ha expuesto fotografías y realizado performances e instalaciones en México, Puerto Rico, Estados Unidos, Italia y Berlín. En 1991 obtuvo la Beca para Creadores Intelectuales del FONCA, México, y fue seleccionada en la Sexta Bienal de Fotografía. [p. 601]

JUAN D. VASALLO. Existen en el Archivo General de la Nación diecisiete imágenes de estaciones de tren, vistas panorámicas de avenidas y calles, fábricas, iglesias, jardines, plazas y parques, hoteles en Orizaba, Veracruz, fechadas en 1909. F/A.G.N. [p. 602]

M. VÁZQUEZ. Activo alrededor de 1905. [p. 603]

RODRIGO VÁZQUEZ. México, D.F., 1972. Autodidacta, comenzó su labor profesional colaborando en proyectos comerciales y de moda en Nueva York y México. Ha publicado en las revistas *Milenio, Nuevo Siglo, Harper's Bazaar* y *Gatopardo*, y en los periódicos *Reforma* y *El Universal*. Ha mostrado su obra de autor desde 1992 en exposiciones individuales y colectivas. [p. 604]

HÉCTOR VELASCO FACIO. México, D.F., 1956. Realizó estudios en el International Center of Photography de Nueva York. Ha participado en numerosas exposiciones individuales y colectivas en la Ciudad de México. Fue distinguido en 1990, dentro del Primer Certamen de Fotografía de Arquitectura e Interiores de la revista *Casas y Gente*. Sus imágenes se encuentran publicadas en más de una docena de libros y varias revistas especializadas de arquitectura e interiores, tanto nacionales como extranjeras. [p. 605]

J. M. VELASCO. Activo alrededor de 1895. F/J.C.M. [p. 606]

F. VÉLEZ PONCE. Existe en el Archivo General de la Nación una imagen de Aquiles Serdán realizada en Puebla, en 1910. F/A.G.N. [p. 607]

YVONNE VENEGAS. Long Beach, California, EU, 1970. Estudió Fotografía en el Southwestern College de Chula Vista, California (1993-1995). Posteriormente realizó cursos de fotoperiodismo, documental y crítica de fotografía en el Centro de la Imagen (1996-1998). En 1999 obtuvo un diploma del International Center of Photography de Nueva York. Entre sus exposiciones colectivas destacan *Fotógrafos jóvenes*, Galería de la Ciudad de Tijuana, 1996; *Territorios singulares*, Madrid, 1997; y *Espai de la Foto*, Valencia, España, 1998. Ha realizado muestras individuales en el Centro Cultural Tijuana (1996) y en Centro Cultural Coahuilense (1998). Ha publicado en revistas como *The New York Times Magazine, Vibe, Spin, Ray Gun* (EU), *Zoom* (Italia), *Harper's Bazaar, Viceversa, Luna Córnea* (México), entre otras. [p. 608]

CÉSAR VERA. México, D.F., 1956. Sociólogo por la UNAM; cursa la maestría en Arte y Diseño en el Goldsmiths College de la Universidad de Londres (1981-1984). En estos años en Europa colabora con el escritor Ian Jefreey en la primera exhibición del maestro Manuel Álvarez Bravo en Jerusalén e Inglaterra, así como para el libro *Sueños, mitos y metáforas*. En 1984 regresa a México y funda *Encamera* con Carlos Somonte y Germán Herrera; en este año exhibe individualmente en la Galería del Consejo Mexicano de Fotografía. En 1985 exhibe en la Side Gallery en Inglaterra junto a fotografías de Cartier-Bresson, Walker Evans y Manuel Álvarez Bravo en la Casa Wilfrido Lamm en París. En 1988 presenta su trabajo en el National Arts Club junto a artistas como Raushemberg y Kristo. En 1986 obtiene el premio de adquisición de la Bienal de Fotografía. Trabaja como fotógrafo *freelance* para publicaciones en Europa, Estados Unidos, México y Japón. También ha realizado trabajos para cine y televisión, principalmente en Inglaterra. [p. 609]

LUIS VERAZA. Activo en la calle Balvanera 15, en la Ciudad de México, alrededor de 1880. F/J.C.M.

PIERRE VERGER. París, Francia, 1902-Bahía, Brasil, 1996. Comenzó su labor fotográfica en 1932. Vivió en París y entre 1939 y 1942 viajó a Perú, Ecuador, Bolivia, Argentina y Brasil. Su búsqueda cesa en junio de 1942, cuando obtiene el puesto de fotógrafo en el Museo Nacional de Lima y reparte su vida entre Lima y Cuzco, adonde se dirige a través de las altiplanicies. Viajó de forma recurrente entre África y América. Fue fotógrafo de la revista *Life* y de otras publicaciones. En las tantas fotografías que tomó, se encuentran plasmadas la China de 1930 y la figura política rusa de León Trotski en su exilio en México. (Verger, 1993.) [p. 610]

IRMA VILLALOBOS. México, 1956. Desde 1983 ha participado en 33 exposiciones colectivas, entre las que destacan: la Primera Bienal de Fotografía, Museo de Arte Contemporáneo de Oaxaca, Centro de la Imagen, 1993-1994; *Más allá del deseo*, y *Diverse Works Art Space*, Houston, Texas, 1994. De sus 16 exposiciones individuales, cabe mencionar: *A Foco*, Instituto de Cultura Potosina, San Luis Potosí, Teatro Calderón, Universidad Autónoma de Zacatecas, 1998; *Temas en espiral*, Centro Atecocolli, Malinalco, Estado de México, 1999-2000. Ha publicado imágenes en los siguientes periódicos y revistas: *Casa del Tiempo, México Indígena, Tierra Adentro, Macrópolis, Cultura Sur, La Jornada Semanal, Punto de Partida, Cultura Norte, Etcétera, Ruptures, unomásuno, La Jornada, El Financiero* y *El Universal Gráfico*. Es colaboradora de la Revista *Castálida*, del Instituto de Cultura Mexiquense, y de la Universidad Autónoma del Estado de México. [p. 611]

ROGELIO VILLARREAL MACÍAS. Torreón, Coahuila, 1956. Ha participado en la edición de diversas publicaciones de difusión, análisis y crítica de la fotografía en México: *Fotografía, Arte y Publicidad* (1979), *Aspectos de la Fotografía en México* (1981) y otras. Ingresó al Consejo Mexicano de Fotografía y coordinó de 1980 a 1984 el boletín de ese órgano. Es fundador de las revistas de cultura y crítica *La regla rota* (1984-1987) y *La PUS moderna* (1989). Sus análisis sobre arte y cultura han sido publicados en numerosos periódicos y revistas. *Cuarenta y 20*, libro de cuentos, se publicará próximamente, así como un volumen de sus crónicas y reseñas. [p. 612]

ENRIQUE VILLASEÑOR. Arquitecto y fotógrafo profesional desde 1978. Reportero gráfico *freelance* de 1978 a 1984. Miembro del Consejo Mexicano de Fotografía desde 1980. Ha expuesto individualmente en México, Nicaragua, Argentina, Bolivia e Italia. Ha organizado 24 exposiciones en la Casa de la Cultura de Juchitán, Oaxaca. Obtuvo el premio internacional del diario *Pravda*, URSS, en 1987. Fundador de la agencia Graph Press. Actualmente organiza la Bienal de Fotoperiodismo. [p. 613]

FRANCISCO VIVES. México, D.F., 1969. Fotógrafo y maestro de Fotografía en el Instituto Cinematográfico y fotógrafo Kodak. Trabajó para el Estudio Galas de 1954 a 1955. F/M.S. [p. 614]

MOY VOLCOVICH. México, D.F., 1963. Estudió en la Academia de Arte Haddassa, en Jerusalén, y tomó un curso de producción audiovisual en Kodak Mexicana. Ha expuesto en México e Israel desde 1985. En 1985 recibió el Premio de las Artes del Ministerio de Cultura y Absorción de Israel; en 1986 recibió el Premio H. Grinbald y en 1992 obtuvo el primer lugar de la segunda Bienal de Video México, en la categoría Documental, con el programa *Marcha de la vida 1992*. Fue seleccionado en la Séptima y Octava Bienal de Fotografía. Es director del Departamento de Fotografía del Hospital ABC y ha realizado fotografía comercial y publicitaria para diversas empresas. [p. 615]

RENATA VON HANFFSTENGEL. Kiel, Alemania, 1934. Tras obtener su nacionalidad mexicana, realizó la licenciatura en Letras Hispánicas en la Universidad de San Diego, California. Posteriormente obtuvo la maestría en la UNAM en la misma disciplina, y el doctorado en Letras Alemanas en la Universidad Humboldt de Berlín. Su formación fotográfica es en esencia autodidacta, aunque contó con la instrucción de Lázaro Blanco y José Luis Neyra. Ha figurado en quince exposiciones individuales y más de treinta colectivas. Sus fotografías han formado parte de libros de arte y arquitectura, y de algunas revistas culturales. Asimismo ha fungido como curadora de algunas muestras fotográficas. [p. 616]

CHARLES B. WAITE. Akron, Ohio, Estados Unidos, 1861. En 1896 decidió iniciar su vida en México con su familia e instaló su primer estudio en la calle de Rosales 200; al poco tiempo, otro en San Cosme 8, y finalmente uno más en San Juan de Letrán 3 y 5. Tomó vistas de casi todo México y hizo reportajes de los descubrimientos arqueológicos en Mitla. Registraba con su cámara imágenes por encargos científicos y de inversionistas, además de sus conocidos trabajos para postales con "tipos mexicanos", a los que añadía un título con el fin de clasificarlos. La mayoría de sus imágenes fueron impresas bajo el sello de la Sonora News Co., donde firma C.B. Waite. Vivió en México por lo menos diecisiete años de donde emigró a raíz del movimiento revolucionario y desapareció de la escena mexicana. (Montellano, 1998, 22-32.) [p. 617]

EDUARDO WARNHOLTZ. México, D.F., 1960. Entre 1986 y 1987 estudió en la Escuela Activa de Fotografía. Ha participado en cursos de fotoperiodismo, manipulación y proyectos fotográficos en diversos recintos de la Ciudad de México. Del mismo modo, ha realizado estudios de Administración, Comunicación Gráfica y Psicología. También se ha desempeñado en la docencia fotográfica. Ha realizado exposiciones individuales en México D.F. (1994 y 1998). Colectivamente, ha mostrado su obra en la Octava Bienal de Fotografía del Centro de la Imagen (1996) y en el segundo Salón de la Fotografía del Centro de Arte Moderno (1996), entre una veintena de exposiciones. Entre sus premios figuran la mención honorífica en la Séptima Bienal de Fotografía (1995) y el Premio Nacional de Artes Gráficas y Rotativa de la revista *Escala* (1998). [p. 618]

DANIEL WEINSTOCK. 1957. Estudió teatro en el Centro Universitario de Teatro, UNAM (1981-1983) y fotografía en Ottis-Parsons School of Design, Los Angeles, California (1985-1987), y en el International Center of Photography, Nueva York (1988-1989). Como fotógrafo, ha publicado en las revistas *Spy, Tiempo Libre* e *Impacto* y en los diarios *The New York Times, La Jornada* y *unomásuno*. Como fotógrafo de teatro, ha retratado más de cien puestas en escena. Sus muestras individuales se han presentado en la Casa de la Cultura Reyes Heroles (1990), la Casa de la Cultura Isidro Fabela, la Galería Zona, Alianza Francesa de Polanco (1992) y Centro de la Imagen (1996). Ha figurado en exposiciones colectivas en Los Angeles, California (EU), Pekín (China) y México, como la Bienal de Fotografía de 1995. [p. 619]

J. WENZIN Y CÍA. Daguerrotipista, ambrotipista y fotógrafo alemán que trabajó en Zacatecas a partir de 1852 en la calle de la Caja núm. 8 y luego en la calle de la Merced núm. 8, hasta 1873. También trabajó en San Luis Potosí en un estudio llamado Gran Fotografía en la esquina del Palacio alrededor de 1869. (Casanova y Debroise; 1989: 60.) [p. 620]

EDWARD WESTON. Illinois 1886-California 1958. Estudió en el Illinois College of Photography en 1907. En 1911 instaló su estudio en California, donde trabajó como impresor y fotógrafo. Entre 1922 y 1923 conoció en Nueva York a Paul Strand y a Alfred Stieglitz, quienes influyeron en su trabajo futuro. Viajó a México en 1923, con su hijo Chandler y su compañera Tina Modotti, con quien abrió un estudio fotográfico. Durante su estancia en México, estuvo en contacto con los muralistas y artistas de la época. Su obra se transformó, rompiendo con el pictorialismo fotográfico. Weston fotografió objetos cotidianos y personas cargados con una fuerte composición estética. Fue el primer fotógrafo en recibir la beca Guggenheim en el año 1937. En 1946 exhibió una gran retrospectiva en el Museum of Modern Art de Nueva York. (Naggar y Ritchin, 1996, 305.) [p. 621]

EDUARDO WHITE. Activo en la Ciudad de México, entre 1890-1900. Representó a México en la feria The Grant Columbian Exposition celebrada en Chicago en el año de 1893. F/J.C.M. [p. 622]

N. WINTHER. Activo en la 2a. calle de Plateros núm. 4, Ciudad de México, alrededor de 1890. F/J.C.M. [p. 623]

JOEL-PETER WITKIN. Brooklyn, Nueva York, EU, 1939. Comenzó a tomar fotografías a los dieciséis años, y obtuvo sus primeras experiencias profesionales siendo fotógrafo de la Armada Americana de 1961 a 1964. Después, estudió escultura en Cooper Union, Nueva York. En 1986 obtuvo una maestría en Fotografía por la Universidad de Nuevo México. En 1990 realizó proyectos importantes para su carrera fotográfica en México. Ha obtenido distinciones del Ministerio de Cultura de Francia, del International Center of Photography en 1988 y del National Endowment for the Arts en 1981, 1984 y 1986. Su obra está impresa en *Gods of Earth and Heaven* (1991); *Joel Peter Witkin Photo Poche* vol. 49 (1991) y *J L P, Baudouin Lebon* (París, 1991). (Naggar y Ritchin, 1996, 306.) [p. 624]

BILL WITTLIFF. Taft, Texas, EU. El trabajo fotográfico de Wittliff documenta la vida de *El vaquero mexicano* (1969-1971), el cual ha sido exhibido en numerosos museos y galerías en Estados Unidos, México y Japón. Este trabajo sigue itinerante gracias al apoyo del Instituto Texano de Cultura. En 1985, con la donación de la colección recopilada a lo largo de su vida, la cual comprende manuscritos originales y libros, se funda la Southwestern Writers Collection en la Southwest Texas State University. Para 1996, funda la Wittliff Gallery of Southwestern and Mexican Photography. También se ha desempeñado como escritor y productor de cine y televisión. [p. 625]

WOLFENSTEIN. Activo en 2a. de Plateros núm. 4, Ciudad de México, alrededor de 1900. F/J.C.M. [p. 626]

GEORGE D. WRIGHT. Existe en el Archivo General de la Nación una imagen de Porfirio Díaz, fechada en 1907. F/A.G.N. [p. 627]

MARIANA YAMPOLSKY. Estados Unidos, 1925-México, 2002. Obtiene un Bachelor of Arts de la Universidad de Chicago en 1945. Estudia Pintura y Escultura en La Esmeralda (México). Desde 1945 comienza una dedicada carrera que ha abarcado el grabado, la fotografía, la docencia y múltiples colaboraciones en la difusión de la cultura popular, la educación y las causas sociales y de la mujer. Fue miembro del Taller de la Gráfica Popular entre 1945 y 1958. Comienza a experimentar con la fotografía en 1948. Por más de cuarenta años, su obra fotográfica ha figurado en numerosas exposiciones individuales en recintos alrededor del mundo, ha sido publicada extensamente y forma parte de colecciones públicas de museos de Nueva York, San Francisco, Tucson y Washington, EU, México, Puerto Rico y otros países. [p. 628]

YÁÑEZ. Activo en la ciudad de Culiacán, Sinaloa, alrededor de 1910. [p. 629]

MAURICIO YÁÑEZ. Activo alrededor de 1910-1940. Llegó a Monterrey en 1917, en donde trabajó hasta 1924. Se asoció temporalmente con Jesús R. Sandoval. En 1939 se publicó su libro *El valle de México*. Durante su estancia en la ciudad de Monterrey, organizó en una agrupación a los fotógrafos locales. (Rodríguez, 1996, 236.) [p. 630]

TUFIK YASBEK/ESTUDIO YASBEK. México, D.F. Activo alrededor de 1960. Fotógrafo que hacía trabajos para Galas en su estudio propio. Gran parte de la población de los años cuarenta en la Ciudad de México se retrató en este estudio. [p. 631]

YBÁÑEZ Y SORA. Activo en la Ciudad de México, alrededor de 1904. F/R.V. [p. 632]

YBARRA Y CONTRERAS. Activos en la calle de Portal de Agustinos núm. 2, Guadalajara, Jalisco, alrededor de 1875. F/J.C.M. [p. 633]

VIDA YOVANOVICH. Como fotógrafa, ha expuesto individualmente en Cuba, Austria, Yugoslavia, Estados Unidos, España y México. Realizó las muestras itinerantes *Fragmentos completos*, SRE: España, Holanda, Austria, Slovenia, República Checa, Dinamarca, 1995-1998, y *Cárcel de los sueños* (República Mexicana, 1995-1998.) De esta última editó un libro prologado por Elena Poniatowska. Desde 1983 ha participado en más de setenta exposiciones colectivas alrededor del mundo. Entre las distinciones obtenidas por su trabajo destacan: mención honorífica Bienal de Fotografía, México, 1995; mención honorífica, Intercambio de Residencias México-Estados Unidos FONCA y NEA, 1993; y mención honorífica Casa de las Américas, Cuba, 1980. Obtuvo la Beca Guggenhein en el 2000. Su obra figura en las colecciones del Museo de Bellas Artes de Houston, Caja de Ahorros de Asturias (España) y Salón Fotografije Belgrado (Yugoslavia), entre otras. [p. 634]

MICHEL ZABÉ. Lorena, Francia. 1944. El interés que mostró en la fotografía desde los nueve años lo llevó a iniciar la carrera en el Instituto Francés de Fotografía en París. En dos años de estudio aprendió los diversos géneros y se tituló con una tesis sobre los lugares visitados por los templarios. Su primer trabajo en América fue como fotógrafo del Pabellón de Francia de la Exposición Mundial en Canadá. En 1968 llegó a la Ciudad de México, trabajó en los juegos preolímpicos y contribuyó con sus obras para la formación de la memoria olímpica. A partir de este momento radica en nuestro país. Realizó fotografía de estudio y de modas y posteriormente incursionó en la especialidad publicitaria. Más tarde su interés se enfocó en la fotografía editorial, realizando imágenes para la ilustración de libros de arte. Ha participado en varias exposiciones individuales y colectivas, entre las que podemos mencionar: Primera Muestra de la Fotografía Latinoamericana Contemporánea, Venecia, 1979; *Varias formas de mirar el camino*, Galería Arvil, 1983; *La memoria del tiempo*, itinerante por Europa en 1990. [p. 635]

ZÁRATE Y ARRIOLA. Fotógrafos de la primera mitad del siglo XX que realizaron su quehacer fotográfico en la región Chalchicomula, Puebla, hoy Ciudad Serdán, bajo el nombre de Fotografía Económica Zárate y Arriola. El Museo Nacional de los Ferrocarriles Mexicanos conserva doce de sus imágenes, que remiten específicamente a dos acontecimientos importantes en la historia de México: la detención del convoy presidencial de Venustiano Carranza por las fuerzas obregonistas en Algibes, Puebla, en mayo de 1920, y la campaña presidencial del general Álvaro Obregón en la región de Chalchicomula, en agosto del mismo año. F/C.V.R. [p. 636]

ELIGIO ZÁRATE. San Pablo Huitzo, Etla, Oaxaca. 1912-1996. Promovía de casa en casa retratos de grandes figuras del cine y la radio de los cincuenta. Estas imágenes eran amplificadas para luego componerlas con fotomontaje, acuarela o tinta aplicada con pincel de aire. Finalmente, se montaban sobre tela y se enmarcaban con vidrios cóncavos, a manera de pinturas. Esta técnica, que data de los orígenes de la fotografía en el siglo XIX, permaneció hasta los sesenta, cuando fue sustituida por la instantánea a color. Don Eligio fue un devoto promotor de esta técnica, hoy en día practicada por escasos artesanos, mismos que anuncian su cercana extinción. [p. 637]

ANDRÉS ZAVALA. Pátzcuaro, Michoacán, México. Activo alrededor de 1910-1960. Fotógrafo de paisaje y retrato. Hizo la foto fija de la película *Redes* donde apareció Dolores del Río. F/P.M. [p. 639]

MANUEL ZAVALA Y ALONSO. México D.F., 1956. Estudió Arquitectura en el IPN y Artes Visuales en La Esmeralda (INBA). Ha trabajado como fotógrafo en proyectos editoriales y museográficos, en la realización de cortometrajes, documentales y comerciales de televisión. Fundó y dirigió la revista *Vértigo* (1990-1994) y colabora en los diarios *El Universal* y *unomásuno*. Asimismo ha editado y producido libros de arte. A partir de 1976 expone individualmente en nueve ocasiones, destacando *La noche y los mitos*, el Museo de Arte Carrillo Gil, Ciudad de México. Ha expuesto colectivamente en recintos de México, Estados Unidos, Brasil, Ecuador, España, Italia y Cuba. En 1981 participó en la XVI Bienal de Sao Paulo, Brasil. En 1995 fue seleccionado en la VII Bienal de Fotografía, Centro de la Imagen. En 1996 fundó Artes e Historia, Foro Virtual de Cultura Mexicana. Este espacio en la red abarca diversos aspectos de la cultura de México. [p. 638]

BIBLIOGRAFÍA

ACOSTA, FERRUCIO, "La fotografía un acto sensible"; en *Kati Horna. Recuento de una obra*, México, 1995, pp. 13-18.

ACEVEDO, JORGE et al., *El poder de la imagen, la imagen del poder, fotografías de prensa del porfiriato a la época actual*, Universidad Autónoma de Chapingo, Estado de México, 1985, 180 pp.

ADES, DAWN, *Photomontage*, Thames and Hudson Ltd., Nueva York, 1986.

AGOSTONI, SILVANA, *Serie topografías, región abdominal III 2000*, CNCA/CENART/ Centro de la Imagen/Galería Enrique Guerrero, México, 2000, 27 pp.

AGUILAR, LEOPOLDO et al., *Un día en la gran ciudad de México*, Grupo Azabache, México, 1991, 198 pp.

AGUILAR OCHOA, ARTURO, *La fotografía durante el imperio de Maximiliano*, Universidad Nacional Autónoma de México-Instituto de Investigaciones Estéticas, México, 1996, 191 pp.

ÁLVAREZ BRAVO, LOLA (comp.), *Recuento fotográfico* (textos de Luis Cardoza y Aragón, Alejandro Gómez Arias, Andrés Henestrosa, Antonio Peláez, Carlos Monsiváis, José Joaquín Blanco, Manuel Fernández Perera, Luis Zapata), Penélope, Col. de Arte-Fotografía, México, 1982, 22 pp.

ÁLVAREZ BRAVO, MANUEL, *Mucho sol* (presentación de Teresa del Conde), Fondo de Cultura Económica, Colección Río de Luz, México, 1989, 94 pp.

——, *Variaciones*, CNCA/Centro de la Imagen, México, 1997, 105 pp.

ANGULO, ANÍBAL et al., *Primer Festival de la Juventud Mexicana 1983. Testimonio Gráfico de la Juventud. Encuentro permanente de la juventud mexicana*, CREA/INBA/SEP, 1985, 10 pp.

AMOR, INÉS, JORGE ALBERTO MANRIQUE Y TERESA DEL CONDE (memorias de), *Una mujer en el arte mexicano*, UNAM, México, s.f.

ASCHER, DAISY, *Revelando a José Luis Cuevas*, México, 1979, 167 pp.

AYALA, GERARDO (biografías) *Otras cosas, Mexican Modern Abstractions*, 2000, Throckmorton Fine Art, Nueva York.

BARAJAS, ODETTE, *Historias de la Ciudad 6, Del río amarillo*/Grupo Desea/FONCA/UNAM, México, 1993, 32 pp.

BARTHES, ROLAND, *La cámara lúcida. Nota sobre la fotografía*, trad. La chambre claire, Note sur le Photographie, Paidós, Comunicación, 3ª edición, 1994, 207 pp.

BENJAMIN, WALTER, *Discursos interrumpidos, I, Filosofía del arte y de la historia*, Taurus, Argentina, 1989.

BODEK, ADRIAN, *Lo propio en lo ajeno, lo ajeno en lo propio*, CNCA/Centro de la Imagen, México, 1997, 79 pp.

BONET, JUAN MANUEL et al., *Mexicana Fotografía moderna en México 1923-1940*, Ed. Generalitat Valenciana/Conselleria de Cultura/Educació I ciencia/Valencia/MAM/Centre Julio González, 29 enero-17 mayo, 1998, 294 pp.

BOSTELMANN, ENRIQUE, SEBASTIÁN, *Estructura y biografía de un objeto*, UNAM, México, 1979, 45 pp.

——, *América: Un viaje a través de la injusticia*, Editorial Siglo XXI, México, 1970, s.f.

BOWDEN, CHARLES, *Juárez the laboratory of our future*, Ed. Aperture, impreso en Hong Kong, 1990, 131 pp.

BOURDIEU, PIERRE et al., *El oficio del sociólogo*, Editorial Siglo XXI, México, 1996.

—— (comp.), *La fotografía un arte intermedio*, Editorial Nueva Imagen, México, 1989.

——, *Las reglas del arte, Génesis y estructura del campo literario*, Editorial Anagrama, Barcelona, 1995.

——, *Respuestas por una antropología reflexiva*, Editorial Grijalbo, México, 1995.

BRANDI, CESARE, *Teoría de la restauración*, Alianza Forma, Madrid, 1988, 149 pp.

CANALES, CLAUDIA, "La revolución transforma a la fotografía en México: Archivo Casasola", en *Fotografía latinoamericana. Desde 1860 hasta nuestros días*, El Viso, España, 1989, pp. 239.

——, *Romualdo García, un fotógrafo, una ciudad, una época*, INAH/Gobierno del estado de Guanajuato, México, 1984, 131 pp.

CASA DEMUNT, TOMÁS, *Fábrica de santos*, Ed. Libros la Espiral/Artes de México, 33 pp.

CASANOVA, ROSA, "Fotografías honradas. El arte de Tina Modotti", en *México en el tiempo, Revista de Historia y conservación*, año 5, núm. 31, México, 1999, pp. 52-56.

—— y OLIVIER DEBROISE, *Sobre la superficie bruñida de un espejo, Fotógrafos del siglo XIX*, Fondo de Cultura Económica, Colección Río de luz, México, 1989, 111 pp.

CASASOLA, *Historia gráfica de la Revolución Mexicana*, t. 1 y 2, Trillas, México, 367 pp.

CASTELLANOS, ALEJANDRO, "Espacio y espejo: Fotografiar la Ciudad de México", en *La ciudad de los viajeros. Travesías e imaginarios urbanos. México: 1940-2000*, Néstor García Canclini (comp.), UAM-Iztapalapa/Grijalbo, México, 1996, pp. 43-55.

COHEN, J. L., et al., *Constructivismo ruso. Sobre la arquitectura de las vanguardias ruso-soviéticas hacia 1917* (selección e introducción de Ton Salvado), Estudios Críticos/Ediciones del Serbal S, Barcelona, 1994, 179 pp.

CONSTANTINE, MILDRED, *Tina Modotti*, Chronicle Books, Estados Unidos, 1993, 189 pp.

CÓRDOVA, CARLOS A., *Arqueología de la imagen. México en las vistas estereoscópicas* (prólogo de José Antonio Rodríguez), Museo de Historia Mexicana, México, 2000, 90 pp.

CRUZ, MARCO ANTONIO, "Contra la Pared", en *Historias de la Ciudad 1*, Grupo Desea/FONCA/UNAM, México, 1993, 32 pp.

DE MICHELI, MARIO, *Las vanguardias artísticas del siglo XX*, Alianza, 4a. edición en Alianza Forma, Madrid, 1984, 447 pp.

DEBRAY, REGIS, *Vida y muerte de la imagen. Historia de la mirada en Occidente*, Paidós, México, 1989, 225 pp.

DEBROISE, OLIVIER, "Fotografía: verdad y belleza. Notas sobre la historia de la fotografía en México", en *México en el Arte*, núm. 23, Otoño, 1989, CONACULTA/INBA, México, pp. 3-20.

——, *Fuga mexicana: un recorrido por la fotografía en México*, CONACULTA, México, 1993.

ELIZONDO, PÍA, "Primer cuadro", en *Historias de la Ciudad 5*, Grupo Desea/FONCA/UAM, México, 1993, 32 pp.

FERNÁNDEZ, CLAUDIA, *Aquí, afuera* (textos de Silvia Vega B. y Magali Arreola), Museo de Monterrey, México, 1998, 41 pp.

FONT CUBERTA, JOAN, *El beso de judas: Fotografía y verdad*, Gustavo Gili, Barcelona, 1997, 191 pp.

FREUND, GISÉLE, *La fotografía como documento social*, Gustavo Gilli, Barcelona, 1993, 207 pp.

——, *Portraits von Schrifts tellern und Künstlern*, Shimer s Visuelle Bibliothek, 14, Schimer-Mosel, 1989, 95 pp.

GARCÍA CANCLINI, NÉSTOR, "Fotografía e ideología: sus lugares comunes", en *Hecho en Latinoamérica 2*, CMF/INBA, 1981, México, pp. 17-20.

——, "Uso social y significación ideológica de la fotografía en México", en *Imagen histórica de la fotografía en México*, INAH/FONAPAS, México, agosto 1978; pp. 12-21.

GARCÍA DE LA CABADA, RIGEL (coord.), *El desnudo fotográfico. Antología*, UNAM, México, 1980, 127 pp.

GARCÍA, EMMA CECILIA, "La fotografía en México", en *Salón Nacional de Artes Plásticas Sección de Bienal de Fotografía*, INBA/SEP, México, 1980, pp. 9-21.

——, "La fotografía en México", en *Salón Nacional de Artes Plásticas/Sección Bienal de Fotografía*, 1980, INBA, México, pp. 3-4.

——, *Kati Horna: Recuento de una obra*, Fondo Kati Horna/CENIDIAP/INBA, México, 1995, 199 pp.

GARCÍA, HÉCTOR, *Camera oscura*, Gobierno del Estado de Veracruz, 1992, 94 pp.

GODED, MAYA, *Tierra Negra* (texto de José del Val), CONACULTA, Culturas Populares, México, 40 pp.

GONZÁLEZ, LUIS, *El oficio de historiar*, El Colegio de Michoacán, México, 1988.

GRUNER, SILVIA, *Collares/Reliquias*, CNCA-FONCA/Centro de la Imagen, México, 1998, 80 pp.

GUBER, RENATE, L. FRITZ GRUBER, *El Museo ideal de la fotografía. 140 Años de obras maestras de la foto-

grafía, Gustavo Gilli, Col. Fotografía, Barcelona, 1982, 272 pp.

HAGEN, CHARLES, *Mary Ellen Mark 55*, Phaidon Press Limited, Nueva York, 2001, 128 pp.

HÉRNANDEZ CLAIRE, JOSÉ, *De sol a sol* (texto de Guillermo García Oropeza), Universidad de Guadalajara, Zapopan, Jalisco, México, 1997, 189 pp.

ITURBIDE, GRACIELA, *Juchitán de las mujeres*, Ed. Toledo, México, 1989, 107 pp.

JIMÉNEZ BLANCA y SAMUEL VILLELA, *Los Salmerón: Un siglo de fotografía en Guerrero*, INAH, México, 1998, 204 pp.

JURADO, CARLOS, *El arte de la aprehensión de las imágenes y el unicornio*, UNAM, México, 1974.

KOSSOY, BORIS, *Realidades y ficciones en la fotografía*, Atelie, Sao Paulo, Brasil, 2000, 149 pp.

——, *Hercules Florence 1873: fotografía descubierta en Brasil*, Ed. La livraria Duas Ciudades, Sao Paulo, Brasil, 1976-1980, 183 pp.

KURIEL, MARTHA EUGENIA *et al.*, *Educación, cultura y comunicación I, México, 75 años de revolución en México*, Fondo de Cultura Económica/INEHRM, México, 382 pp.

LAGARDE, PATRICIA (textos de Salvador Elizondo *et al.*), *Herbarium, Plantas mexicanas del alma*, Artes de México, México, 55 pp.

LAVISTA, PAULINA, *Pasado anterior, años setenta en México* (textos de Salvador Elizondo), CNCA/Centro de la Imagen/FONCA/Galería Pecanins, México, 1998, 9 pp.

——, *Sujeto, verbo y complemento*, Museo de Arte Moderno/INBA, México, 1981.

LEÓN, VÍCTOR e IGNACIO CASTILLO, "La práctica del fotoperiodismo en México", en *1er. Coloquio nacional de fotografía*, INBA/CMF, México, 1984, pp. 34-39.

LINKMAN, AUDREY, *The Victorians; Photografic Portraits*, Tauris Parke Books, Londres/Nueva York.

MARÍN, RUBÉN (introd.), *El México de Luis Márquez*, San Ángel Ediciones, México, 1978, s.f.

MARTÍNEZ, ENIAC *Mixtecos* (textos de Eduardo Vázquez Martín *et al.*), Grupo Desea/Nuevos Códices, México, 1994, 111 pp.

MASS, CASIMIRO, "Postludio", en *Anuario 98-99* del Club Fotográfico de México, 1999, p. 35.

MASSÉ ZENDEJAS, PATRICIA, *Simulacro y elegancia en tarjetas de visita. Fotografía de Cruces y Campa*, INAH, Colección Alquimia, México, 1998, 36 pp.

——, *Cruces y Campa: Una experiencia mexicana del retrato tarjeta de visita*, INAH/CNCA/Círculo de Arte, México, 2000, 63 pp.

MATA ROSAS, FRANCISCO, "Sábado de Gloria", en *Historias de la Ciudad 2*, Grupo Desea, México, 1994, 32 pp.

MEREWETHER, CHARLES (curador), *México From empire to revolution*, Parte uno, octubre 21, 2000-enero 21, 2001, Parte dos, febrero 24, 2001-mayo 20, 2001, The J. Paul Getty Trust Institute, Los Angeles, 2000, p. 14.

MAYO, HERMANOS, *Testimonios sobre México* (textos de Tercero Luis Gallardo), 347 pp.

MEYER, EUGENIA, "Introducción", en *Imagen histórica de la fotografía en México*, INAH/FONAPAS, México, agosto 1978, pp. 7-11.

MODOTTI, TINA, *Una nueva mirada, 1929*, CNCA/Centro de la Imagen/Universidad Autónoma del Estado de Morelos/Corporación Digital Gráfica, México, 2000, 252 pp.

MONSIVÁIS, CARLOS, "Notas sobre la historia de la fotografía en México", en *Salón Nacional de Artes Plásticas. Sección de Bienal de Fotografía*, INBA/SEP, México, 1980, pp. 9-21

MONTELLANO FRANCISCO, *Una mirada diversa sobre el México de principios del siglo xx*, Grijalbo/CNCA, Camera Lucida, México, 1994, 221 p.

MORALES, ALFONSO y MARTA ACEVEDO, *El gran lente*, José Antonio Bustamante Martínez, Jilguero/Secretaría de Educación Pública/Instituto Nacional de Antropología e Historia, México, 1992.

MRAZ, JOHN, con la colaboración de Ariel Arnal, *La mirada inquieta, nuevo fotoperiodismo mexicano: 1976-1996*, CNCA/Centro de la Imagen, México, 1996, 141 pp.

MUSEO DE ARTE ÁLVAR Y CARMEN T. DE CARRILLO GIL, *Nacho López, fotorreportero de los años 50s, 150 años de la fotografía en México*, CONACULTA/INBA, México, 1989, pp. 42.

NAGGAR, CAROLE y FRED RITCHIN, *México visto por ojos extranjeros 1850-1990*, W. W. Norton y Company, Nueva York/Londres, 1993, 320 p.

NAVARRETE, JOSÉ ANTONIO, *Ensayos desleales sobre la fotografía*, Dirección General Sectorial de Cine, Fotografía y Video, Col. En Foco, Venezuela, 1996, 176 pp.

NIETO SOTELO, JESÚS y ELISA LOZANO ÁLVAREZ, *Una nueva mirada, 1929*, CNCA/Centro de la Imagen/Universidad Autónoma del Estado de Morelos/ Corporación Digital Gráfica, México, 2000, 252 pp.

OROZCO, GABRIEL, *Triunfo de la Libertad No. 18, Tlalpan, 1400*, Hans-Ulrich Obrist, Oktagon Verlag Sttugard, Turín, Italia, 1994.

——, *Empty Club*, Artangel Afterlives-Beck's commission, Londres, junio 25 a julio 28, 1996, 112 pp.

ORTEGA, RAÚL, "Pabellón 0", en *Historias de la Ciudad 3*, Grupo Desea/FONCA/UAM, México, 1994, 23 pp.

ORTIZ, MARTÍN, *Martin Ortiz, fotógrafo: el último de los románticos*, CNCA/INBA, México, 1992, 67 pp.

ORTIZ MONASTERIO, PABLO, "En el segundo trimestre del año, arrancarán los trabajos del C.I.", en *Información de prensa del CNCA*, núm. 30, 15 de enero 1994, México, pp. 1, 2, 4.

——, "Corazón de venado", en *Casa de las Imágenes*, México, 1998,

——, *La última ciudad* (textos de José Emilio Pacheco), editado y diseñado por Twin Palms Publishers para el Grupo Editorial Casa de las Imágenes, Kyoto, Japón, 1996.

PAZ, OCTAVIO (textos), ÁLVAREZ BRAVO, MANUEL (fotografía), FONAPAS, México, 1982, s.f.

PANOFSKY, ERWIN, *El significado en las artes visuales*, Alianza Forma, Madrid, 1987, 385 pp.

PEREYRA, LUIS HUMBERTO, "Notas e ideas, no siempre congruentes, a partir del trabajo de Néstor García Canclini: fotografía e ideología: sus lugares comunes", en *Hecho en Latinoamérica 2*, CMF/INBA, 1981, México, pp. 21-22.

PÉREZ, JOEL, *The Ebb and Flow of life. Contemporany Mexican Photography/El flujo y reflujo de la vida: fotografías contemporáneas de México*, vol. 7, núm. 3, Estados Unidos, 1988.

AMBRA POLIDORI (Textos de Néstor A. Braunstein *et al*), *Así en la tierra como en el cielo* Museo del Chopo, México, 1994-1995, 47 pp.

——, "El Primer Coloquio Nacional de Fotografía", en *Nuestra Universidad*, pp. 22-28.

REUTER, WALTER, *60 años de fotografía y cine 1930-1990*, Berlín/Madrid/México/Argon/Germany, 1992, 128 pp.

REYES PALMA, FRANCISCO, *Memoria en el tiempo. 150 años de fotografía en México*, CONACULTA/INBA/MAM, México, 1989, pp. 3-20.

RODRÍGUEZ, JOSÉ ANTONIO, *Franz Mayer fotográfo*, Colección Uso y Estilo, Museo Franz Mayer/Artes de México, México, 1995, 83 pp.

——, *La fotografía en Tabasco*, Dirección de Educación Superior e Investigación Científica, Secretaría de Educación, Cultura y Recreación, Gobierno del Estado de Tabasco, México, 1986, 47 pp.

—— Y PATRICIA PRIEGO RAMÍREZ, *La manera en que fuimos, fotografía y sociedad en Querétaro: 1840-1930*, Dirección de Patrimonio Cultural-Secretaría de Cultura y Bienestar Social-Gobierno del Estado de Queretaro, México, 1989, 199 pp.

RULFO JUAN, *Inframundo: el México de Juan Rulfo*, Ediciones del Norte/INBA, México, 1983, 52 pp.

SAAVEDRA, SANTIAGO (adaptación española), *Fotografía latinoamericana, desde 1860 hasta nuestros días*, Ediciones el Viso, Madrid, 1981, 398 pp.

SALAS PORTUGAL, ARMANDO, *El universo en una barranca*, Universidad Autónoma de Guadalajara, México, 1986, 43 pp.

SANTAMARÍA, JOAQUÍN, *Mirada con vaivén de hamaca*, CNCA/Centro de la Imagen/Fototeca de Veracruz/Museo de Arte Moderno, México, 1999.

SÁNTIZ GÓMEZ, MARUCH, *Creencias de nuestros antepasados* (textos de Hermann Bellinghausen, Carlota Duarte, Gabriela Vargas Cetina), CIESAS, Centro de la Imagen, Casa de las Imágenes, México, 1998, 107 pp.

SCIANNA, FERDINANDO, *Reportage di Moda*, Editor Federico Motta, Milán, Italia, 1995, 203 pp.

SETTE DE ZÚÑIGA, SOLANGE (coord.), *II Seminario Internacional de Conservación y Preservación de la Fotografía*, Ministerio de Cultura FUNARTE, Río de Janeiro, Brasil, 1997.

SOMONTE, CARLOS, "Interno", en *Historias de la Ciudad 4*, Grupo Desea/FONCA/UAM, México, 1997, 32 pp.

SONTAG, SUSAN, *Sobre la fotografía* (trad. Carlos Gardini), EDHASA, España, 1981, 217 pp.

SOTERO CONSTANTINO, *Foto Estudio Jiménez, fotógrafo de Juchitán* (texto de Carlos Monsiváis), ERA, Serie Crónicas del H. Ayuntamiento Popular de Juchitán, México, 1983, 93 pp. Primera reimpresión 1984.

STANGOS, NIKOS, *Conceptos de arte moderno* (versión española de Joaquín Sánchez Blanco), segunda reimpresión en Alianza Forma, 1989, Madrid, 336 pp.

STOPPELMAN, FRANCES, *México en Movimiento, 1970.*

SUTER, GERARDO *et al.*, *Libro sobre el desnudo*, Ediciones El Rollo, México, 1979.

TIBOL, RAQUEL, "Comentario: Felipe Erhenberg y Gerardo Suter, La función de la forma y el contenido", en *1er. Coloquio Nacional de Fotografía*, INBA/CMF, México, 1984, pp. 25-37.

——, "La fotografía como objeto de exposición", en *Proceso*, año 4, núm. 166, México, 7 de enero de 1980, pp. 52-54.

——, *Episodios fotográficos*, Libros de Proceso, diciembre de 1989, México

TUROK, ANTONIO, *Imágenes de Nicaragua*, Casa de las Imágenes, México, 1988.

——, *El fin del silencio* (trad. al español por ERA), Apperture, Nueva York, 1988.

VARGAS, AVA, *La casa de citas*, CNCA/Grijalbo, México, 1991, 86 pp.

VERGER PIERRE, *Pierre Verger Photographies 1932-1962*, Ediciones Reune Noire, París, Francia 1993, 240 pp. (Este libro está asociado con la exhibición To be heald at Musée de L´elysée de Lanssanne, junio-agosto.)

VILLAREAL MACÍAS, ROGELIO, *Aspectos de la fotografía en México*, vol. 1, CMF, México, 1981.

WESTON, EDWARD, *La mirada de la ruptura*, Museo Estudio Diego Rivera/Centro de la Imagen, México, 1993, 79 pp.

YOVANOVICH, VIDA, *Cárcel de los sueños*, Casa de las Imágenes/CNCA/Centro de la Imagen, México, 1997, 47 pp.

CATÁLOGOS POR AUTOR

AHUMADA, ALICIA *et al.*, *10 Mexican Photographers*, Secretaría de Relaciones Exteriores. México, 1986, s/p.

—— *et al.*, *Mujer x Mujer*, Museo de San Carlos/CNCA/INBA, 150 años de la fotografía, agosto-septiembre 1989, 63 pp.

ALMEIDA, LOURDES *et al.*, *Photographie Mexico 1920-92*, Europalia 93, Bélgica. De Markten enero-febrero, Biblioteque Moretus-Plantin marzo-abril, Galerie CGER mayo-junio, Provinciaal Hof julio-agosto, Cultureel Centrum septiembre-octubre, Museé des Beaux Arts noviembre-diciembre.

ÁLVAREZ BRAVO, LOLA *et al.*, *Die Schrift. Mexikanische Fotografen 13 x 10/La escritura Fotógrafos Mexicanos 13 x 10*, CNCA/Dirección General de Publicaciones, México, 1992, 65 pp.

ANDRADE, YOLANDA *et al.*, *Como nos vemos nosotras*, IFAL, México, abril 1983, 40 pp.

BÁTIZ GABRIEL, MAURYCY GOMULICKI y JERÓNIMO HAGGERMAN, *Bambi & otros pretextos*, Artes Gráficas Panorama, México, junio 2001, 43 pp.

BENITO, SANDRA Y VICTORIA BLASCO (investigación y textos). Lucía García-Noriegay Nieto *et al.* (ed.), Roberto R. Littman (presentación), *Luz y Tiempo. Colección fotográfica formada por Manuel Álvarez Bravo para la Fundación Cultural Televisa, A. C.* Fundación Cultural Televisa/Centro Cultural Arte Contemporáneo, México, 1995, 3 vol. t. I, 273 pp. t. II, 274 pp. t. III, 264 pp.

BROOKS, ELLEN *et al.*, *Fabricated to be Photographed*, San Francisco Museum of Modern Art, noviembre-diciembre 1979.

CASADEMUNT, TOMÁS (ensayo fotográfico), Álvaro Mutis (textos), *Fábrica de santos*, CNCA/Artes de México, México, 2000, s.f.

CORDERO, KAREN *et al.*, *Fotografías prerrafaelistas*, Consejo Británico/Secretará de Relaciones Exteriores/CNCA/INBA/ Gobierno de Yucatán/Universidad Veracruzana/ Museo de Monterrey, México, 85 pp.

CRUZ, MARCO ANTONIO, *Cafetaleros*, FONCA/Imagenlatina, México, 1996, 75 pp.

FISCHLI, PETER, GABRIEL OROZCO, DAVID WEISS y RICHARD WENTWORTH, *Aprendiendo menos. Learning less*. CNCA/Centro de la Imagen/Museo de las Artes/ Universidad de Guadalajara, México 2000, 119 pp.

GARCÍA, ROMUALDO *et al.*, *Mexicanish Fotografi*, Kulturhuset, Estocolmo, noviembre 1982-enero 1983.

GRANDAL, RAMÓN M., *La pasión sacrificada. Encuentro de fotografía latinoamericana*, Consejo Nacional para la Cultura y las Artes. México, noviembre-diciembre 1993, 12 pp.

HARTLEY, JILL, *Lotería fotográfica mexicana*, fotografías, contada con refranes y copias de la lírica popular (textos introductorios de Alfonso Morales Carrillo y Paul-Alain Mallard), CNCA-Dirección General de Publicaciones/Petra Ediciones, México, 1995, 174 pp.

H. D. BUCHLOK, BENJAMÍN, *Fotografie Lateinamerika von 1860 Bis Heute*, Kunsthaus Zürich, Suiza, agosto-noviembre 1981, Ed. La Chambre, editado por M. Catherine de Zegner.

ITURBIDE, GRACIELA *et al.*, *Hugo-Erfurth-Preis*, Museum Morsbroich Leverkusen, H. Koopmann & Co. Leverkusen, 1989.

——, *Contemporany photography in México. 9 Photographers*, Center for Creative Photography, University of Arizona/Northlight Gallery/Center for Creative Photography, 1978, s.f.

MATA, FRANCISCO, ENIAC MARTINEZ, *Litorales*, CNCA/ FONCA/ Centro de la Imagen/Grupo Desea/Festival de la Luz, México, 2000, s.f.

ORTIZ MONASTERIO, PABLO, *Siete portafolios mexicanos*, Galería del Centro Cultural de México, París, UNAM, México, primavera 1980.

ROCHA, MAURICIO *et al.*, *Los estados de la visión*, Taller de los Lunes: Retrospectiva, Museo Universitario del Chopo/Coordinación de Difusión Cultural-UNAM, enero-febrero 1990.

RODRÍGUEZ, JOSÉ ANTONIO (texto), *Juan Crisóstomo Méndez, 1885-1962*, El Equilibrista, México, 1996, 14 pp.

TEJADA, ROBERTO, *Graciela Iturbide, Images of spirit*. The Philadelphia Museum of Art, Apperture, Estados Unidos, 1996.

TIBOL, RAQUEL *et al.*, *Hecho en Lationoamérica*, Primera Muestra de la Fotografía Latinoamericana Contemporánea. Consejo Mexicano de Fotografía/MAM, México, mayo 1978.

TREVIÑO, ESTELA *et al.*, *Fotografía mexicana*, Espai de la Fotografía. I Fotoencontre, Ajuntament d'Almussafes, Valencia, España, 1998, 64 pp.

WHITE, CHARLES B., *La época de oro de las postales en México*, CNCA, Círculo de Arte, México, 1998.

CATÁLOGOS POR TÍTULO

Bauhaus fotografie, Ed. Ifa, Institute Ausstellonsss, serier fotografie in Doutshland von 1550 bis heute Institut for Austandsbezichugen. Dr Cantz'sche, Druckera stuttgant. Bad 1989, 93 pp.

Guillermo Kahlo, Vida y obra, Museo Estudio Diego Rivera, Museo Nacional de Arquitectura, México, 1993, 200 pp.

Graciela Iturbide, La forma y la memoria (texto de Carlos Monsiváis), Antiguo Colegio de San Ildefonso-Museo Marco de Monterrey, 1996.

Graciela Iturbide, Sala de exposiciones, Telefónica, Ed. Fundación Arte y Tecnología, México, 1993, 37 pp.

Graciela Iturbide, Museo del Palacio de Bellas Artes, Fotoseptiembre, CNCA/INBA, México, septiembre-octubre, 1993, 64 pp.

Identités: de Disderi au photomaton, Catálogo de la exposición en el Centre National de la Photografie, Palais de Tokyo, diciembre de 1985, Ministére de la Culture, Editions du Chene, París, 1985.

Encyclopedia of Photography, International Center of Photography, Nueva York, 1984, 607 pp.

Mexicansk Fotografi, Kulturhuset, Stockholm, Estocolmo, noviembre-enero, 1983, 112 pp.

Muestra de Fotografía Latinoamericana Contemporánea, Consejo Mexicano de Fotografía/INBA, México, 1978.

Muestra Latinoamericana de Fotografía, Centro de la Imagen, México, 1996, 188 pp.

Méxique, Anthologies des Fétiches, Photographies Des 3 Continents, Festival des 3 Continents 1887, Festival Internacional du Film et de la Photographie, Ville de Nantes, AFAA/Editions Ponçtuation.

Monterrey en 400 Fotografías (textos de Ricardo Elizondo *et al.*), Museo de Arte Contemporáneo de Monterrey, México, 1996-1997, 242 pp.

Ojos franceses en México, Centro de la Imagen/IFAL, México, 1996, 63 pp.

Paulina Lavista, Pasado anterior, Años setenta en México, CONACULTA/Centro de la Imagen/Fonca/ Galería Pecanins, México, 1998.

Photography in New York, Estados Unidos, 1998, 102 pp.

Romualdo García, Centro de la Imagen, México, 1994, 188 pp.

Tartessos: libros de fotografía, monografías, historia, ensayos, técnica, Gustavo Gilli, Barcelona, 1985, 79 pp.

Territorios singulares: fotografía comtemporánea mexicana (textos de Rafael Doctor Roncero y Patricia Mendoza), Centro de la Imagen/Comunidad de Madrid, México, 1997, 226 pp.

Vecinos, Centro de la Imagen, México, 1981, 8 pp.

ZeitErinnerung/Memoria del Tiempo, 150 Jahre Fotografie in Mexiko, Kommunale Galerie Friedrichshain, Berlín 1981, 64 pp.

FOTOSEPTIEMBRE

Fotoseptiembre, Subsecretaría de Cultura del Estado de Nuevo León, Corredor Fotográfico Fronterizo. Monterrey, México, 1994, 136 pp.

Fotoseptiembre 1993, CNCA, México, 1993, 364 pp.

Fotoseptiembre 1994, Centro de la Imagen, México, 1994, 504 pp.

Fotoseptiembre Latinoamericano 1996, Centro de la Imagen, México, 1996, 625 pp.

Fotoseptiembre Internacional 1998, Centro de la Imagen, México, 1998, 601 pp.

Fotoseptiembre Internacional 2000, CNCA/Centro de la Imagen, México, 2000, 521 pp.

FotoFest, Masterpiece Lhito INC., Houston, 1998, 267 pp.

Fotonoviembre, Centro de la Imagen, México, 1997, 29 pp.

Fotonoviembre 97, México/ Santiago de Cuba, 1997.

Fotonoviembre, Bienal de Fotografía, Isla de Tenerife, España.

BIENALES

BENEDICTO, NAIR et al., *V Fotobienal*, Concello de Vigo/Centro de Estudios Fotográficos, Vigo, España. 1992, 119 pp.

Salón Nacional de Artes Plásticas. Sección Bienal de Gráfica, INBA, México, septiembre-noviembre, 1977.

Sección Bienal de Gráfica 1977, INBA-Dirección de Artes Plásticas, Palacio de Bellas Artes, México, septiembre-noviembre 1977, 131 pp.

Sección Bienal de Gráfica, INBA-SEP, Salón Nacional de Artes Plásticas, Galería del Auditorio Nacional México, julio-septiembre 1979, 126 pp.

Salón Nacional de Artes Plásticas. Sección Bienal de Fotografía Gráfica, INBA/SEP, México, 1979, 151 pp.

Salón Nacional de Artes Plásticas. Sección Bienal de Fotografía, INBA/SEP, México, 1980, 152 pp.

Salón Nacional de Artes Plásticas. Sección Bienal de Fotografía, INBA/SEP, México, 1982, 32 pp.

Sección Bienal de Artes Plásticas. Salón Nacional de Artes Plásticas, INBA/SEP, México, 1982, 151 pp.

Salón Nacional de Artes Plásticas. Sección Bienal de Fotografía, INBA/SEP, México, 1984.

Sexta Bienal de Fotografía, Centro de la Imagen, México, 1994.

Séptima Bienal de Fotografía, Centro de la Imagen, México, 1995.

Octava Bienal de Fotografía, Centro de la Imagen/INBA, México, 1997, 236 pp.

Octava Bienal de Jóvenes Creadores de Europa y del Mediterráneo, Turín, abril de 1997, Alemania, España (Barcelona, Madrid, Málaga, Murcia, Sevilla, Valencia), Ayuntamiento de Madrid, Madrid, 1997, 123 pp.

Novena Bienal Internacional de Fotografía, Frontera, CNCA/Centro de la Imagen, México, 1999, 162p.

POSTALES

Bestiario, OMR, México, 1983.

Mundo sin tiempo, Imágenes de Chiapas, 48 postales de 36 fotógrafos (textos de Eduardo Galeano et al.), Ediciones Escaramujo, México, 1997.

TESIS

JARQUÍN, MARTHA et al., *Del ojo rápido a la reflexión pausada. Desarrollo del campo de la fotografía en México*. UAM-X, México, 1999.

MORA, ALEJANDRA, *Eligio Zárate. Vendedor de ilusiones Fotografía retocada y modernidad en el valle de Etla, Oaxaca*.

MONROY, REBECA, *De la cámara obscura a la instamatic; apuntes sobre la tecnologia alternativa sobre la fotografía*, Tesis profesional para obtener el título de licenciada en Artes Visuales, Escuela Nacional de Artes Plásticas-Universidad Nacional Autónoma de México, 1987.

COLOQUIOS

1er. Coloquio Nacional de Fotografía, Gobierno del Estado de Hidalgo/INBA/Consejo Mexicano de Fotografía, Pachuca, Hidalgo, México, junio 1984, 148 pp.

Memorias del Primer Coloquio Latinoamericano de Fotografía, Consejo Mexicano de Fotografía/INBA/SEP/Museo Nacional de Antropología, México, mayo, 1978.

Hecho en Latinoamérica 2, Libros fotográficos de Autores Latinoamericanos, II Coloquio Latinoamericano de Fotografía, Museo Carrillo Gil, México, abril 1981.

ANGULO PARRA, YOLANDA, "Una perspectiva ética de la fotografía", en *V Coloquio Latinoamericano de Fotografía*, CONACULTA/Centro de la Imagen, 1996, México, pp. 203-204.

ALCALÁ, JOSÉ RAMÓN. "La huella bit. El pixel como unidad de memoria", en *V Coloquio Latinoamericano de Fotografía*, CONACULTA/Centro de la Imagen, 1996, México. pp. 29-30.

ALMEIDA, LOURDES, "La SAOF y el derecho de autor", en *V Coloquio Latinoamericano de Fotografía*, CONACULTA/Centro de la Imagen, 1996, México, p. 229.

BRODSKY, MARCELO, "América Latina en la distribución de imágenes", en *V Coloquio Latinoamericano de Fotografía*, CONACULTA/Centro de la Imagen, 1996, México, p. 168.

CABALLERO LEAL, JOSÉ LUIS, "Manipulación digital de obras fotográficas: su implicación autoral", en *V Coloquio Latinoamericano de Fotografía*, CONACULTA, Centro de la Imagen, 1996, México, p. 227.

CASTRO, FERNANDO, "El uso de la vanguardia", en *V Coloquio Latinoamericano de Fotografía*, CONACULTA/Centro de la Imagen, 1996, México, p. 61.

CUÉLLAR, FELIPE, "Unificación de criterios para el préstamo de obra fotográfica. Problemas de difusión e itinerancia", en *V Coloquio Latinoamericano de Fotografía*, CONACULTA/Centro de la Imagen, 1996, México, pp. 203-204.

CUEVAS, ROSALÍA, "Unificación de criterios para el préstamo de obra fotográfica: Problemas de difusión e itinerancia", en *V Coloquio Latinoamericano de Fotografía*, CONACULTA/Centro de la Imagen, 1996, México, p. 243.

CHIRIBOGA, LUCÍA, "La fotografía se mide en el espejo de la fotografía", en *V Coloquio Latinoamericano de Fotografía*, CONACULTA/Centro de la Imagen, 1996, México, p. 71.

DEBROISE, OLIVIER (comentarios Carla Rippey y Saúl Serrano), "La fotografía y sus múltiples lecturas", en *1er. Coloquio Nacional de Fotografía*, INBA/CMF, México, 1984, pp. 73-81.

EDER, RITA (comentarios de Verónica Volkow y Pablo Ortiz Monasterio), "La crítica de la fotografía en México", en *1er. Coloquio Nacional de Fotografía*, INBA/CMF, México, 1984, pp. 120-129.

GARAY, ANDRÉS, "Modus vivendi del fotógrafo", en *V Coloquio Latinoamericano de Fotografía*, CONACULTA/Centro de la Imagen, 1996, México, p. 231.

GUIMARAES LIMA, ALENCAR (trad. Aparecida Roncato María), "Feito Na America Latina II", en *Coloquio Latinoamericano de Fotografía*, FUNARTE/Instituto Nacional de Foto, Col. Luz y Reflexión/Consejo Mexicano de Fotografía A. C./Palacio de Bellas Artes, México, 1981, 196 pp.

GURROLA, JUAN JOSÉ (comentarios de Rogelio López Marín y Adolfo Patiño), "Fotografía e imaginación", en *1er. Coloquio Nacional de Fotografía*, INBA/CMF, México, 1984, pp. 100-108.

KOSSOY, BORIS, "Contribución a los estudios históricos de la fotografía en América Latina: referencias históricas, teóricas y metodológicas", en *V Coloquio Latinoamericano de Fotografía*, CONACULTA/Centro de la Imagen, 1996, México, pp. 77-81.

LEÓN, VÍCTOR e IGNACIO CASTILLO, "La práctica del fotoperiodismo en México", en *1er. Coloquio Nacional de Fotografía*, INBA/CMF, México, 1984, pp. 34-39.

MEYER, PEDRO, "Palabras de presentación II Coloquio Latinoamericano de Fotografía", en *Hecho en Latinoamérica 2*, CMF/INBA, 1981, México, pp. 9-12.

——, (comentarios de Luis Carlos Bernal y José Ramón Jiménez), "Para quién y para qué se fotografía", en *1er. Coloquio Nacional de Fotografía*, INBA/CMF, México, 1984, pp. 110-118.

MIER, RAYMUNDO, "Diferentes lecturas de la imagen", en *V Coloquio Latinoamericano de Fotografía*,

CONACULTA/Centro de la Imagen, 1996, México, pp. 185-186.

NAVARRETE, JOSÉ ANTONIO, "Aventuras plurales: Fotografía autoral y modernidad en América Latina", en *V Coloquio Latinoamericano de Fotografía*, CONACULTA/Centro de la Imagen, 1996, México, pp. 67-70.

ORTIZ MONASTERIO, LEONOR (comentarios de Eleazar López Zamora y José Luis Neyra), "La fotografía mexicana y su trascendencia actual", en *1er. Coloquio Nacional de Fotografía*, INBA/CMF, México, 1984, pp. 91-95.

ORTIZ MONASTERIO, PABLO, "Los libros visuales", en *V Coloquio Latinoamericano de Fotografía*, CONACULTA/Centro de la Imagen, 1996, México, pp. 135.

RODRÍGUEZ, JOSÉ ANTONIO, "Procesos en nuestra fotografía", en *V Coloquio Latinoamericano de Fotografía*, CONACULTA/Centro de la Imagen, 1996, México, pp. 91-94.

——, "V Coloquio: la posibilidad", en *Revista Extracámara*, núm. 8, julio-agosto-septiembre,1996, Venezuela, pp. 78-79.

SIRGO, OTTO (comentarios de Carlos Jurado y Agustín Martínez Castro), "El fotoclub, su función y sus perspectivas", en *1er. Coloquio Nacional de Fotografía*, INBA-CMF, México, 1984, pp. 83-89.

TOVAR Y DE TERESA, RAFAEL, "Consejo Nacional para la Cultura y las Artes", en *V Coloquio Latinoamericano de Fotografía*, CONACULTA, Centro de la Imagen, 1996, México, p. 7.

VILLAREAL MACÍAS, ROGELIO (comentarios de Lázaro Blanco y Katya Mandoki), "Desarrollo de la fotografía mexicana " en: *1er. Coloquio Nacional de Fotografía*, INBA/CMF, México, 1984, pp. 40-53.

"Comité organizador", en *V Coloquio Latinoamericano de Fotografía*, CONACULTA/Centro de la Imagen, 1996, México, pp. 11.

"Sistema Nacional de Fototecas del INAH", en *V Coloquio Latinoamericano de Fotografía*, CONACULTA/Centro de la Imagen, 1996, México, pp. 311.

REVISTAS FOTOGRÁFICAS

ALQUIMIA

CASANOVA, ROSA, "Costumbrismo revolucionario", en *Alquimia, Sistema Nacional de Fototecas*, año 1, núm. 3, CONACULTA/INAH, México, 1998, pp. 12-17.

GUTIÉRREZ RUVALCABA, IGNACIO, "Los Casasola durante la posrevolución", en *Alquimia, Agustín Víctor Casasola, El Archivo, El fotógrafo*, año 1, núm. 1, septiembre-diciembre, 1997, pp. 37-40.

LÓPEZ, NACHO, "Los rituales de la modernidad", en *Alquimia*, CONACULTA/INAH, México, año 1, núm. 2, enero-abril, 1998.

LUIS MÁRQUEZ, "El imaginario de Luis Márquez", en *Alquimia*, año 4, núm. 10, septiembre-diciembre, 2000.

MASSÉ, PATRICIA, "Inmovil e insumisa realidad", en *Alquimia, Agustín Víctor Casasola, El Archivo, El fotógrafo*, CONACULTA/INAH, México, año 1, núm. 1, septiembre-diciembre, 1997, pp. 24-29.

——, "Nacho López. Los rituales de la modernidad", en *Alquimia*, año 1, núm. 2, enero-abril, 1998, CONACULTA/INAH, México.

MEYER, EUGENIA, "¿Qué nos dicen los niños? Una primera mirada fotográfica a la infancia durante la Revolución", en *Alquimia. Agustín Víctor Casasola, El Archivo, El fotógrafo*, CONACULTA/INAH, México, año 1, núm, 1, septiembre-diciembre, 1998, pp. 30-36.

RAÚL ARROYO, SERGIO. "Punto de partida", en *Alquimia. Agustín Víctor Casasola, El Archivo, El fotógrafo*, CONACULTA/INAH, México, año 1, núm. 1, septiembre-diciembre, 1998, pp. 4-5.

RODRÍGUEZ, JOSÉ ANTONIO, "La fotografía en la exposición de la tolteca" y "Algo sobre la exposición de la tolteca", en *Alquimia, Las construcciones visuales, Arquitectura y fotografía en México*, CONACULTA/INAH, año 3, núm. 7, septiembre-diciembre, 1999, pp. 28-29 y pp. 39-40, respectivamente.

——, "El Fondo Casasola: difusión y memoria", en *Alquimia. Agustín Víctor Casasola, El Archivo, El fotógrafo*, CONACULTA-INAH, México, año 1, núm. 1, septiembre-diciembre, 1998, pp. 7-11.

ALQUIMIA

ALQUIMIA, núm. 1, *Agustín Víctor Casasola. El archivo, el fotógrafo*, año 1, núm. 1, septiembre-diciembre, 1997, 47 pp.

ALQUIMIA, núm. 2, *Nacho López. Los rituales de la modernidad*, año 1, núm. 2, enero-abril, 1998, 47 pp.

ALQUIMIA, núm. 3, *Tina Modotti. Vanguardia y Razón*, año 1, núm. 3, mayo-agosto, 1998, 47 pp.

ALQUIMIA, núm. 4, *Romualdo García. La representación social*, año 2, núm. 4, septiembre-diciembre, 1998, 47 pp.

ALQUIMIA, núm. 5, *El viaje ilustrado. Fotógrafos extranjeros en México*, año 2, núm. 5, enero-abril 1999, 47 pp.

ALQUIMIA, núm. 6, *De plata, vidrio y fierro. Imágenes de cámara del siglo XIX*, año 2, núm. 6, mayo-agosto, 1999, 48 pp.

ALQUIMIA, núm. 7, *Las construcciones visuales. Arquitectura y fotografía en México*, año 3, núm. 7, septiembre-diciembre, 1999, 48 pp.

ALQUIMIA, núm. 8, *Fotógrafas en México, 1880-1955*. año 3, núm. 8, enero-abril, 2000, 48 pp.

ALQUIMIA, núm. 9, *Figuraciones y signos*, año 3, núm. 9, mayo-agosto, 2000, 47 pp.

ALQUIMIA, núm. 10, *El imaginario de Luis Márquez*, año 4, núm. 10, septiembre-diciembre, 2000, 48 pp.

LUNA CÓRNEA

Luna Córnea, núm. 1, CNCA, México, 1992, 128 pp.
Luna Córnea, núm. 2, CNCA, México, 1993, 123 pp.
Luna Córnea, núm. 3, CNCA, México, 1993, 131 pp.
Luna Córnea, núm. 4, CNCA, México, 1994, 131 pp.
Luna Córnea, núm. 5, CNCA, México, 1994, 139 pp.
Luna Córnea, núm. 6, Centro de la Imagen, México, 1995, 137 pp.
Luna Córnea, núm. 7, Centro de la Imagen, México, 1995, 168 pp.
Luna Córnea, núm. 8, Centro de la Imagen/CNCA, México, 1995, 160 pp.
Luna Córnea, núm. 9, Centro de la Imagen, México, 1996, 81 pp.
Luna Córnea, núm. 10, Centro de la Imagen, México, 1996, 91 pp.
Luna Córnea, núm. 11, Centro de la Imagen, México, 1997, 91 pp.
Luna Córnea, núm. 12, Centro de la Imagen, México, 1997, 92 pp.
Luna Córnea, núm. 13, Centro de la Imagen, México, 1997, 95 pp.
Luna Córnea, núm. 14, Centro de la Imagen, México, 1998, 97 pp.
Luna Córnea, núm. 15, Centro de la Imagen, México, 1998, 207 pp.
Luna Córnea, núm. 16, Centro de la Imagen/CNCA, México, 1998, 246 pp.
Luna Córnea, núm. 17, Centro de la Imagen/CNCA, México, 1999, 214 pp.
Luna Córnea, núm. 18, Centro de la Imagen/CNCA, México, 1999, 234 pp.
Luna Córnea, núm. 19, Centro de la Imagen, CNCA, México, 2000, 183 pp.
Luna Córnea, núm. 20. Centro de la Imagen, CNCA. México, 2000, 225 pp.

ARTES Y ARTISTAS. CRÓNICA Y CRÍTICA
DE LAS ARTES VISUALES

RODRÍGUEZ RAMÍREZ, JOSÉ ALFREDO, "El Consejo Mexicano de Fotografía", en *Artes y Artistas. Crónica y Crítica de las Artes Visuales,* México, año 1, núm. 1, enero 1989, pp. 22-26.

ARTES VISUALES

GARCÍA, EMMA CECILIA, "Una posible silueta para una futura historiografía de la fotografía en México", en *Artes Visuales*, México, MAM, núm. 12. octubre-diciembre 1976.

MCELROY, KELT, "Fotógrafos extranjeros antes de la Revolución", en *Artes Visuales*, México, MAM, núm. 12, octubre-diciembre, 1976.

BOLETÍN DEL CLUB FOTOGRÁFICO DE MÉXICO

"Temas fotográficos para nuestros concursos mensuales. Bases para nuestros concursos", en *Boletín del Club Fotográfico de México,* enero, 1951, p. 10.

CONSEJO MEXICANO DE FOTOGRAFÍA

Consejo Mexicano de Fotografía, año 1, núm. 1, septiembre-octubre, 1995.

CUARTOSCURO

Anónimo. "Editorial", en *Cuartoscuro*, México, año 1, núm. 1, 1994, pp. 3-6.
Cuartoscuro, año V, núm. 28, 1998.

FOTOGUÍA

"Editorial: Una forma de decirles gracias", por Fabián H. Pérez Sánchez, en *Fotoguía: revista de fotografía y turismo,* año 1, vol. 1, núm. 2, agosto, 1971, p. 4.

"Entrevista a Enrique Segarra", en *Fotoguía: revista de fotografía y turismo,* año 1, vol. 2, núm. 9, abril, 1972, pp. 49-56.

"Homenaje a Manuel Álvarez Bravo", en *Fotoguía: revista de fotografía y turismo,* año 2, vol. 3, núm. 16, noviembre, 1972, pp. 12-29.

"El renacimiento de un Club Fotográfico", entrevista a Jaime H. Carrillo en *Fotoguía: revista de fotografía y turismo,* año 2, vol. 4, núm. 19, febrero, 1973, pp. 17-23.

"El mundo de Enrique Bostelman", entrevista por Arturo Ardura Palma, en *Fotoguía: revista de fotografía y turismo,* año 2, vol. 4, núm. 23, junio, 1973, pp. 32-39.

"El reportero gráfico", entrevista a Julio Mayo, por Arturo Ardura Palma en *Fotoguía: revista de fotografía y turismo,* año 2, vol. 4, núm. 24, julio-agosto, 1973, pp. 24-30.

"Una opción nueva para crear", entrevista a Pedro Meyer, por Ángel Trejo, en *Fotoguía: revista de fotografía y turismo,* año 3, vol. l4, núm. 27, noviembre, 1973, pp. 13-17.

"Clubes, exposiciones y concursos", en *Fotoguía: revista de fotografía y turismo,* año 3, vol. 5, núm. 29, enero, 1974, pp. 26-27.

"Rudolf Rudiger y la revista FOTO", en *Fotoguía: revista de fotografía y turismo,* año 3, vol. 5, núm. 29, México, enero, 1974, p. 13.

"Noticias", en *Fotoguía: revista de fotografía y turismo,* año 3, vol. 6, núm. 31, marzo, 1974, p. 12.

"David Alfaro Siqueiros", en *Fotoguía: revista de fotografía y turismo,* año 3, vol. 5, núm. 30, México, febrero, 1974, pp. 24-28.

"La cámara, ojo crítico", entrevista con Héctor García, por Ángel Trejo, en *Fotoguía: revista de fotografía y turismo,* año 3, vol. 6, núm. 31, marzo, 1974, pp. 32-41, 66.

"El Club Fotográfico de México", en *Fotoguía: revista de fotografía y turismo,* año 3, vol. 6, núm. 33, mayo, 1974, pp. 8-11.

"Noticias", en *Fotoguía: revista de fotografía y turismo,* año 3, vol. 6, núm. 35, marzo, 1974, pp. 13, 66.

"Entrevista a Adolfo Patiño", en *Fotoguía: revista de fotografía y turismo,* año 3, vol. 6, núm. 36, noviembre, 1972, pp. 25-26.

"¿Qué es una fotografía de salón?", en *Fotoguía: revista de fotografía y turismo,* año 3, vol. 7, núm. 38, noviembre, 1974, pp. 18, 65, 26, 64.

"Noticias", en *Fotoguía: revista de fotografía y turismo,* año 3, vol. 7, núm. 38, noviembre, 1974, pp. 12-13.

"Siete fotógrafos de lo humano", en *Fotoguía: revista de fotografía y turismo,* año 3, vol. 7, núm. 39, diciembre, 1974, pp. 21-25, 63.

"La fotografía una manera de vivir", en *Fotoguía: revista de fotografía y turismo,* año 3, vol. 7, núm. 39, diciembre, 1974, pp. 26-28, 65.

"Noticias", en *Fotoguía: revista de fotografía y turismo,* año 4, vol. 7, núm. 40, enero, 1975, p. 10.

FOTOZOOM

"Editorial", en *Fotozoom*, México, núm. 1, año 1, 1975.

"Historia de la Fotografía", en *Fotozoom*, México, año 3, núm. 25, octubre, 1977, pp. 51-53.

"Las revistas fotográficas mexicanas: El mundo", en *Fotozoom*, México, año 3, núm. 26, noviembre, 1977, pp. 42-46.

"Fotógrafos mexicanos: Cruces y Campa", en *Fotozoom*, México, año 3, núm. 29, enero, 1978, pp. 38-43.

"Fotógrafos mexicanos: Guillermo Kahlo", en *Fotozoom*, México, año 3, núm 31, México, abril, 1978, pp. 55-57.

"Jesús Hermenegildo Abitia. El fotógrafo Constitucionalista", en *Fotozoom*, año 4, núm. 37, México, octubre, 1978, pp. 56-63.

"Las revistas fotográficas mexicanas: AGFA", en *Fotozoom*, año 3, núm. 30, México, marzo, 1978, pp. 51-54.

"Las revistas fotográficas mexicanas: El fotógrafo mexicano", en *Fotozoom*, año 3, núm. 28, México, enero, 1978, pp. 36-39.

"Las revistas fotográficas mexicanas: FOTO", en *Fotozoom*, año 3, núm. 33, México, junio, 1978, pp. 55-58.

"Las revistas fotográficas mexicanas: Mexican Folkways y Forma", en *Fotozoom*, año 3, núm. 32, México, mayo, 1978, pp. 43-47.

BLANCO, LÁZARO. "Henri Cartier Bresson", en *Fotozoom*, año 4, núm. 38, México, enero, 1978, pp. 40-41.

LÓPEZ ZAMORA, ELEAZAR. "Acerca de fotografía y pintura en México. David Alfaro Siqueiros", en *Fotozoom*, año 3, núm. 35, México, agosto, 1978, pp. 20-26.

RIVERA, EMILIO. "FOTO", en *Fotozoom*, año 3, núm. 35, México, agosto, 1978, pp. 48-51.

"Colección de tarjetas postales", 78 fotógrafos participantes en *Fotozoom*, año 13, núm. 153, junio, 1988. 60 pp.

ARTES DE MÉXICO

ARTES DE MÉXICO, Revista Libro, núm. 49, "La tehuana", Instituto de Investigaciones Artes de México, 2000, 96 pp.

ARTES DE MÉXICO, Revista Libro, núm. 15, "El arte ritual de la muerte niña", Instituto de Investigaciones Artes de México, 1a. edición 1992, 2a. edición 1998, 96 pp.

MÉXICO EN EL ARTE

BLANCO, LÁZARO, "La fotografía como fotografía", en *México en el Arte*, INBA, núm. 2, Nueva época, otoño de 1983, México.

PERIÓDICOS Y REVISTAS

LA JORNADA SEMANAL

MRAZ, JOHN, "Objetividad y democracia: apuntes para una historia del fotoperiodismo en México", en *La Jornada Semanal*, México, núm. 37, 25 de febrero de 1990; pp. 26-31.

OCHOA, GERARDO, "Manuel Álvarez Bravo. Tarjetas de visita", en *La Jornada Semanal*, México, núm. 7, 30 de julio de 1989, pp. 24-26.

"Tina Modotti: en el camino hacia la realidad", en *La Jornada Semanal*, México, núm. 7, 30 de julio de 1989, pp. 21-23.

LA JORNADA

RAMÍREZ, LUIS ENRIQUE, "Fotoforum, Cuartoscuro, Luna Córnea, ¿Preparado el terreno para las revistas de fotografía?", en *La Jornada*, 11 de marzo de 1994, pp. 27, Sección Cultural.

EL SOL DE MÉXICO

OCHOA, GUILLERMO, "Nació Luna Córnea, medio de difusión fotográfica que rinde homenaje a Manuel Álvarez Bravo", en *El Sol de México*, 12 de marzo de 1993, pp. 15-16.

EL UNIVERSAL

PONIATOWSKA AMOR, ELENA, "Entrevista con Sergio Toledano", en *El Universal*, Sección Cultural, diciembre 2000.

COLECCIÓN RÍO DE LUZ DEL FONDO DE CULTURA ECONÓMICA

ABBAS, *Retornos a Oapan*, Fondo de Cultura Económica, Colección Río de Luz, México, 1986, 87 pp.

ÁLVAREZ BRAVO, MANUEL, *Mucho Sol* (presentación de Teresa del Conde), Fondo de Cultura Económica, Colección Río de Luz, México, 1989, 94 pp.

—— et al., *Historia natural de las cosas. 50 fotógrafos* (textos de Álvaro Mutis), Fondo de Cultura Económica, Colección Río de Luz, México, 1985, 87 pp.

ARCHIVO, CASASOLA, *Jefes, Héroes y Caudillos* (textos de Flora Lara), Fondo de Cultura Económica, Colección Río de Luz, México, 1986, 109 pp.

BLANCO, LÁZARO, *Luces y Tiempos* (presentación de Guillermo Samperio), Fondo de Cultura Económica, Colección Río de Luz, México, 1987, 61 pp.

BRANCO, RIO, *Dulce sudor amargo* (textos de Jean-Pierre Nouhaud, traducción de Felipe Garrido). Fondo de Cultura Económica, Colección Río de Luz, México, 1985, s.f.

CASANOVA, ROSA Y OLIVIER DEBROISE (texto), *Sobre la superficie bruñida de un espejo. Fotógrafos del siglo XIX*, Fondo de Cultura Económica, Colección Río de Luz, México, 1989, 111 pp.

CASTAÑÓN, ADOLFO (texto) *Retratos de Méxicanos 1839-1939*, 150 años de la fotografía, Antología, Fondo de Cultura Económica, Colección Río de Luz, México, 1991, 87 pp.

DONIZ, RAFAEL, *Casa Santa* (presentación de Antonio Alatorre), Fondo de Cultura Económica, Colección Río de Luz, México, 1986, 71 pp.

FLORES OLEA, VÍCTOR, *Los encuentros* (presentación de Carlos Fuentes), Fondo de Cultura Económica, Colección Río de Luz, México, 1984, 85 pp.

GARCÍA, HÉCTOR, *Escribir con Luz* (presentación de Juan de La Cabada), Fondo de Cultura Económica, Colección Río de Luz, México, 1985, 65 pp.

ITURBIDE, GRACIELA, *Sueños de Papel* (presentación de Verónica Volkow), Fondo de Cultura Económica, Colección Río de Luz, México, 1985, 69 pp.

LÓPEZ, NACHO. *Yo, el ciudadano* (presentación de Fernando Benítez), Fondo de Cultura Económica, Colección Río de Luz, México, 1984, 75 pp.

MEYER, PEDRO, *Espejo de Espinas* (presentación de Carlos Monsiváis), Fondo de Cultura Económica, Colección Río de Luz, México, 1986, 85 pp.

NEYRA, JOSÉ LUIS, *Al paso del tiempo* (presentación de Jaime Moreno Villarreal), Fondo de Cultura Económica, Colección Río de Luz, México, 1987, 59 pp.

YAMPOLSKY, MARIANA, *La raíz y el camino* (presentación de Elena Poniatowska), Fondo de Cultura Económica, Colección Río Luz, México, 1985, 67 pp.

ORTIZ MONASTERIO, PABLO *et al*., *Aperture, Río de luz* (revista de los fotógrafos participantes en la Colección Río de Luz), Turín, Italia, 80 pp.

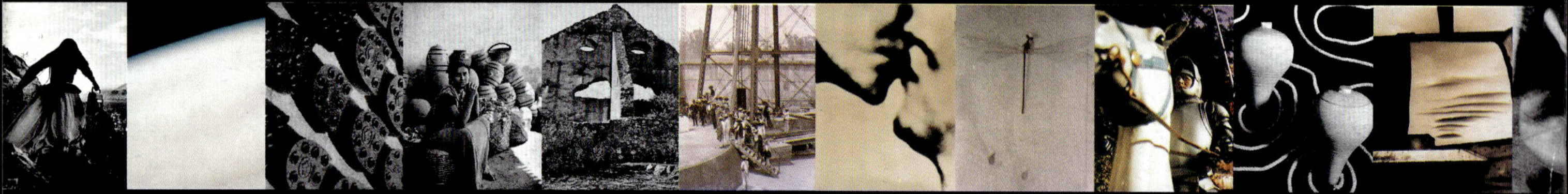

CRÉDITOS Y AGRADECIMIENTOS

CONSEJO NACIONAL PARA LA CULTURA Y LAS ARTES

Sari Bermúdez
Presidenta

Luis Vázquez Cano
Secretario Técnico A

Andrés Roemer
Secretario Técnico B

Lucina Jiménez López
Directora General del Centro Nacional de las Artes

CENTRO DE LA IMAGEN

Alejandro Castellanos Cadena
Director

Gabriela González Reyes
Subdirectora

INVESTIGACIÓN / FOTOGRAFÍA
Estela Treviño
Coordinadora
Martha Jarquín Sánchez
Apoyo en investigación

CURADURÍA
Gustavo Prado
Coordinador
Mario Domínguez Sánchez
Embalaje y Tránsito de Obra
Martha Miranda Posada
Enlace de Exposiciones
Jesús Torres Armengol
Montaje
Paloma Paredes García
Registro y Conservación

COMUNICACIÓN
Valentín Castelán Alegría
Coordinador
Tania Andrade Olea
Difusión
Lourdes Franco Álvarez
Diseño
Cecilia del Olmo
Prensa
Luis Alberto González Canseco
Registro documental

EDITORIAL
Alfonso Morales Carrillo
Director de Luna Córnea
Patricia Gola Maragno
Directora de Luna Córnea

Alejandra Pérez Zamudio
Asistente Editorial
Nancy Durán Orizaba
Alejandra Chávez Arroyo
Comercialización
Carolina Herrera
Diseño Editorial
Eduardo Cedillo Laguna
Distribución
Pablo Zepeda Martínez
Supervisor Editorial

EDUCACIÓN
Pavka Segura Morales
Coordinador
Joel Aguilar González
Apoyo Técnico y Logística

Emily Catherine Adams
Enlace Académico Internacional
Misael Torres Ortiz
Enlace Académico Nacional
Marisela Bernardino García
Enlace con el Sector Educativo

INFORMACIÓN
José Iván González Fuentes
Coordinador
Alfredo Cruz Rojas
Biblioteca
Genoveva Saavedra García
Centro de Documentación

INVESTIGACIÓN MULTIMEDIA
Antonio Outon
Coordinador
James Ronald Young
Apoyo Técnico a Proyectos

Erandy Vergara Vargas
Información Electrónica

PLANEACIÓN Y EVALUACIÓN
Teresa Florencia Chávez Ávila
Coordinadora
Alma Alberta Martínez Castillo
Atención a Público
Esmeralda Gutiérrez González
Atención a Público

ADMINISTRACIÓN
Alicia Valdés Guerrero
Coordinadora
Roberto Martínez Ramírez
Almacén
Fabiola Luna López
Asesoría Jurídica
Adriana Ortiz Vilchis
Asistente de Recursos Materiales

Joaquín Bolaños Luna
Contador
César Alberto Benítez Álvarez
Informática
Juan Villanueva Sotelo
Ingresos Propios
José Luis Iturbide Pérez
Mantenimiento y Apoyo Técnico
José Luis Cortez Nez
Mensajería
Ninfa Bellatrix Alvarado
Recepción
Alma Delia Martínez
Recursos Financieros
Roberto Lugo Morales
Recursos Humanos
Jesús Rodríguez Núñez
Recursos Materiales
Lidia Martínez Segura
Secretaria
Josefina Montero Naro
María Araceli Iturbide Pérez
Apoyo en Dirección

SERVICIO SOCIAL DE INVESTIGACIÓN

Ángeles Ramos González
Antonio Acevedo Larrea
Arlette Castillo Arteaga
Beatriz Velasco Castelán
Belinda Méndez Tejeda

Erika Rosas Montiel
Fernando Baruk Plaza Romo
Guiomar Jiménez Orozco
Irma Carrillo Chávez
Marissa Alejandro Pérez

Nayelli Jiménez Márquez
Nayelli Morales Luna
Santiago Paredes Ruiz de Velasco
Yadira Loyola Aylvardo

CUSTODIAS DE COLECCIONES

Aarón e Iris Salmerón
Academia de San Carlos
Agencia MAGNUM
Alejandra Mora Velasco
Archivo Fotográfico Indígena, San Cristóbal de las Casas
Archivo General del Estado de Veracruz
Archivo General de la Nación

Archivo Juan Guzmán
Archivo Municipal de la Ciudad de Oaxaca
Archivo La Jornada
Archivo La Prensa
Archivo Antonio Reynoso
Center for Creative Photography. The University Arizona

Centro Fotográfico Álvarez Bravo
J. Manuel Crispín Vieyra. Archivo Nicolás Romero
Archivo Armando Salas Portugal
Carlota Duarte
Carlos Fournier Amor
Colección Alfonso Cortés Mc Naugth
Colección Alfonso Morales

Colección Ava Vargas
Colección Carlos Monsiváis
Colección Cristina Kahlo
Colección en custodia de Carmen Ramírez
Colección Gabriel Figueroa Flores
Colección Galas de México, S.A.,
    Cortesía Museo Soumaya
Colección Graciela Iturbide
Colección Gregorio Rocha
Colección Gutierre Aceves
Colección Héctor García
Colección Jiménez García
Colección José Antonio Rodríguez
Colección Josefina Martínez Castro
Colección Luis González
Colección María Jiménez
Colección Matías Rocha
Colección Nayelli Jiménez Márquez

Colección Shanti Lesur
Asociación Cultural Na Bolom, A.C.
Colección Olivier Debroise
Colección Bill Wittliff
CONACULTA-INAH-SINAFO-Fototeca Nacional
Consejo Mexicano de Fotografía
Dennis Brehme
Ed van der Elsken / The Netherlands
    Photo Archives
Familia Zárate López
Familia Jarquín Zárate
    Fototeca Antica, Asociación Civil/
    Colección Jorge Carretero Madrid
Fototeca Nuevo León/Consejo para la
    Cultura de Nuevo León
Fundación Cultural Televisa
Fundación Juan Rulfo

Fundación Zúñiga Laborde
Galería Enrique Guerrero
Rose Gallery
Instituto de Investigaciones Estéticas-UNAM
Instituto Nacional Indigenista
Maty Huitrón
Museo Regional de Guanajuato/
    Alhóndiga de Granaditas
Museo de Lima, Perú
Museo de El Carmen
Museo de Arte Contemporáneo de
    Monterrey
Museo Nacional de los Ferrocarriles
    Mexicanos
Teresa Miranda
Throckmorton Fine Art, Inc.
Universidad Autónoma de Yucatán
    Facultad de Ciencias Antropológicas

AGRADECEMOS ESPECIALMENTE LA COLABORACIÓN DE

Agencia VU/ Christian Caujolle
    y Marion Gronier
Guillermo Andrade
Virginia Armella Maza
Malin Barth
Nina Beskow
Federico Campbell
Rosa Casanova
Alejandra Castañeda
Alejandro Castellanos
Marieta de Turok
Fernando del Moral González
Olivia Domínguez Pérez
Javier Espinoza Poo
Luisa Fiocco
Francisco Fernández Repeto
Paulo Guilherme Fracornel
Diego García Elío
Rogelio García
Mireya Garza Murillo
Loretto Garza Zambrano
Frances Horn
Nora Horna
Gabriela Huerta Tamayo
Marcos Ibáñez

Graciela Iturbide
Familia Jiménez Robles
Víctor Jiménez
Mark Katzman
Adriana Konzevik
Boris Kossoy
Emmanuel León
Alfia Leyva
Xavier López de Arriaga
Mónica López Velarde
Meredith Lue
Mauricio Maillé
Liliana Marín
Cinthia Martínez
Irazema Martínez G.
Ramiro Martínez Estrada
Teresa Márquez Martínez
Natalia Mc Luff
Cuauhtémoc Medina
Consuelo Méndez
Pedro Meyer
Alfonso Morales
José Nacif Mina
Carole Naggar
Natasha O'Connor

James Oles
Conchita Ortega
Mauricio Ortega
Raúl Ortega
Yolanda Ortega
Rebeca Panameño
Paulina Rocha Cito
Olga Peralta Rochín
Fred Ritchin
José Antonio Rodríguez
Cecilia Salcedo
Osvaldo Sánchez
Alicia Sánchez Mejorada
Rose Shoshana
Soumaya Slim
Leticia Staines Cicero
Esther Tejeda de García
Connie Todd
Fernanda Valverde
Martijn van den Broek
Alma Vázquez
Covadonga Vélez Rocha
José Welbers
Zophie Zenon

160 AÑOS DE FOTOGRAFÍA EN MÉXICO SE TERMINÓ DE IMPRIMIR EN GRÁFICAS DOMINCO, S.A. SANT JOAN D'ESPI (ESPAÑA) EN EL MES DE OCTUBRE DE 2004. PARA SU COMPOSICIÓN SE USARON LOS TIPOS DE LAS FAMILIAS FILOSOFÍA Y HELVÉTICA